KB157977

고대 동북아 목곽묘의 전개과정 연구
古代 東北亞 木槨墓의 展開過程 硏究

고대 동북아 목곽묘의 전개과정 연구

2022년 3월 31일 초판 1쇄 발행

지은이   포영초(包永超)
펴낸이   권혁재
편 집   권이지

인 쇄   성광인쇄
펴낸곳   학연문화사
등 록   1988년 2월 26일 제2-501호
주 소   서울시 금천구 가산디지털1로 16 가산2차SKV1AP타워 1415호

전 화   02-6223-2301
팩 스   02-6223-2303
E-mail   hak7891@chol.com

ISBN   978-89-5508-465-8   93910

고대 동북아 목곽묘의 전개과정 연구
古代 東北亞 木槨墓의 展開過程 研究

포영초(包永超)

학연문화사

이 책은 박사학위 논문인 「고대 동북아 목곽묘의 전개과정 연구」(경북대학교 대학원 고고인류학과, 2021)를 수정·보완 것이다. 박사논문을 쓰고 나면 내용에 적지 않은 문제가 있지만, 이러한 문제는 추후의 연구 과제로 남는다.

책의 제목은 「고대 동북아 목곽묘의 전개과정 연구」로 정하였지만, 저자의 능력과 정력에 한계가 있어 길림, 일본을 비롯한 지역의 목곽묘 자료들을 제도로 정리하지 못한 것은 한계로 남는다. 저자에게 이 책은 동북아 목곽묘에 대한 여러 문제를 해결해가는 첫걸음이며, 동북아 고대 묘제연구의 출발점이 되기를 희망한다.

그동안 목곽묘에 관련된 논문이나 저서는 특정 징역별로 목곽묘의 전개과정을 설명하는 것이 일반적이었다. 이 책은 동북아시아라는 거시적 관점 속에서 각 지역 목곽묘의 수용과 전개를 체계화을 정리하는 것에 목적을 두었다. 동북아 각 지역 목곽묘에 대한 연구를 시작하여 자료를 정리하면서 각 지역 목곽묘에 대한 연구가 부족하다는 점을 알게 되었다. 그래서 이 책의 각 장은 동북아 여러 지역 목곽묘에 대한 연구가 부족한 점에 근거하여 구성하였다.

동북아 목곽묘는 일제강점기 이래로 2020년대 까지 수 많은 고분이 발굴되었다. 그러나 연대가 오래된 데다가 특별한 방부조치가 없기 때문에 보존된 목곽은 드물다. 발굴시 토광만 남아있는 경우가 많으며, 시기별, 국가별 연구자에 따라 목곽묘의 개념과 용어가 서로 다르게 사용되어서 목곽의 사용 여부와 관·곽의 구분은 연구의 쟁점이 되었다. 이 책에서는 최근에 한국학계에서 목곽묘의 매장의례 연구성과를 참고하여 동북아 목곽묘의 개념을 정의하였다. 지역별 목곽묘의 수용, 전개, 상호관계 등을 검토한 이후 '이주-전파'의 이론적 모델을 차용하여 궁극적으로 동북아시아의 사회문화변동과 상호작용을 살펴보았다.

결국 동북아시아 목곽묘의 전개과정은 한 지역에서 수용된 후 일정 기간 동안 자체 발전을 거치다가 특정한 역사적 사건을 계기로 다른 지역으로 전파되는 패턴이 반복되다가 전 지역으로 확산하였다. 그러나 전파 모델에 따라 각 지역의 목곽묘 수용양상에 서로 차이가 나타난다. 요컨대 요서 · 요동지역은 연·진·한의 점진적인 인구의 이주와 정복을 통해서 연식 · 한식 목곽묘가 그대로 이식되고 순차적으로 수용되고 확산되었다. 서북한지역은 한의 정복을 통해서 중원의 목곽묘의 구조뿐만 아니라 신분제도도 수용되었다. 이에 비해 남한지역은 주민집단의 대거 이주와 같은 것이 확인하지 않고 목곽의 구조와 부장품에서 앞 시기 목관묘를 계승하여 목곽의 장제적인 매장관념만 채택하였는데, 낙랑 단장목곽묘는 주구토광묘 매장시설의 모델이 되고 합장목곽묘(귀틀무덤)는 영남지역 목곽묘의 모방 수용 모델이 되었다.

동북아시아라는 거대한 지역의 목곽묘 자료를 정리하는 작업은 쉬운 일이 아니다. 그래도 많은 선학들께서 목곽묘 연구를 축적하신 덕분에 그나마 글을 마무리할 수 있었다. 아직 서봉西丰 서차구西岔溝, 길림吉林 모이산帽兒山고분군을 비롯한 토착집단의 목곽묘는 드러나지 않은 자료가 더 많기에 풀어야 할 숙제가 가득하다. 다만 이 책이 한·중 목곽묘에 대한 연구에 도움이 되었으면 한다. 또한 저자의 동북아시아 목곽묘의 계통과 상호관계를 알아보려던 소기의 목적을 달성한 것에 작은 만족을 한다.

저자가 고고학이라는 학문을 공부한 것은 아직 초보자이지만 한국에서 유학하는 것도 11년이라는 시간이 지난 것 같다. 그동안 감사드려야 할 분들이 아주 많은데 이 책을 빌려 그분들에게 소소한 인사를 드리고자 한다.

석·박사과정 재학 중 많은 지도해 주신 경북대학교 이성주 교수님께 먼저 깊이 감사드리고 싶다. 외국인인 저자가 한국어로 논문을 쓸 수 있게 된 것도 바로 교수님의 지도가 있었기 때문이라고 생각한다. 이 책의 작성에 있어서 고고학 이론, 방법, 문장구성에 이르기까지 많은 착은 받았다. 또 이 책의 작성 과정에서 세밀하게 검토해 주신 박천수 교수님(경북대학교), 정인성 교수님(영남대학교), 김용성 원장님(한빛문화재연구원), 조윤재 교수님(고려대학교)께 진심으로 감사드린다. 그리고 한국 유학 중 수업 혹은 실생활을 통하여 지도해 주신 이희준 교수님(경북대학교), 오강원 교수님(한국학중앙연구원), 김일규 선생님(부산대학교), 박충환 교수님(경북대학교), 안승택 교수님(경북대학교), 박희경 교수님(경북대학교), 곽승기 교수님(경북대학교), 김도영 선생님(경북대학교), 김규운 교수님(강원대학교), 박경신(숭실대학교 한국기독교박물관)께 깊은 감사의 말씀을 드린다. 또 한국 고고학에 관해서 저자가 학부생 때부터 관심을 두고 공부해 왔는데, 이 때 여러 가지로 지도해 주신 김권구 교수님(계명대학교), 김구군 원장님(삼한문화 재연구원)께도 깊이 감사드린다.

석·박사과정 재학 중 많은 도움을 주신 연구실 학우들께 깊이 감사의 말씀을 드린다. 특히 논문 작성 과정에서 자료 수집과 문장교정을 해 주신 전세원, 정진, 최정범, 김민범, 이수정, 임영재께, 이 책에 수록한 많은 도면을 편집해 주신 장주탁 선생님, 수업에서 우정을 함께한 박형열, 김준식, 방세현, 이춘선, 배군열 , 로시차께 감사드린다. 아울러 귀중한 동대장자고분군 발굴자료를 많이 주신 성경당成璟瑭 교수님(吉林大學)께도 특히 감사드리며 이 책을 출판을 흔쾌히 맡아주신 학연문화사 권혁재 사장님께 감사드린다.

그리고 처부모님과 부모님께 감사드리며, 물심양면으로 뒷바라지해주는 부인 진아노에게 마음을 다해 이 책을 드린다.

2022년 3월
포 영 초(包 永 超)

목 차

Ⅷ장 | 結論

Ⅰ장
序論

목곽묘는 판재나 각재를 사용하여 장방형 혹은 방형으로 제작된 곽을 매장 시설로 사용한 묘제를 말한다. 묘실가 매장공간 내외 개통-성開通性을 추구하는 것과 달리 무덤 공간 전체의 밀폐와 차단을 추구한 것이다[1]. 동아시아에서 목 곽묘의 기원은 신석기 만기인 대문구문화大汶口文化로 거슬러 올라갈 수 있는데 주변지역에도 일정한 영향을 주었다. 동북아시아 지역에서는 청동기시대부터 목곽묘가 보편적인 묘제로서 성립하게 된다. 목곽의 규모나 구조, 부장품의 양 과 질은 신분에 따라 커다란 차이를 나타내고 지역에 따라서도 일정한 차이가 있어 당시의 지역색, 문화 계통을 파악하는데 중요한 고찰 대상이 된다.

고대 동북아시아의 고분 계통은 크게 석축묘와 목축묘[2]로 나눌 수 있다. 석 축묘는 일반적으로 토착 묘제로 보았다. 목축묘는 목관묘와 목곽묘로 구분할 수 있으며 목관묘는 청동기시대 초기인 하가점하층문화夏家店下層文化에 이미 등장하였다. 현재까지의 고고자료로 보면 목곽묘는 동북아시아지역에 청동기 시대 중기인 위영자문화魏營子文化에서 사용되기 시작하였다. 『삼국지三國志』 동 이전에 기록된 '유곽무관有槨無棺'이라는 목곽묘가 이 시기에 등장하였다. 전국 만기에 연나라는 동호를 정벌하여 요령에 우북평右北平, 요서遼西, 요동遼東 등의 군을 설치하였다. 목곽묘는 이러한 역사적인 계기를 통해서 연식 목곽묘가 요

---

1) 黃曉苏, 2003, 『漢墓的考古學研究』, 嶽麓出版社, pp.12-15.
2) 본고에서 사용하는 '木築墓'라는 용어는 목관, 목곽, 목실 등을 비롯한 목재 매장시설 매 장을 사용하는 무덤을 말한다. 석축묘는 토착묘제를 대표하는 것과 달리, 목축묘는 중원 묘제의 영향을 받아들이는 의미를 갖춘다.

서, 요동에 보급되었으며 요서, 요동을 중심으로 주변 토착집단에 확산되었다. 서한 원봉元封 3년(기원전 108년)에 한무제는 바다를 건너 위만조선을 멸망 시켰다. 한반도의 북방에 낙랑樂浪, 임둔臨屯, 현토玄菟, 진번眞番 4개군을 설치하였고 이를 한사군漢四郡이라고 부른다. 이러한 역사적 배경 아래 한식 목곽묘는 한반도 서북한에서 보급되었다. 한반도 남부지역은 낙랑군과 문화, 무역 교류를 통해서 기원 2세기 후반에 목곽묘의 매장관념이 수용되었지만 목곽묘의 구조는 독자적인 특징이 있다.

이처럼 목곽묘의 점진적인 전개과정이 파악되기는 하나, 지역별로 목곽묘의 전개과정을 설명하는 것이 일반적이었다. 따라서 동북아시아 목곽묘의 전개과정을 체계화하여 정리하는 작업이 본 연구의 첫 번째 목적이다. 둘째, 이 논문에서는 동북아에 있는 각 지역의 목곽묘 유적을 대상으로 출토유물의 형식분류와 배열을 통해 상세한 상대편년을 시도했다. 정리된 편년을 토대로 각 지역에서 목곽들이 시간적 순서에 따라 어떤 관계를 가지고 변천되는지 파악하여 목곽의 형식 변천이 타 묘제와는 어떻게 연동되는지 밝혔다. 셋째, 지역의 정치 상황과 사회 발전의 정도에 따라 각 지역별 목곽의 수용방식에도 차이가 있다. 이러한 수용양상의 차이는 지역별 출현기의 목곽구조와 부장품의 양과 부장위치를 통해 지역별 목곽묘가 어떤 메커니즘에 의해 수용되는가를 설명하고자 한다. 넷째, 지역 간 목곽의 구조를 비교해 봄으로써 지역별 목곽묘의 상호작용과 계보관계를 설명하려 했으며 제 지역의 독자적인 특징, 즉 지역색을 살펴보았다. 끝으로 동북아 목곽묘 전개 패턴은 거시적 관점에서 지역별 목곽묘의 수용과 전개를 통해 궁극적으로 동북아시아 지역별 사회문화변동과 상호작용을 살펴보았다.

동북아시아의 공간적 범위는 중국 연산 산맥이 동쪽에서 한반도에 이르기까지의 요해遼海지역, 한반도 북부지역, 그리고 한반도 남부지역으로 구분된다. 요해지역은 일반적으로 요하 중하류역, 요동반도, 요동만 서북 연안, 그리고 대소릉하유역을 지칭하는 것으로, 대략 지금의 요령성의 범위에 해당한다. 한반도 북부지역은 현재 조선민주주의공화국, 한반도 남부지역은 현재의 대한민국이다. 동북아시아 대륙은 서쪽으로 육로를 통해 중원문화구역과 연결된다. 남으로는 발해만의 수로로 산동반도와 연결되어 있다. 동쪽으로는 한 · 일 해협을 사이에 두고 일본열도와 연결된다. 선사시대부터 동북아시아에서 각 지역 간 인구의 이동과 문화교류가 활발하였다. 이는 당시 각 지역의 사회 · 문화 현상으로서 뿐만 아니라 각지의 사회 발전에 활력을 불어넣었다. 목곽묘는 이러한 문화교류를 통해서 동북아시아 각 지역에 확산되었을 것으로 생각된다.

본고에는 지리환경와 고고문화에 따라 동북아시아를 요서, 요동, 서북한, 남한 등 네 개 지역으로 구분하였다(그림 1-1). 요서지역은 노로아호산努魯兒虎山을 경계로 요서지역을 동부의 서랍목륜하西拉木倫河유역과 서부의 대大 · 소릉하小凌河유역으로 나누었다. 요동은 지리적 경계가 없지만, 일반적으로 요양지역 중심의 북부와 대련지역 중심의 남부로 구분된다. 낙랑(서북한)3은 평양을 중심으로 한다. 남한지역은 고분의 구조적 특성에 따라 주구토광묘가 주로 분포하는 호서지역, 분구묘가 주로 분포하는 호서 · 호남을 포함하는 서해안지역, 목관 · 곽묘가 주로 분포하는 영남지역으로 구분된다. 목곽묘는 동북아시아에서 기원전 14세기부터 기원후 5세기 말까지 지속되었으며 지역별로 등장과 소멸 시기가 다르고 전체적으로 기원전 4세기부터 기원후 4세기까지는 목곽묘가 집중적으로 채용되었던 시기이다.

---

3) 낙랑은 기원전 108년에 서북한 지역에서 설치된 漢郡이고 시 · 공간적인 의미를 갖춘다. 따라서 본고에서는 낙랑군을 설치 이후의 서북한지역은 낙랑지역으로 통칭한다.

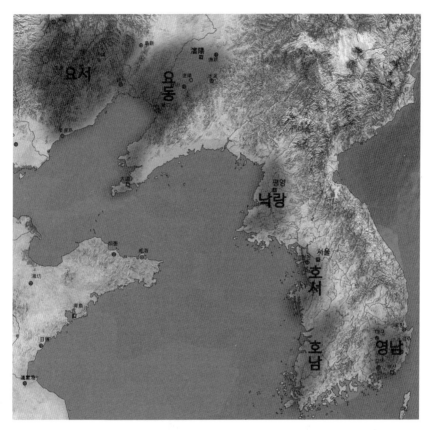

그림 1-1 동북아시아 목곽묘 분포지역 구분도

1. 調査·硏究史 檢討

　동북아시아 지역 목곽묘 발굴·연구는 크게 두 단계로 나눌 수 있다. 제1단계는 19세기 말부터 1945년까지이며, 초기의 발굴조사는 주로 일본학자를 중심으로 이루어졌다. 제2단계는 1945년부터 현재까지이며, 각 지역의 연구자를 중심으로 조사·연구한다. 동북아 각 지역의 재지 학자는 목곽묘에 관한 연구

관점에 차이가 있으므로 지역별로 조사·연구사를 정리하고자 한다.

1) 초기 조사·연구 : 19세기 말기~1945년

이 단계의 동북아 목곽묘 발굴조사는 일본학자에 의해 주도되었다. 1895년 도리이 류죠鳥居龍藏가 요동반도에서 고고학적 조사를 시작하면서 대련지역에서 한대 고분 10여 기가 발굴 되었으며, 1910년 발간된『남만주조사보고南滿洲調査報告』[4]에 이 자료가 발표되었다. 이후 하마다 고사쿠濱田耕作, 하라다 요시토原田淑人, 미카이 츠기오三上次男 그리고 이와마 노리야岩間德也 등은 여순旅順과 감정자甘井子지역에서 40여기의 한대 고분을 발굴하였으며『목양성牧羊城』[5], 『남산리南山里』[6],『영성자營城子』[7] 등 3권의 발굴 보고서로 조사성과를 출판하였다. 이 발굴 보고서들은『동방고고학총간東方考古學叢刊』으로 간행되었다.

1909년 낙랑유적의 조사도 시작되었다. 단 처음 낙랑지역에서 목곽묘를 발견한 때는 1913년이다. 1945년에 한반도가 해방되었을 때까지 일본학자는 약 40여기의 목곽묘를 발굴하였을 뿐만 아니라, 평양 대동강 남안 지역의 낙랑고분의 분포상황도 자세히 조사하여 고분 분포도를 제작하였다. 이 목곽묘의 자료는『조선고적도보朝鮮古跡圖譜』[8],『낙랑군시대樂浪郡時代의 유적遺跡)』[9],『낙랑한

4) 鳥居龍藏, 1910,『南滿洲調査報告』, 秀英舍.
5) 原田淑人, 1931,『牧羊城―南滿洲老鐵山麓漢及漢以前遺蹟』, 東亞考古學會.
6) 濱田耕作, 1933,『南山裡―南滿洲老鉄山麓の漢代甎墓』, 東亞考古學會.
7) 內藤寬·森修, 1934,『營城子 : 前牧城驛附近の漢代壁畵甎墓』, 東亞考古學會.
8) 關野貞 외, 1915,『朝鮮古跡圖譜1』, 朝鮮總督府.
9) 關野貞 외, 1927,『樂浪郡時代の遺蹟』, 朝鮮總督府.

묘樂浪漢墓』[10], 『고적조사보고古跡調査報告』[11] 등 발굴 보고서에 발표되었다.

이 단계의 발굴 자료는 주로 낙랑지역에 있고 다른 지역에서 발견된 목곽묘는 소수이다. 일본학자의 목곽묘 연구는 형식학 연구와 지역간 비교 검토가 주를 이루었다. 세키노 다다시關野貞는 처음으로 목곽묘의 형식분류를 시도하였는데[12], 그는 낙랑 목곽묘를 적토積土, 적석積石, 적전積磚 세 형식으로 구분하였다. 하마다 고사쿠濱田耕作는 『남산리南山里』 보고서에서 남산리 한묘와 낙랑한묘를 비교 검토하면서 낙랑 한묘와 요동 한묘의 유사성을 제시하였다[13]. 당시 고고학의 연구 수준과 비교 자료의 부족 등 제약 요소 때문에 낙랑 목곽묘와 부장품의 형식학적 연구는 충분히 이루어지지 않았다. 그리고 일본학자가 발굴한 낙랑 목곽묘는 대부분 대형 무덤이기 때문에 취득된 자료는 낙랑 목곽묘의 총체적 면모가 반영된 것이라 할 수 없었다.

2) 지역별 조사 · 연구 : 1945년~현재

(1) 요령지역

신중국의 발굴조사에서는 최초 목곽묘의 발견은 1954년에서 1957년까지 대련 영성자에서 이루어졌다[14]. 이 발굴조사에서 52기의 한대 고분이 발굴되었

10) 樂浪漢墓刊行會, 1974, 『樂浪漢墓 第一册』, 樂浪漢墓刊行會; 樂浪漢墓刊行會, 1975, 『樂浪漢墓 第二册』, 樂浪漢墓刊行會.

11) 田澤金吾 · 原田淑人, 1931, 『樂浪-五官掾王旰の墳墓』, 東京大學文學部; 朝鮮古跡研究會, 1934, 『古跡調査概報-樂浪古墳 昭和8年度』; 小泉顯夫, 1934, 『樂浪彩篋塚』, 朝鮮古跡研究會; 榧本龜次郎, 1935, 「平安南道大同江面吾野里古墳調査報告」, 『昭和5年度古跡調査報告第1册』; 榧本龜次郎 · 小場恒吉, 1935, 『樂浪王光墓』, 朝鮮古跡研究會; 朝鮮古跡研究會, 1936, 『古跡調査概報-樂浪古墳 昭和10年度』.

12) 關野貞, 1936, 「樂浪帶方兩郡の遺跡及遺物」, 『考古學講座』, 雄山閣.

13) 濱田耕作, 1933, 앞 책.

14) 於臨祥, 1958, 「營城子貝墓」, 『考古學報』 4, pp.71-89.

는데 그중 41기가 적패묘積貝墓로 간략히 보고되었다. 1957년 여순 이가구李家溝에서 30여 기의 한대 고분을 발굴되었으며 여전히 적패묘가 주류이다[15]. 1958~1965년 심양 정가와자에서 목곽묘 2기가 발견되었다. 70년대 이후 요령지역에 발견된 목곽묘 자료가 폭발적으로 증가하였다. 요서지역의 화상구和尙溝[16], 위영자衛營子[17], 대성자大城子, 미안구眉眼溝[18], 원대자袁台子[19], 오도하자五道河子[20] 등의 지역에서 목곽묘가 다수 발견되었다. 화상구에서 동북아시아 최초의 적석목곽묘도 발견되었다. 그러나 발굴된 자료는 대부분 발표되지 않았다.

80년대부터 현대까지 요령지역에서 도시 건설 공사로 인해 전면적으로 발굴조사를 시행되었다. 80~90년대에 오한기敖漢旗 오란보랍격烏蘭寶拉格[21], 주가지周家地[22], 건장建昌 우도구于道溝[23], 조양朝陽 오가장자吳家杖子[24], 대련 유가둔劉家屯[25] 등 지역에서 30여 기의 목곽묘가 발굴되었다. 2000년 이후 집중적으로 건창

15) 於臨祥, 1965,「旅順李家溝西漢貝墓」,『考古』3, pp.154-156.
16) 遼寧省文物考古研究所・喀左縣博物館, 1989,「喀左和尙溝墓地」,『遼寧文物學刊』2.
17) 遼寧省博物館文物工作隊, 1977,「遼寧朝陽魏營子西周墓和古遺址」,『考古』5, pp.306-309.
18) 朝陽地區博物館・喀左縣文化館, 1985,「遼寧喀左大城子眉眼溝戰國墓」,『考古』1, pp.7-13.
19) 田立坤・萬欣・李國學, 1990,「朝陽十二台營子附近的漢墓」,『北方文物』3, pp.17-20.
20) 遼寧省文物考古研究所, 1989,「遼寧凌源縣五道河子戰國墓發掘簡報」,『文物』02, pp.52-61, 105.
21) 邵國田, 1996,「敖漢旗烏蘭寶拉格戰國墓地調査」,『內蒙古文物考古』Z1, pp.55-59, 81.
22) 中國社會科學院考古研究所內蒙古工作隊, 2001,「內蒙古敖漢旗周家地墓地發掘簡報」,『考古』11, pp.417-429.
23) 遼寧省文物考古研究所・葫蘆島市博物館・建昌縣文管所, 2006,「遼寧建昌於道溝戰國墓地調査發掘簡報」,『遼寧省博物館館刊』.
24) 田立坤・萬欣・杜守昌, 2010,「朝陽吳家杖子墓地發掘簡報」,『遼寧考古文集 (二)』, 科學出版社.
25) 劉金友, 2011,「遼寧大連劉家屯西漢貝墓」,『大連考古文集』, 科學出版社.

동대장자東大杖子[26], 안산 양초장羊草莊[27], 요양 묘포苗圃[28], 대련 강둔姜屯[29] 등 네 개의 중요한 유적이 발굴되었다. 동대장자고분군은 2000년~2003년에 발굴되었고 2014~2015년에 약보고서로 16기의 목곽묘가 보고되었다. 2010년에 대련 강둔고분군에서 200여기의 고분이 발굴되었는데 2013년, 2018년에 보고서가 완간되었다. 그러나 매장시설의 부식으로 인해 5기의 목곽묘에서만 내부 구조가 확인되었을 뿐이다. 2013년 안산 양초장고분군에서 87기의 고분이 발굴되었고 이 가운데 목곽묘는 20여 기가 확인되었다. 2008년과 2015년에 요양 묘포고분군에서는 300여기의 고분을 발굴되었지만 2015년에 5기의 목곽묘 자료가 약보고서로 발표되었다. 2010년에 1979년부터 발굴된 조양 원대자지역의 54기 목곽묘가 정리되어『조양원대자朝陽袁台子』[30]에 자세하게 보고되었다.

요령지역의 연구는 연구자에 따라 연 군현 설치 이전과 설치 이후의 두 시기로 나누어 연구가 진행되었다. 연 군현 설치 이전의 연구는 문화유형의 설정

---

26)　遼寧省文物考古硏究所・吉林大學邊疆考古硏究中心, 2015,「遼寧建昌東大杖子墓地2003年發掘簡報」,『邊疆考古研究』2, pp.39-56; 2015,「遼寧建昌東大杖子墓地2000年發掘簡報」,『文物』11, pp.4-26; 2014,「遼寧建昌縣東大杖子墓地2002年發掘簡報」,『考古』12, pp.18-32; 2014,「遼寧建昌縣東大杖子墓地2001年發掘簡報」,『考古』12, pp.3-17; 2014,「遼寧建昌縣東大杖子墓地M40的發掘」,『考古』12, pp.33-48; 2014,「遼寧建昌縣東大杖子墓地M47的發掘」,『考古』12, pp.49-63.

27)　遼寧省文物考古硏究所, 2015,『羊草莊漢墓』, 文物出版社.

28)　遼寧省文物考古硏究所, 2015,「遼寧遼陽市苗圃墓地漢代土坑墓」,『考古』4, pp.53-66.

29)　遼寧省文物考古硏究所, 2013,『姜屯漢墓』, 文物出版社.

30)　遼寧省文物考古硏究所・朝陽市博物館, 2010,『朝陽袁台子』, 文物出版社.

과 물질문화 편년[31]을 집중적으로 검토해왔다. 그리고 한국학자들은 북에서 남으로 문화가 전파되었다는 전제하에서 주로 동북지역의 문화양상을 한반도의 문화변동과 연관시키는 연구[32]에 집중해 왔다. 묘제에 대한 연구는 토착묘제인 석축묘가 주로 연구되었다[33]. 목곽묘에 대한 연구는 문화유형 구분에서 언급하는 연구가 있지만 목곽묘 자체에 대한 연구는 그리 많지 않을뿐 아나라 연구주제로서도 크게 주목을 받지 못하였다.

연 군현 설치 이후의 연구는 고분의 유형와 묘제의 변천을 집중해 왔다. 이 문신李文信은 요령지역 한대 고분의 분포, 고분의 유형과 부장품 등을 정리하였고, 요령 지역의 고분 유형을 옹관묘, 패묘, 전실묘, 석실묘, 대석곽묘로 구분하였다[34]. 패묘와 대석곽묘에는 현재 분류된 적패목곽묘와 적석목곽묘가 포함된다. 정군뢰鄭君雷는 그의 박사논문에서 요령지역 한대 고분의 분포를 요양, 금주, 심양, 대련 등의 네 개 구역으로 나누었고, 목곽묘가 포함된 동북지역의 한대 고분이 북경, 하북성 지역의 고분과 공통성이 있음을 제시하였다. 그리

---

31) 郭大順・張星德, 2005, 『東北文化與幽燕文明』, 江蘇教育出版社; 김정열, 2012, 「遼西 지역의 청동기문화와 복합사회의 전개」, 『동양학』 52, pp.79-112; 趙賓福, 2011, 「遼西地區漢以前文化發展序列的建立及文化縱橫關系的探討」, 『邊疆考古研究』 10, pp.191-207; 오강원, 2013, 「청동기~철기시대 요령・서북한 지역 물질문화의 전개와 고조선」, 『東陽學』 53, pp.173~222; 2014, 「公元前六至前五世紀遼寧地區物質文化變動和社會及其相互作用關系的形成」, 『韓國研究 第十二輯』, pp.1-32; 王立新, 2004, 「遼西區夏至戰國時期文化格局與經濟形態的演進」, 『考古學報』 3, pp.243-270.

32) 李盛周, 2007, 「4장 청동기시대 동아시아 世界體系와 한반도 문화변동」, 『靑銅器・鐵器時代 社會變動論』, 學研文化社, pp.161-232; 吳江原, 2014, 「韓國古代文化與樂浪文化的相互作用以及東亞細亞」, 『東方考古』 11, pp.173-214; 2018, 「기원전 3~1세기 中國東北과 西北韓地域의 物質文化와 燕・秦・漢」, 『원사시대의 사회문화 변동』, 진인진, pp.69-148.

33) 鄭大寧, 2002, 『中國東北地區靑銅時代石棺墓遺存的考古學研究』, 中國社會科學院研究生院; 趙少軍, 2017, 「試論凌河類型的石構墓葬」, 『北方文物』 01, pp.35-43.

34) 李文信, 1992, 「東北地區戰國以來的主要遺跡和遺物」, 『李文信考古文集』, 遼寧人民出版社.

고 낙랑 목곽묘를 포함하는 "한묘유주분포구漢墓幽州分布區"라는 개념을 제시하였다[35]. 근년에 순단옥孫丹玉은 요령지역 한대 고분의 변천을 통해서 요령지역 한문화의 형성 과정을 검토하였다[36]. 단일單一 묘제의 연구로 적패묘를가 주로 검토의 대상이 되었다. 우임상於臨祥[37], 유준용劉俊勇[38], 백운상白雲翔[39] 등 학자는 적패묘의 분포, 유형, 분기, 기원 등의 문제를 검토하였다.

2015년 이후의 새로운 발굴 자료는 즉시 정식 보고서로 발간하지 못하고 약보고서로만 발표하고 발굴에 참여한 대학원생들이 석사논문을 통해 발굴자료를 발표하고 연구자료로 활용하는 추세가 있다. 예를 들어, 2000년부터 발굴된 동대장자고분군은 2014년과 2015년의 약보고서에 15기의 목곽묘 자료를 발표하고 2016년~2018년 간 동대장자고분군과 관련된 네 편의 석사논문[40]에 나머지 자료가 보고되면서 연구자료로도 활용되었다.

(2) 낙랑(서북한)지역

1945년 이후 낙랑고분에 대한 조사와 연구의 주체는 북한학계로 넘어갔다. 1950년대 북한 학자들은 황해남도 은율군 운성리고분군, 황해남도 황주군 천주리 토광묘, 평양 대동강 남안 정백동 부조예군묘 등 낙랑고분을 연속적으로

35) 鄭君雷, 1997, 『中國東北地區漢墓硏究』, 吉林大學.
36) 孫丹玉, 2019, 『遼海地區漢墓硏究』, 吉林大學.
37) 於臨祥, 1958, 앞 보고서.
38) 劉俊勇, 1995, 「遼寧漢代貝墓類型與分期探討」, 『博物館硏究』 01.
39) 白雲翔, 1998, 「漢代積貝墓硏究」, 『劉敦願先生紀念文集』, 山東大學出版社.
40) 張依依, 2016, 『東大杖子墓地硏究』, 遼寧大學 碩士論文; 仲蕾潔, 2016, 『東大杖子M40初步硏究』, 遼寧大學 碩士論文; 趙鵬, 2017, 『遼寧建昌東大杖子墓地硏究』, 遼寧師範大學 碩士論文; 於佳靈, 2018, 『東大杖子墓地葬制初步考察』, 遼寧大學 碩士論文.

발굴하였다.[41] 1961~1978년 북한 사회과학원 고고학연구소는 평양 대동강 남안 지역의 정백동, 정오동 등 지역에서 여러 차례의 발굴을 진행하여 낙랑 목곽묘 40여기를 정리하였다.[42] 이와 동시에 고고학연구소는 또 다른 낙랑고분 집중 분포 지역인 황해남도 일대에서 수 차례에 걸쳐 발굴조사를 진행하였다.

1980년대 이후 낙랑구역에서 통일거리를 건설하는 과정에서 수많은 낙랑고분이 구제 발굴되었다. 특히 1990년대 평양특별시가 확대되면서 대동강 남안의 낙랑구역 일대에서 다수의 낙랑고분이 발굴되었다.[43] 1980년대 이후에 조사된 낙랑고분에 대해서는 약보고서가 제출되었으나 도면과 사진이 구비된 정식보고서는 발간되지 않았다. 2010년~2011년에 중국연변대학교 발해사연구소는 조선사회과학원 고고학연구소와 공동으로 평양일대의 낙랑고분을 발굴하였는데, 발굴된 고분 중에는 목곽묘 19기가 포함되어 있다[44].

1945년부터 현재까지 낙랑 목곽묘에 대한 연구는 해방이전과 비교해서 대량의 발굴조사가 이루어지고 풍부한 고분 자료가 축적되어 한층 심화되는 양상을 보였다. 해방이후에 낙랑목곽묘에 대한 고고학 연구는 주로 목곽묘의 형식 분류, 편년, 변천과정 및 문화적 성격에 대해 집중적으로 논의되어 왔다. 1970년대 이후 북한 학자들이 낙랑 목곽묘에 대한 분기와 편년 연구는 리순진

41) 고고학 및 민속학연구소, 1958,『대동강 류역 고분 발굴 보고-고고학자료집 제1집』, 과학원출판사; 1959,『대동강 및 재령강 류역 고분 발굴 보고-고고학자료집 제2집』, 과학원출판사; 백련행, 1962,「부조예군 도장에 대하여」,『문화유산』04.
42) 사회과학원 고고학연구소 전야공작대, 1978,「나무곽무덤」,『락랑구역 정백동 무덤떼 발굴보고-고고학자료집 제5집』, 과학, 백과사전출판사; 사회과학원 고고학연구소, 1983,『락랑구역일대의 고분발굴보고-고고학자료집 제6집』, 과학, 백과사전출판사.
43) 리순진, 1996,『평양일대 락랑무덤에 대한 연구』, 사회과학출판사.
44) 鄭京日・鄭永振・李東輝, 2014,『平壤一帶的樂浪墓葬—2010~2011年度發掘報告書』, 香港亞洲出版社.

의 관점이 가장 대표적이다. 리순진은 낙랑 목곽묘를 단장목곽묘와 부부합장 목곽묘로 나누고 부장품에 따라 세 가지로 다시 세분하였다. 변화규칙상 단장과 합장은 모두 I식에서 III식으로 변화하지만 합장묘는 3식에 속하는 것이 비교적 많기 때문에 전체적으로 볼 때, 단장에서 합장으로의 변화가 이어진다. 목곽묘의 연대에 대해 그는 I식이 기원전 2세기 후반, II식은 기원전 2세기 말부터 기원전 1세기 중엽, III식이 기원전 1세기 후반으로 보았다. 목곽묘의 계보에 대해 이순진은 서북한 지역의 목곽묘가 고조선 시기의 토광묘와 석관묘를 계승해 왔고, 중국 대륙과 아무 관계가 없다고 주장하였다[45].

남한 학계에서는 1980년대부터 낙랑고분의 연구가 본격적으로 시작되었다. 손병헌은 낙랑고분의 피장자에 관한 성격을 규명하는 연구 성과를 발표했다[46]. 신용민은 석사 논문 『서북지역 목곽묘에 관한 연구』에서 목곽묘를 단장 I식과 합장 II식으로 나누고 곽 내부 구조에 따라 다시 세분하였다[47]. 그는 목곽묘가 위만조선 시기에 처음 채용되었고, 한사군이 설치된 후에 묘제의 변화가 나타났으며 전실묘 및 다양한 중국 유물이 중국에서 전해졌다고 주장한다. 계보 문제에 관해 그는 낙랑지역 목곽묘가 전국~한대 장강 유역의 목곽묘에서 비롯되었다고 생각했다.

일본 학자 다카쿠 켄지高久健二는 낙랑 목곽묘에 대해 체계적인 연구를 진행하고 그 성과를 『낙랑고분문화 연구』로 출판하였다. 그는 토기의 형식을 바탕으로 상대편년을 설정하고 동경과 명문전, 동전을 기준으로 낙랑고분을 모두

45) 리순진, 1983, 「우리나라 서북지방의 나무곽무덤에 대한 연구」, 『고고민속론문집』 8 사회과학출판사
46) 孫秉憲, 1985, 「樂浪古墳의 被葬者」, 『韓國考古學報』 17·18
47) 辛勇旻, 1990, 『西北地方 木槨墓에 관한 硏究』, 東亞大學校大學院碩士

5기로 나누어서 그 변천을 설명하였다. 목곽묘 구조의 변화에 관해 단장에서 이혈합장을 거쳐 동혈합장으로 발전했다고 이해하였고 낙랑군이 설치된 다음에 목곽묘가 처음 등장하는 것으로 판단하였다. 낙랑 목곽묘의 계보에 대해서 그는 하북, 요동 일대의 중국 북방 지역과 화동에서 화남에 이르는 중국 동부지역의 목곽묘와 연결된다고 보았다[48].

왕배신王培新은 낙랑고분에 대한 그의 박사 논문을 『낙랑문화-묘장 중심의 고고학 연구』로 출판하였다[49]. 왕배신은 목곽묘를 곽의 구조에 따라 4개 형식으로 나누고, 매장형식에 따라 다시 세분하였다. 목곽묘의 계보 문제에 대해 육로로 통해 요령과 북경지역 묘제의 영향을 받았을 가능성이 있으며, 바닷길로 통해 산동와 강소 등 지역의 묘제와 관계가 있을 것이라고 주장했다. 그는 낙랑고분의 위계를 검토하면서 다중 관·곽이 고분 위계에 미치는 영향을 언급하지만 깊게 검토하지 않았다.

최근 들어, 북한에서 낙랑유적에 대한 보고가 줄거나 보고자료가 간략해서 낙랑고분에 대해 관심이 있는 학자가 드물다. 다카쿠 켄지의 일부 연구[50]를 제외하면 낙랑고분 연구는 거의 정체된 상태라고 말할 수 있다.

(3) 남한지역

남한 일원에서 목곽묘가 집중분포하는 지역은 호서·호남과 영남지방이며,

---

48) 高久健二, 1995, 『樂浪古墳文化硏究』, 學硏文化社.
49) 王培新, 2007, 『樂浪文化：以墓葬爲中心的考古學硏究』, 科學出版社
50) 高久健二, 2012, 「解放後の朝鮮民主主義人民共和國における樂浪古墳の調査」, 『專修考古學』 14, pp.101-147; 2020, 「日韓の樂浪系文物―平壤市樂浪区域一帶の古墳の上限年代を中心に」, 『新・日韓の考古學―弥生時代―(最終報告書　論考編)』, 新日韓交渉の考古學-弥生時代 原三國時代硏究會.

양 지역은 서로 다른 목곽묘 지역 전통을 형성하였다. 호서지방은 주구토광묘와 분구묘가 분포하고 있고 영남지방은 토광묘가 분포하고 있다. 1980년대 영남지방에서 신라, 가야 고분의 모체가 되는 원삼국시대의 대표적인 묘제인 목관묘와 목곽묘의 단계가 있었음이 확인되었다. 1976년에 김해 예안리유적과 1978년 경주 조양동유적의 발굴을 기점으로 본격적인 조사가 시작되었다. 1990년대 이후 대규모 구제발굴이 집중적으로 이루어져 경산 임당유적[51], 경주 조양동[52], 김해 양동리유적[53], 울산 하대유적[54], 중산리유적[55], 포항 옥성리 유적[56] 등이 발굴되었다. 최근 경주 덕천리유적[57], 탑동유적[58], 쪽샘유적[59] 등에 대한 발굴이 계속 이루어지고 있다. 전술한 유적의 발굴조사 보고서가 지속적으로 발간되어 목곽묘유적에 대한 자료도 계속적으로 확보되고 있다. 이들 발굴자료를 통해서 원삼국·삼국시대의 토기 편년과 시기 구분, 사회구조, 정치체 발전과정, 지역성 등의 다양한 주제를 중심으로 깊이 있는 연구성과가 발표되고 있다[60].

이제까지의 목곽묘에 관한 주요 연구를 살펴보면, 이재현[61]은 초기 목곽묘

51) 영남대학교박물관, 1991, 『경산 임당지역 고분군』.
52) 국립경주박물관, 2000, 『경주 조양동 유적I』, 국립경주박물관.
53) 동의대학교박물관, 2008, 『김해 양동리고분군I』, 동의대학교박물관.
54) 부산대학교박물관, 1997, 『울산 하대유적-고분I』, 부산대학교박물관.
55) 창원대학교박물관, 2006, 『蔚山 中山里遺蹟 I』, 창원대학교 박물관.
56) 국립경주박물관, 2000, 『玉城里 古墳群 I』, 국립경주박물관.
57) 영남문화재연구원, 2009, 『慶州 德泉里遺蹟III-木槨墓-』.
58) 금오문화재연구원, 2019, 『경주 탑동 21번지 유적』.
59) 국립경주문화재연구소, 2011, 『경주 쪽샘유적 발굴조사 보고서I』.
60) 李在賢, 2003, 『弁·辰韓社會의 考古學的 研究』, 釜山大學校 大學院 文學博士學位論文, pp.1~8.
61) 李在賢, 1995, 「弁·辰韓 社會의 발전과정」, 『嶺南考古學』 17, pp.11-32.

가 구조상 독자성이 뚜렷하고 일부 외래품이나 새로운 요소가 확인되지만, 전반적으로 앞 시기의 요소를 계승 발전시키거나 독자성을 띤다고 보았고 목관묘 사회부터의 지속적인 사회 발전에 따라 등장한 것으로 보았다. 이성주[62]는 진·변한지역의 목곽묘는 대형분을 중심으로 낙랑 목곽묘를 모방 수용하는 과정에서 출현했다고 보았다. 묘제의 변화를 외부의 요소가 유입되어 나타난 현상으로 파악하면서도 진·변한지역 내부의 사회변동과 맞물려 있는 것으로 보았다. 그리고 그는 중산리유적의 발굴자료를 바탕으로 목곽묘의 발전과정을 3단계로 나누었다[63].

권지영[64]은 목관묘에서 목곽묘로의 전환과정을 동남해안 지역과 북서내륙 지역으로 나누어 검토하였다. 목곽묘로의 전환은 농업생산력의 증대와 재지세력의 새로운 문물에 대한 주체적 수용이라는 내재적인 발전을 강조하였다. 다카쿠 켄지[65]는 진·변한과 낙랑 목곽묘는 매장주체부의 형태가 다르므로 재지의 발전과정에서 파악하여야 하지만, 부장품의 조성과 배치라는 측면에서 비교하면 낙랑 목곽묘 요소가 수용되었음을 지적하였다. 특정한 시기에 부장품의 조성과 배치라는 요소가 진·변한 사회에 수용되었으며, 수용 주체는 진·변한의 상위계층으로 보았다. 최근에 목곽묘의 출현과 변천에 대한 연구 이

---

62) 李盛周, 1997, 「木棺墓에서 木槨墓로」, 『新羅文化』 14, pp.19-53.

63) 李盛周, 1996, 「新羅式 木槨墓의 展開와 意義」, 『신라고고학의 제 문제』, 제20회 한국고고학전국대회, pp.39-64.

64) 權志瑛, 2006, 「木棺墓에서 木槨墓로의 轉換樣相에 대한 檢討」, 『嶺南考古學』 38, pp.83-104.

65) 高久健二, 2000, 「樂浪郡과 弁·辰韓의 墓制」, 『고고학으로 본 변·진한과 왜』, 영남고고학회·구주고고학회.

외에 목곽묘 자료를 통해 정치체 발전[66]과 장례 현장[67], 음식물 봉헌[68] 등과 같은 새로운 연구 시각도 제시되고 있다.

한편 호서·호남지방에서는 토광묘의 존재는 알려져 있었지만 사용 시기와 피장자 문제에 대한 관심이 부족하다. 1991년 천안 청당동유적 2차 조사에서 토광묘 주변에 주구가 돌려져 있는 주구토광묘가 확인되면서부터 중서부지방의 토광묘에 대한 관심이 증대되었다. 이후 중서부지방에서는 송절동유적[69], 봉명동유적[70], 하봉리유적[71], 장원리유적[72] 등의 발굴조사가 이루어졌다. 이유적들의 발굴조사를 통해서 청당동유형과 같은 주구토광묘 유적이 확인되었고 단순토광묘와 함께 합장묘가 조사되었다. 1994년 보령 관창리유적에서는 방형과 원형의 주구에 매장주체부가 유실된 형태의 토광묘유적이 조사되었다.

이와 같이 1990년대에는 발굴조사를 통해 주구가 중서부지방 분묘의 특징적인 요소로 주목되면서 주구토광묘, 주구묘 등의 용어가 사용되기 시작하였

66) 최병현, 2018, 「원삼국시기 경주지역의 목관묘,목곽묘 전개와 사로국」, 『중앙고고연구』 27, pp.29-103; 윤온식, 2019, 『斯盧國 考古學 硏究』, 경북대학교 대학원 박사논문; 2021, 「지역과 지구별 집단의 위계 변동으로 본 사로국의 진한 통합」, 『야외고고학』 41, pp.5-40.

67) 김진오, 2020, 『진·변한 목곽묘의 장례 현장 연구』, 서울대학교 대학원 석사논문.

68) 李盛周, 2014, 「貯藏祭祀와 盛饌祭祀 : 목곽묘의 토기부장을 통해 본 음식물 봉헌과 그 의미」, 『嶺南考古學』 70, pp.106-141.

69) 충북대학교박물관, 1994, 『淸州 松節洞 古墳群』.

70) 충북대학교박물관, 2002, 『청주 봉명동유적(I)-I지구 조사보고-』; 2004, 『청주 봉명동유적(III) - IV지구 조사보고 2』; 2005, 『청주 봉명동유적(II) - IV지구 조사보고 1 : 본문편』.

71) 국립공주박물관, 1995, 『下鳳里 I』.

72) 충청매장문화재연구원, 2001, 『공주 장원리유적』.

다[73]. 2000년대에 들어서는 봉분, 분구 등의 개념에 대한 규정이 시도되며, 중서부지방 분묘에 분구묘라는 용어가 사용되면서 주구토광묘와 분구묘의 정의 몇 그 성격에 대한 논의가 복잡해지기 시작한다.

강인구에 의해서 처음 분구묘란 용어가 제기되었고[74], 주구묘[75], 방형주구묘[76], 방형주구목관묘[77] 등으로 정의되기도 하였지만, 현재는 이성주[78]에 의해 선매장-후봉토의 형태를 주구토광묘, 선분구-후매장의 형태를 분구묘로 보는 견해가 제시되어 가장 폭 넓게 받아들여지고 있다. 그러나 봉토와 분구를 엄격하게 구분하기 어렵다는 점에서 분구묘라는 용어가 부적절하다는 견해도 제기되고 있다[79].

중서부지방 주구토광묘의 연구는 함순섭의 연구를 필두로 활발히 진행되어 왔다. 함순섭은 묘광의 장단비와 원저단경호의 부장 수량, 목곽의 유무, 목곽 중 부곽의 유무를 기준으로 I, II, III 단계를 설정하였다. 편년은 일체형 환두대도와 직기형 철모 등이 부장되는 청당동 II기를 영남지방과 교차 편년 하여 3세기 2/4분기로 보았다. 이를 기준으로 I기를 2세기 후반, II기를 3세기 2/4분기, III기를 3세기 후반으로 편년하였다[80]. 청당동유적의 편년을 바탕으로 그는 상위 묘제가 주구묘계열→단순 목관·목곽묘 계열→횡혈식 석실분으로 변

73) 李盛周, 1997, 「제3장 삼국시대의 고분」, 『한국의 문화유산』, 97문화유산조직위원회, 한국문화유산보호재단, pp.14-143.
74) 姜仁求, 1983, 「三國時代 墳丘墓의 再檢討(2)」, 『梨花史學硏究』 13-14, pp.7-30.
75) 최완규, 1997, 「금강유역 백제고분의 연구」, 숭실대학교 대학원 석사학위논문.
76) 京嶋 覺, 2000, 「일본 방형주구묘의 연구성과와 방법」, 『분구묘의 신지평』, pp.11~32.
77) 임영진, 2002, 「영산강유역권의 분구묘와 그 전개」, 『호남고고학보』 16, pp.79-99.
78) 이성주, 2000, 「분구묘의 인식」, 『한국상고사학보』 32, pp.75-109.
79) 최성락, 2007, 「분구묘의 인식에 대한 검토」, 『韓國考古學報』 62, pp.114-132.
80) 국립중앙박물관, 1995, 『淸堂洞II』, 국립박물관 고적조사보고 제27책.

화된다고 하였다[81]. 이후 새로운 조사 자료가 늘어나면서 청당동유적의 편년

안은 수정될 필요성이 제기되었지만 중서부지방 편년안의 기틀을 마련했다는

점에서 의의가 있다.

최근에 아산 용두리 진터유적[82]과 명암리 밖지므레 유적[83]의 자료를 이용하

여 토광목곽묘에서 주구토광묘로 변천하는 과정을 살펴보는 연구가 있다[84].

또한 주구토광묘에 대한 연구에서는 백제 영역화 과정을 설명하면서 부장품의

형식변화 또는 신기종의 등장에 주목하고[85] 지역적 특징과 변화과정에 대해서

설명이 시도되었다[86].

서해안에 분포하고 있는 분구묘의 조사는 1990년 후반에 호서지역을 벗어

나 영남과 호남지역까지 광범위하게 분포되어 있음이 확인되었다. 2000년대

중반 이후 한강 이남 유역에서 대규묘 분구묘 유적이 조사되어 현재는 한반도

서해안 전역에 분구묘가 분포함이 확인되었다.

분구묘에 대한 연구는 용어의 정의, 분구와 봉토의 개념에 관한 논의에서 출

발하여 분구묘의 양상, 전개 과정, 편년, 사회 변천 등 다양한 측면이 검토된

81) 咸舜燮, 1998, 「錦江流域圈의 馬韓에서 百濟로의 轉換」, 『3~5세기 금강유역의 고고학』, 제22회 한국고고학전국대회.

82) 충청문화재연구원, 2011, 『아산 용두리 진터 유적』, 충청문화재연구원.

83) 충청문화재연구원, 2011, 『牙山 鳴岩里 밖지므레遺蹟』, 충청문화재연구원.

84) 池珉周, 2011, 「아산 용두리 진터유적의 원삼국시대 분묘의 조영과정」, 『아산용두리진터유적』(II) 원삼국시대, 충청문화재연구원, pp.311-315; 이성주, 2013, 「목곽묘의 출현과 그 역사적 의의」, 『三韓時代, 文化와 蔚山』, 울산문화재연구원 학술대회; 2014, 「貯藏祭祀와 盛饌祭祀 : 목곽묘의 토기부장을 통해 본 음식물 봉헌과 그 의미」, 『嶺南考古學』70, pp.106-141.

85) 成正鏞, 2000, 『中西部 馬韓地域의 百濟領域化過程 研究』, 서울大學校大學院 博士學位論文.

86) 신기철, 2018, 「2~4세기 중서부지역 주구토광묘와 마한 중심세력 연구」, 『호서고고학』39, pp.31-68.

바 있다. 김승옥[87]은 분구묘의 축조재료와 방법, 분포 범위에 따라 성토분구묘, 적석분구묘, 즙석분구묘로 나누었고 서해안 일대의 성토분구묘는 매장시설의 수와 축조방법에 따라 단장(성토)분구묘와 다장(성토)분구묘로 나누었다. 이와 같은 분류법을 토대로 그는 분구묘의 전개 과정을 4단계로 나누어 살펴보았다.

이택구[88]는 입지와 평면형태, 축조방법, 분구내 매장시설의 형태, 부장유물 등 유구의 속성을 종합적으로 검토하여 주구토광묘 및 분구묘의 분포권을 구분하고 서해안지역과 내륙지역의 문화가 서로 차이가 있음을 확인하였다.

그러나 매장주체부의 연구는 옹관에 한정되었다고 할 수 있다. 관, 곽에 관한 연구는 거의 이루어지지 않았는데 임영진과 박형열이 영산강 유역 분구묘의 연구에서만 언급한 바 있다. 임영진[89]은 영산강유역권의 분구묘를 매장주체시설과 평면형태를 통해 방형목관분구묘와 제형목곽분구묘, (장)방대형옹관분구묘, 원형석실분구묘의 4가지 유형으로 구분된다고 보고 그러한 순서로 발전하음을 주장하였다. 박형열[90]은 영산강유역 3~5세기 분구묘의 매장주체부가 토광, 목관, 목곽, 옹관으로 구분할 수 있으며 각각의 구조에 따라 세분되었고 매장주체부의 배치와 분구의 확장 등에서 변화가 있다고 보았다.

남한 호서·호남지방에서는 주구토광묘와 분구묘로 연구의 주제가 나뉘어져 있다. 주구토광묘를 중심으로 한 연구에서는 묘제나 토기를 이용한 편년, 백제 영역화 과정, 지역적 특징과 변화과정 등을 주제로 한 연구들이 지속적

87) 김승옥, 2009, 「분구묘의 인식과 시공간적 전개과정」, 『한국 매장문화재 조사연구 방법론5』, 국립문화재연구소, pp.257-292.
88) 이택구, 2008, 「한반도 중서부지역의 馬韓 墳丘墓」, 『韓國考古學報』66, pp.48-89.
89) 임영진, 2002, 「영산강유역권의 분구묘와 그 전개」, 『호남고고학보』16, pp.79-99.
90) 박형열, 2014, 『榮山江流域 3~5世紀古墳變遷』, 동국대학교대학원 고고미술사학과 석사논문.

으로 발표되었다. 분구묘에 대한 연구는 용어의 정의, 분구와 봉토의 개념에 관한 논의에서 출발하여 분구묘의 양상, 전개 과정, 편년, 사회 변천 등 다양한 측면이 검토된 바 있다. 그러나 매장시설의 연구는 옹관에 한정되었다고 할 수 있는데 특히 관, 곽에 관한 연구는 거의 이루어지지 않았다.

(4) 화북 · 화남과 일본지역의 목곽묘 연구

본서에서 검토할 지역 이외에 중국 화북 · 화남지역과 일본의 목곽묘에 관한 연구를 주목할 필요가 있다. 화북 · 화남지역 목곽묘에 관한 연구에서 포모주蒲慕州는 곽의 외부 구조와 관 · 곽의 구조를 분석하였고 한대 수혈식 목곽묘에서 횡혈식 전실묘로 전환되는 것은 사후 세계에 대한 상상想像이 변화한 것을 반영한다고 제시하였다[91]. 황효분黃曉芬의 연구[92]가 가장 대표적이다. 그는 목곽묘를 상자형, 칸막이형, 제주형의 세 가지 유형으로 나누고 목곽묘에서 전실묘로 발전하는 과정에 관해서도 곽내의 개통→외계와의 개통→제사공간의 확립 세 단계로 설명한 바 있다. 또한 관곽제도에 관한 연구도 있는데 조화성趙化成[93]을 비롯한 학자들이 문헌 자료와 수많은 고분 자료를 통해 관곽제도에 대해 통시적으로 그 변화를 검토했던 성과를 들 수 있다. 근년에는 관곽제도의 형성과정을 지역별로 설명한 연구 사례도[94] 있다.

일본에서는 목곽묘의 사례가 적을 뿐만 아니라 발굴된 자료도 아주 소수이

91) 蒲慕州, 1993, 『墓葬與生死-中國古代宗教之省思』, 聯經出版事業公司.
92) 黃曉芬, 1995, 앞 책.
93) 趙化成, 1998, 「周代棺槨多重制度硏究」, 『國學硏究(第五卷)』, 北京大學出版社.
94) 宋玲平, 2008, 「晉系墓葬棺槨多重制度的考察」, 『考古與文物』 03, pp.53-57; 尙如春 · 滕銘予, 2018, 「試論楚墓棺槨制度」, 『江漢考古』 0 4, pp.83-92; 高源, 2018, 『滇文化墓葬棺槨制度硏究』, 雲南大學 碩士論文.

기 때문에 연구가 활발하지는 않았지만 순축분구묘楯築墳丘墓와 호케노야마ホ
ケノ山분구묘 등의 조사성과로 주목받게 되었다. 황효분[95], 이재현[96], 다카쿠 켄
지[97] 등은 중국과 한반도와의 지역간 비교 검토를 시도했던 적이 있고 타나카
키요미田中淸美[98], 아리마 신有馬伸[99], 오카바야시 코오사쿠岡林孝作[100] 등은 일본
목곽묘에 대한 분류 연구를 진행하기도 했다. 이 가운데 오카바야시 코오사
쿠의 분류안은 목곽의 대형화 과정을 제시하여 일본의 목곽 전개과정에서 유
효한 관점라고 평가된다[101].

2. 접근의 방법

1) 문제 제기

동북아시아 목곽묘의 연구사를 통해 보면 제 지역의 연구자에 따라 연구의
관점과 논의의 주제가 서로 크게 다르다는 것을 알 수 있다. 먼저 요령지역의
목곽묘 연구는 목곽묘 그 자체가 연구의 주체가 되지 못하고 목곽묘의 전개과
정에 관한 체계적으로 제시되지 않고 있다. 또한 요령지역의 보고서에 목관·

---

95) 黃曉芬, 2006, 「東亞地區的木槨墓」, 『西部考古 第一輯』, 三秦出版社, pp.130-138.
96) 李在賢, 2003, 「韓国嶺南地域木槨墓の構造と葬習」, 『古代日韓交流の考古学的研究—葬制
の比較検討—』, 平成11年度~平成13年度科学研究費補助金, pp.85-110.
97) 高久健二, 2004, 「楽浪の木槨墓」, 『考古学ジャーナル』517, pp.10-14.
98) 田中淸美, 2004, 「日本の木槨墓」, 『考古学ジャーナル』517, pp.15-18.
99) 有馬伸, 2003, 「3世紀以前の木槨·石槨」, 『古代日韓交流の考古学的研究—葬制の比較検
討—』, 平成11年度~平成13年度科學研究費補助金.
100) 岡林孝作, 2012, 『北東アジアにおける木槨墓の展開に關する綜合的研究』, 奈良県立檀原
考古学研究所, 및 2018, 『古墳時代棺槨の構造と系譜』, 同成社.
101) 高松雅文, 2011, 「木槨と竪穴式石室」, 『古墳時代の考古學 第3卷 墳墓構造と葬送祭祀』,
同城社, pp.95-105.

곽묘의 구분도 문제가 된다. 예를 들어, 『양초장한묘羊草莊漢墓』에서는[102] M36호묘와 M37호묘를 전자는 목곽, 후자는 목관으로 매장시설이 서로 다르다고 판단했지만 실은 크기만 다를 뿐 단일한 목재 매장시설이 채용되었음을 알 수 있다. 이 보고서에서 관, 곽의 판별의 기준은 목재 매장시설의 크기인 셈이다. 또한 『조양원대자朝陽袁台子』[103]에서 갑류묘로 분류된 M121, M122, M123, M125호 등 고분은 크기가 양초장 M37호보다 작지만, 목곽으로 보고되었다. 이러한 문제는 이 지역의 연구자가 목관·곽에 관해 모호한 개념을 지녔기 때문이다.

낙랑지역 목곽묘의 연구사를 살펴보면, 이 지역의 연구에서는 목곽묘의 분류, 편년 및 변천과정, 그리고 문화적 성격에 대한 논의를 주로 이루어 지고 있음을 알 수 있다. 선행 연구를 통해 일정한 성과를 거두고 있지만 낙랑 목곽묘의 사용 제도, 즉 다중 관곽제도에 대한 연구는 아직 이루어진 바 없다. 목곽묘의 관곽제도는 한나라 매장제도의 중요한 구성 요소여서 자세히 검토할 필요가 있다고 생각한다.

남한 호서·호남지방과 영남지방 목곽묘의 연구에서는 목곽묘의 분류, 편년, 그리고 전개과정에 대한 활발한 논의를 볼 수 있다. 또한 영남지방의 연구자들은 분류와 편년연구를 넘어서 음식봉헌과 장례현장 등의 주제로 연구를 시도하였다. 영남지방 목곽묘에 대한 연구는 다양한 해석이 제시되어 왔지만 목곽묘의 기원과 최고의 목곽묘가 어떤 것인가에 대해서 논란이 있다. 영남지방의 기원에 대해서는 두 가지의 견해가 대두되어 왔다. 하나는 낙랑을 위시

---

102) 遼寧省文物考古硏究所, 2015, 앞 보고서.
103) 遼寧省文物考古硏究所·朝陽市博物館, 2010, 앞 보고서.

한 서북한지방 목곽묘의 영향설[104]이고 하나는 목관묘의 자체발전설이다[105].
영남지방 목곽묘의 최고 목곽묘에 대해서는 대략 세 가지 정도의 설이 제기되어 왔다. 첫째는 대형의 방형 목곽묘를 최초의 것으로 보는 해석[106]이고 둘째는 이중관의 구조가 목곽묘로 발전했다고 보는 견해이다[107]. 셋째는 대형 목관묘를 목관계 목곽묘라 하여 최초의 목곽묘로 인정하는 의견이 있다[108].

서해안에 분포하고 있는 분구묘는 매장주체부가 유실되나 매장주체부가 작아서 관·곽 구분이 어렵고 이에 대한 검토도 힘든 편이다. 또한 분구묘는 한 기에 여러개의 매장주체부가 배치되고 각 매장주체부의 매장 시기도 차이가 있다. 그래서 분구묘 매장주체부의 연구는 분구묘의 확장과정과 결합하여 검토해야 한다.

지금까지 서술한 동북아시아 목곽묘 연구의 문제점을 다시 정리하면 첫째, 시기별, 국가별 연구자에 따라 목곽묘의 개념과 용어를 서로 다르게 사용되는 경우가 있으므로 재정의할 필요가 있다. 둘째, 목곽묘의 수용과 전개과정에

---

104) 李盛周, 1996,「新羅式 木槨墓의 展開와 意義」,『신라고고학의 제 문제』, 제20회 한국고고학전국대회, pp.39-64; 李盛周·金昡希, 2000,「蔚山 茶雲洞·中山里遺蹟 木棺墓와 木槨墓」,『三韓의 마을과 무덤』, 제9회 嶺南考古學會 學術發表會, pp.131-165; 김용성, 2015,『신라 고분고고학의 탐색』, 진인진.

105) 李在賢, 1995,「弁·辰韓 社會의 발전과정-木槨墓의 출현배경과 관련하여」,『嶺南考古學』17, 嶺南考古學會; 李清圭, 2002,「細形銅劍時期의 嶺南地域 墓制」,『세형동검문화의 제문제』, 영남고고학회·구주고고학회 제5회합동고고학대회; 高久健二, 2000,「樂浪郡과 弁·辰韓의 墓制」,『고고학으로 본 변·진한과 왜』, 영남고고학회·구주고고학회.

106) 李盛周, 1997,「木棺墓에서 木槨墓로」,『新羅文化』14, pp.19-53; 李盛周·金昡希, 2000, 앞 논문; 權志瑛, 2006,「木棺墓에서 木槨墓로의 轉換樣相에 대한 檢討」,『嶺南考古學』38, pp.83-104.

107) 高久健二, 2000, 앞 논문.

108) 李在興, 2001,「목관계 목곽묘의 등장과 배경」,『嶺南文化財硏究』14, pp.5-17; 權籠大, 2011,「경주지역 출현기 목곽묘 연구」,『韓國古代史探究』9, pp.177-209.

대해 적극적으로 검토되지 못한 요령지역과 같은 경우에는 목곽묘의 출현과 변천에 대한 체계적인 논의가 필요하다. 셋째, 목곽묘의 확산과 수용을 통해 동북아 제 지역 간의 교류 관계를 단계별로 살펴볼 필요가 있다.

2) 연구 방법

고대 동북아 목곽묘의 전개과정에 대한 연구는 목곽묘를 통해서 고대 동북 아시아 문화변동과 제 지역간 상호작용을 살펴보는 것이다. 그동안 문화변동 의 설명에서는 이주-전파론이 중요한 해석의 전제로 적용되어 왔다. 목곽묘는 동북아시아에 등장한 새로운 문화요소이다. 이러한 새로운 문화요소의 등장 과 전파는 그 요소가 공간적으로 이동한다는 것을 의미한다. 그런데 전파 또 는 이주의 기본조건은 동일한 문화요소, 유물복합체 또는 기술이 둘 이상 지 역에서 공통적으로 발견되는 것이다[109]. 동북아시아 목곽묘는 공통적인 요소 는 '유곽무관'이라는 구조적인 특징, 그리고 중원 목곽묘와 동일한 구조적 요 소가 있으니 그 등장과 전파는 이주-전파론으로 해석이 가능하다. 이주와 전 파를 개념적으로 구분할 필요가 있지만, 방법론적인 측면에서 구분하지 않고 있다[110].

20세기 중반 이후 과정주의 신고고학이 등장하면서 그와 같은 규준적인 관 점(normative view)이라는 지적이 있었고, 그래서 이주-전파론은 설명능력이 크 게 의심받아 왔던 것은 사실이지만, 이주-전파의 사실은 거시적 과정에 대한

---

109) 金壯錫, 2002, 「이주와 전파의 고고학적 구분 : 시험적 모델의 제시」, 『한국상고사학보』 38, pp.1-26.

110) Haggett, P. H. 1972, *Geography : a Modern Synthesis, Harper Row.* 金壯錫, 2002, 앞논문, 재인용.

연구와 제 지역의 특수한 역사적 맥락에서 이루어지는 변동을 고찰하는데 빼놓을 수 없는 현상이다. 사실 이주 집단의 규모, 그 과정의 지속기간 등에서는 경우마다 커다란 차이가 있었지만 여행, 이주, 전파, 그리고 정복 등과 같은 이벤트나 과정은 인류 역사상, 세계 여러 지역에서 끊임없이 반복되어 왔을 것이며, 이러한 일이 일어난 이후 크고 작은 규모의 사회문화변동이 야기되었을 것이라는 점도 충분히 인정된다. 또 역사상, 그리고 고고학 자료상 파악되는 집단의 이주와 문화요소의 전파는 토착지역의 사회문화변동에 중요한 계기가 되는 것은 사실이다[111].

한국고고학에서는 이주-전파론이 문화변동의 해석에 적용하는 연구을 세 가지 유형으로 나눌 수 있다[112]. 첫째, 신석기시대에서 청동기시대로 전환할 때 고아시아 선주민이 퉁구스 이주민 집단에 의해 교체되었다는 주민교체설과 같은 경우이다. 둘째, 특정지역에 주민집단이 외부로부터 이주정착 혹은 정복해 들어감으로써 해당 지역에 커다란 사회문화변동을 유발시킨다는 해석이다. 셋째는 주민집단의 대거 이주와 같은 것을 상정하지 않지만, 일정 사회 안에 새롭게 등장하는 개별 물질문화요소를 그 외부에 분포하는 동일형식의 물질문화와 연결시켜서 해석하는 관점이다.

이 연구에 적용될 수 있는 이주-전파의 유형은 두 번째와 세 번째 유형이다. 두 번째 유형은 요령과 낙랑지역 목곽묘의 전개과정에 해당한다. 요령지역 목곽묘의 등장과 발전은 연문화가 요서지역 진출과 관련하여 해석할 수 있다. 낙랑 목곽묘의 등장은 아직 논란이 되고 있지만, 그것의 광범위한 수용과 관련되는 것은 낙랑군 설치 직후이다. 이는 한나라가 서북한을 정복해 들어감으로

111) 李盛周, 2018, 「북방문화론에 대하여」, 『신화의 역사』, 진인진, pp.302-312.
112) 李盛周, 2017, 「韓國考古學의 起源論과 系統論」, 『한국고고학보』 102, pp.147-151.

써 서북한에 커다란 사회문화변동을 발생시켰기 대문이다. 남한지역 목곽묘의 수용은 세 번째 유형으로 해석할 수 있다. 남한지역의 목곽묘는 구조상 서북한지역과 어느 정도 차이가 있어서 이주민의 이주와 정착으로 해석하기 어렵고 토착집단 이 매장관념을 수용하여 모방 축조한 것으로 이해된다.

동북아 목곽묘의 전개과정에 초점을 맞춰서 연구의 절차를 다음과 같이 네 가지로 정리하고자 한다. 첫째, 동북아 제 지역 목곽묘의 출현 양상에 대해 고찰하고자 한다. 둘째, 동북아 목곽묘의 구조 특징과 분포 양상을 정리한다. 셋째, 지역에 따라 목곽묘의 변천과정에 대해 검토한다. 넷째, 거시적 관점으로 본 동북아 목곽묘의 확산과정과 그와 관련된 역사적 배경을 정리한다.

그 중에서 Ⅱ장에서는 목곽묘의 개념에 대해 검토하고 Ⅲ장에서는 동북아 선사시대 묘제의 변천과 목곽묘의 출현에 대해 논의하고자 한다. Ⅳ장~Ⅵ장에서는 요령, 낙랑, 남한 분구묘의 목곽묘에 대해 살펴보고, Ⅶ장에서 전면적으로 동북아 목곽묘의 확산과정과 지역 수용양상을 검토하기로 한다. 세부적인 연구 내용은 다음과 같다.

Ⅱ장에서는 목곽묘의 개념과 관련 용어를 정의하였다. 먼저 고대 문헌에 나타난 목곽묘에 관한 인식, 사용제도와 장송의례 등에 대해서 검토한 다음 중원지역 목곽묘 자료를 통해 목곽묘의 발전과정을 정리하였다. 고대 문헌에 기록된 개념과 한국 연구자에 의해 제시된 관·곽의 매장의례적인 차이를 참고하여 목곽묘의 개념과 용어를 정의하고자 한다.

Ⅲ장에서는 고대 동북아시아 제 지역 묘제의 변천을 살펴보면서 목축묘의 계통과 목곽묘의 수용과정을 검토하였다. 신석기시대 후기부터 동북아시아 제 지역의 고고문화를 살펴보고 묘제적인 변천을 검토하였다. 신석기시대 후기부터 동북아시아의 주류 묘제는 석축묘인데 하가점하층문화 단계에 목축묘

가 등장하게 된다. 초기 목축묘의 구조적 특징을 비교검토하여 후대 수용된 목곽묘는 북방식와 방중원식으로 구분됨을 살폈다. 이후 목곽묘는 지역적 분화 발전하는 양상을 보인다.

Ⅳ장에서는 요령 목곽묘의 수용과 변천에 관해 고찰하였다. 먼저 Ⅱ장에서 설정된 목곽묘 개념을 토대로 요령지역의 목곽묘 자료를 정리하고 그 구조적인 특징에 따라 분류하였다. 요령지역 목곽묘의 연대는 보고서에 이미 검토된 것과 재검토가 필요한 것으로 구분하였다. 출토유물을 통해서 원대자유적과 동대장자유적을 발생순서배열법으로 시기 편년을 재검토하여 시기에 따른 목곽묘의 변천을 확인하였다. 요령지역 목곽묘의 수용과정은 주로 상말주초와 전국 중만기의 두 가지 중요한 시점이 확인되고 그 이후 동북아시아 목곽묘 확산에 대한 의미도 살펴보았다.

Ⅴ장에서는 낙랑 목곽묘의 관곽제도의 변천과 계보를 검토하였다. 우선 낙랑 목곽묘 관과 곽 구조의 차이에 따라 관·곽 판정의 기준을 설정한다. 설정 기준에 따라 낙랑 목곽묘의 관곽 중첩수를 검토한 다음 한대 중원지역의 관곽제도를 분석하여 낙랑 목곽묘의 관·곽 중첩수를 해당하는 위계를 판단하였다. 낙랑 목곽묘 기준 편년을 따라 각 시기 목곽묘의 관·곽 중첩수를 고찰하여 신분 차이를 나타낼 수 있는 부장품의 부장 상황에 따라 각 관·곽 중첩수의 신분차의 성립 여부를 검증하였다. 낙랑 목곽묘의 구조적인 특징에 따라 분류하고 낙랑군와 인근한 군현에서 확인된 목곽묘의 구조 및 형태와 비교하였다. 각 구조 형식의 연대를 대입하여 낙랑 목곽묘의 계보적인 변천과 그 독자성을 검토하였다.

Ⅵ장에서는 분구묘의 목곽 수용과 전개에 대한 검토하였다. 먼저 Ⅱ장에 설정된 목곽 개념을 토대로 분구묘의 목곽 자료를 추출한 다음에 목곽의 구조적

인 특정에 따라 형식 분류하였다. 목곽 내 부장된 환두대도, 철모, 철촉, 철부 등의 철기 자료를 이용하여 시기 편년과 단계설정을 하였다. 분구묘의 확장방식을 따라 목곽의 축조유형을 구분하였다.

Ⅶ장에서는 Ⅳ장에서 Ⅵ장까지의 지역별 목곽묘 편년과 분기를 기준으로 기왕의 연구성과를 종합하여, 동북아시아 목곽묘를 몇 개의 획기와 단계로 구분한 후, 이에 따라 거시적 시각에서 동북아시아 목곽묘의 전개과정에 대해 살펴 보고자 한다. 이 목곽묘의 확산과정을 바탕으로 요서로부터 남한지역에 이르기까지 출현기의 목곽묘를 주목하여 목곽묘 수용의 지역 차이를 최종적으로 검토해 보았다.

Ⅱ장
木槨墓의 理解와 槪念 設定

1. 文獻 記錄으로 본 棺·槨

　관, 곽은 중국 고대에서 서로 병칭하여 양자를 모두 매장시설으로 분류하여
왔음이 문헌을 통하여 확인되는데『맹자孟子』양혜왕하梁惠王下에 '관곽이라는
것은 옷, 이불과 같이 아름답게 하는 것을 말한다[1]라고 기록하고 있다. 관에
대한『설문說文』목부木部에 '관은 가두는 것으로 시체를 감추는 것이다[2]'라 하
고『묵자墨子』절장하節葬下에는 '관은 3촌으로 시체를 썩게 하는 것으로 충분하
다[3]' 라고 하여 관의 기능과 역할을 분명하게 설명해 주고 있다.

　관은 각 층마다 명칭이 다른데『예기禮記』단궁檀弓에 정현鄭玄의 주注에 의하
면 밖에 서 안쪽으로 그 명칭을 달리 부르는데 가장 외부에 있는 관을 '대관大
棺', 제2층 관은 '속屬', 제3층 관을 '비神' 혹은 '야神'라고 부르며 가장 안쪽의 내
관 또는 그 다음 관을 '혁관革棺'이라 부른다.

　다음 곽에 대해서는『예기禮記』단궁상檀弓上에 '곽은 관을 두른 것이다[4]' 라고
하면서 곽을 정의하고 있으며『설문說文』권6에는 '곽이라는 것은 무덤에 나무
둘레가 있는 것이다[5]' 라고 기록하고 있다. 그리고 단옥재段玉載의 주에는 '나무

1) 『孟子』梁惠王下 : 謂棺槨衣衾之美也.
2) 『說文』木部 : 棺, 關也, 所以掩屍.
3) 『墨子』節葬下 : 棺三寸, 足以朽體.
4) 『禮記』檀弓上 : 槨周於棺.
5) 『說文』卷六 : 槨, 葬有木郭也.

로 둘렀다는 것은 나무로 만든 것을 말하는데 관에 두른 것으로 마치 성城에 둘레를 이룬 것과 같다[6] 라고 하여 그 개념을 보다 정확하게 설명하고 있다. 청나라 호배휘胡培翬의 『의례정의儀禮正義』 권28에 '대개 곽이라는 것은 관에 두른 것으로 그 형태는 방형이며 또한 공간이 그 사이에 있고 바로 그 아래에 관이 있는데 (모양이) 우물과 비슷하여 정곽井槨이라고 부른다[7] 라고 그 형태를 설명하고 있다. 목곽묘에서 곽재로 사용되는 나무로는 송松, 백柏, 잡목雜木 등이 있다. 『예기禮記』 상대기喪大記에 의하면 '군은 송곽, 대부는 백곽, 사는 일반 목곽[8] 으로 신분에 따라 그 채용하는 재료도 구별이 있음을 말해주고 있다.

이상 문헌 자료를 종합해서 곽은 관과 부장품을 수납하는 상자형 구조이고 일반적으로 바닥판을 먼저 깔고 곽의 네 벽을 결구한 다음, 최종적으로 덮개판을 덮은 것이다. 이를 바탕으로 목곽 내에 가로세로로 격벽으로 여러 공간을 만든다. 호배휘의 『의례정의』 권28에 곽의 모양이 우물과 비슷한 형태라고 한 것은 그런 까닭이다.

서한 전기와 중기의 관곽제도은 주나라의 예제에서 비롯된다고 할 수 있다. 문헌의 기록을 살펴보면, 『예기』 단궁상에는 '천자의 관은 4중이다.[9] 이라 하고 정현의 주에는 '제공은 3중, 제후는 2중, 대부는 1중, 사는 중복하지 않는다.[10] 이라고 되어 있고, 『순자荀子』 예론禮論에는 '천자의 관곽은 7중, 제후는 5중, 대부는 3중, 사는 2중[11] 으로 기록되어 있다. 『예기』에서 말하는 '중重'은 내관의

---

6) 段玉裁의 注 : 木郭者, 以木爲之, 周於棺, 如城之有郭也.
7) 『儀禮正義』 卷二十八 : 蓋槨周於棺, 其形方, 又空其中, 以俟下棺有似於井, 故雲井槨.
8) 『禮記』 喪大記 : 君松槨, 大夫柏槨, 士雜木槨.
9) 『禮記』 檀弓上 : 天子之棺四重.
10) 鄭玄의 注 : 諸公三重, 諸侯再重, 大夫一重, 士不重.
11) 『荀子』 禮論 : 天子棺槨七重, 諸侯五重, 大夫三重, 士再重.

수를 기본으로 하여 내관의 외부에 다시 측관을 가지고 있는 것을 말하는데 즉, '일중'이라는 것은 내관에 한 층을 더한 것을 의미하여 내관과 함께 2층을 하고 있는 것이다.『순자』에서 말 하는 '중重'은 '층層'으로 해석되는데 이는 관과 곽의 수를 모두 합친 것을 의미한다.『예기』의 관 층수에 근거하여 전국시대 초 나라의 무덤에서 조사된 관곽수를 참조해 보면『순자』에서 말한 관곽 층수와 함께 비교해 볼 수 있다. 천자는 5관 2곽을 사용하고, 제후는 4관 1곽 또는 3 관 2곽을, 대부는 2관 1곽이며, 사는 1관 1곽을 사용한 것이다. 도한『예기』상 대기에는 '관곽 사이에 군은 축祝을 놓을 수 있고 대부는 호를 놓을 수 있고 사는 무甒를 놓을 수 있다[12]'라 한다.

목곽묘의 장송의례에 대해서는『의례정의』에 기록이 있다. 미리 구축된 목곽 은 빈문의 서쪽에 쌓았고 상주는 동쪽에서 서쪽에 있는 장인에게 절한다. 목 곽을 한 바퀴 돌아보고 상주 자리로 돌아가고 울면서 완성된 것으로 간주한 다. 다음 목곽은 묘광에 옮겨 구축하였다. 하장下葬은 반드시 먼저 곽을 조영 한 후 관을 안치한다[13]. 초나라 목곽묘 내 내외 관의 구조 차이를 통해서 목곽 묘의 장송의례를 어느 정도 보완할 수 있다. 빈을 하였을 때는 일반적으로 내 관만 상용하고 빈궁과 종묘에 다양한 제전을 치를 때도 내관만 사용한다. 종묘 에서 묘광으로 영구차로 이동하였을 때도 내관만 이동한다. 외관은 곽과 같이 미리 축조되었으며 빈궁 대문 밖에 두고 시곽의례視槨儀禮[14]를 진행한 후 묘광

---

12) 『禮記』喪大記 : 棺槨之間, 君容枕, 大夫容壺, 士容甒.
13) 『儀禮正義』: 此雲井槨, 則是已成, 井之則槨已成, 將來施之竃中, 象亦如是, 此特先井構於 殯門外, 以視其完否耳. 葬時必先施槨, 乃下棺.
14) 시곽의례는 조영된 목곽이 빈궁 대문의 밖에 두고 온정 여부를 검사하는 과정이다.『儀 禮正義』: 此特先井構於殯門外, 以視其完否耳.

에 옮겨서 구축하였다[15].

2. 中原 木槨墓의 登場과 展開

고대 문헌에 기록된 곽 가운데
가장 이른 시기의 것은 신석기시대
만기인 용산문화 시기로 소급된다.
이에 앞서는 시기 각지의 매장시설
은 모두 비교적 단순한 토광묘에 속
한다. 목관묘는 목관을 바로 묻는
묘장 형식을 말하다. 이 목관묘 단
계와 전형적인 목곽묘가 등장하는
시기 사이에는 각 지역에서 관의 바
깥에 나무를 돌려 '정#'자형(그림
2-1, 2)으로 가구한 벽을 가진 무덤
이 유행하였다. 가장 전형적인 예는
산동성山東省 녕양현寧陽縣 대문구문
화大汶口文化 후기 고분인 M10(그림
2-1, 1), M13, M47, M60, M126[16] 그
리고 추현鄒縣 야점野店 M51호묘[17]이

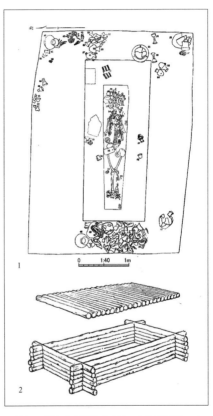

그림 2-1 신석기시대 만기 大汶口文化의 목곽
(1. 大汶口 M10호, 2. '井'자형 목곽 복원도)

---

15) 高崇文, 2020, 「楚墓棺槨辨識」, 『漢江考古』 5, pp.67-70.

16) 山東省文物管理處, 1974, 『大汶口─新石器時代墓葬發掘報告』, 文物出版社.

17) 山東省博物館, 1985, 『鄒縣野店』, 文物出版社.

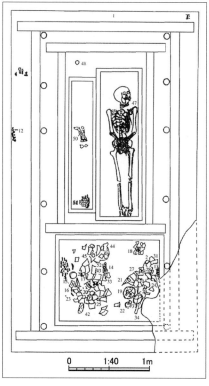

그림 2-2 龍山文化期 西朱封 M1호

다. 이 묘장들의 특징은 묘광의 바닥에 바닥판을 깔지 않았고, 통나무로 네 벽의 위에 덮개를 한 것이다. 대문구문화 고분군에서 출현한 이런 정#자형의 벽 시설은 아직 바닥판이 없지만, 신분이 비교적 높은 사람의 무덤은 관과 부장품을 함께 수납하는 전용 공간인 원초적인 형식의 곽 구조로 축조되었다고 할 수 있게 한다[18].

장강 하류 일대에 분포하는 양저문화良渚文化 중기의 고분군에서는 안과 밖으로 대문구문화와 비슷한 정자형 매장시설 흔적이 발견되었다. 가장 전형적인 것이 절강성浙江省 여항시餘杭市 회관산匯觀山 M4호묘[19] 이다. 이 무덤은 당시의 환경 때문에 보존 상태가 좋지 않지만 발굴조사 당시 수혈토광의 중심에 장방형 나무틀의 흔

---

18) 張弛은 대문구문화 중기 대형 고분군인 화정의 분석에서 대문구문화 중기에 관곽을 모두 가지고 있는 전형적인 목곽묘를 이미 등장하는 의견을 제시하였는데 실제 북원할 수 못 해서 학계에서 아직 대분구 후기에 원초적인 목곽묘를 등장하는 것은 인식하고 있다. (張弛, 2015,「大汶口大型墓葬的葬儀」,『社會權力的起源 : 中國史前葬儀中的社會與觀念』, 文物出版社, pp.241-280.)

19) 劉斌・蔣衛東・費國平, 1997,「浙江餘杭匯觀山良渚文化祭壇與墓地發掘簡報」,『文物』7, pp.4-19.

적이 있었다. 양저문화良渚文化 이후 장강 하류 지역의 목곽묘는 지속하지 않는

다. 상주, 춘추시기까지 이 지역에서 토돈묘土墩墓가 유행하고 내부 매장시설은

석관이기 때문에 목곽묘의 축조는 거의 중단된 상태였다[20].

산동지역에서는 용산문화의 목곽묘 원시 형태가 성립한 이후 비교적 긴 시

간 동안 지속하였다. 용산문화 후기까지 축조가 지속되었다. 예를 들면 산동

성山東省 임구현臨朐縣 주봉朱封 M202호묘[21] 이다. 지금까지 발견된 무덤 자료로

볼 때 가장 이른 시기의 전형적인 목곽묘는 신석기시대 용산문화 고분군에서

발견된 것이다. 산동성山東省 임구현臨朐縣 주봉朱封 M1호묘(그림 2-2)[22] 의 상자

형 목곽묘가 그 대표이다. 서주봉 M1호묘는 묘광의 중앙에 내, 외 2중 목곽이

설치되었고 족부에 부장품이 배치된 목상이 마련되어 있었다.

상·주시기 진입한 이후 황·후·귀족의 무덤은 모두 갈수록 대형화되고

부장품의 질이 호화스러워지며 그 양도 많아진다. 상대의 무덤은 크건 작건 토

광 내에 곽을 설치하는 것이 특징이다. 그리고 대형 목곽묘는 규모가 점점 커

지면서 곽의 내부 구조도 간단한 것에서 복잡한 것으로 변한다. 대다수의 대

형 무덤에서는 묘광의 한 변 혹은 대칭이 되는 양변에 경사 묘도를 부설하였

고 묘광의 네 벽에 경사 묘도를 설치하였다. 이에 영향을 받아 일반 중소형 무

덤에서도 목곽 묘제를 사용한 예가 많아진다. 은상과 이어지는 주나라에는

목곽묘가 더욱 널리 퍼지고 발전하게 된다.

하남성河南省 안양시安陽市 상대 말기의 도성 은허殷墟 유적에서 1930년부터

---

20) 黃曉芬, 2006,「東亞地區的木槨墓」,『西部考古 第一輯』, 三秦出版社, pp.130-138; 黃曉芬,
2003,『漢墓的考古學硏究』, 嶽麓出版社, p.26.

21) 中國社會科學院考古硏究所山東工作隊, 1990,「山東臨朐朱封龍山文化墓葬」,『考古』7,
pp.587-594.

22) 中國社會科學院考古硏究所山東工作隊, 1990, 앞 보고서.

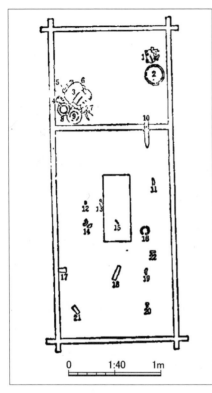

발굴 조사된 상대 무덤은 2000기에 달한다. 대다수의 묘장은 상자형 목곽을 매장 시설로 채용하고 있다. 중소형 묘장에 묘도를 설치하지 않았지만 은 왕실 무덤을 비롯한 대형 묘장은 재부분 묘도를 갖추고 있다. 상대 말기에 상자형 목곽묘가 성행하면서 목곽 내에 격벽을 세워 부장칸과 관칸을 만든 것도 출현했다. 예를 들면 하남성河南省 나산현 羅山縣 천호촌千湖村 M41호묘(그림 2-3)[23]는 목곽 내의 머리쪽에 격벽을 세워 부장칸과 관칸을 만들었다.

그림 2-3 河南 羅山縣 千湖村 M41호묘

서주시대 이후 목곽묘는 더욱 널리 보급된다. 서주 왕실귀족묘를 비롯한 대형 무덤은 모두 수혈 목곽묘에 속한다. 목곽묘의 평면 형태는 '중中'자형과 '갑甲'자형으로 묘도를 가진 것이 많지만, 묘도가 없는 것도 일정 수를 차지한다. 예를 들면 섬서성陝西省 장안현長安縣 장가파張家坡 '정숙井叔' 무덤과 그 가족고분군[24] 중의 M157호묘 곽묘의 평면형태는 '중中'자형이고 M152, M170호묘 곽묘의 평면형태는 '갑甲'자형이다. 목곽의 구조는 대다수 상자형이지만 곽 내에 격벽을 설치하여 부장칸과 관칸을 나눈 곽도 있다. M170호묘는 곽과 묘광

23) 歐潭生, 1986, 「羅山天湖商周墓地」, 『考古學報』 2, pp.153-197.
24) 中國社會科學院考古研究所, 1999, 『張家坡西周墓地』, 中國大百科全書出版社.

사이에 목탄을 채운 경우도 있다, 이것은 곽묘의 밀봉, 격리, 방부를 높이기 위한 것으로 추정된다.

종합하면 크기에 관계없이 상주시대 묘제의 공통점은 격리성과 밀폐성이 특징인 수혈 목곽묘로 보편적으로는 상자형 곽을 채용하였다. 그러나 소수의 무덤에서는 곽 내에 칸막이를 설치하는 현상이 나타난다. 서주시대의 목곽묘 중 많은 사례에서 곽의 바닥, 위 및 주위에 목탄이나 점토를 현상이 발견되는데, 그 목적은 곽의 밀폐와 방부 기능을 강화하기 위한 것이다.

춘추전국시대로 접어들면 목곽묘의 형식은 갈수록 복잡해진다. 곽의 밀봉, 격리, 방부를 중시하는 적석積石 · 적탄積碳 무덤이 유행한다. 동시에 곽 자체의 결구 역시 간단한 형태에서 복잡한 형태의 과도기로 향해 나아가 마침내는 유물칸을 막음형이 점차적으로 완성되고, 이것이 발전함으로써 목곽묘 축조의 전성기를 맞이한다.

전국시대에 들어, 초나라 목곽묘에서 내부 구조는 복잡화 되고, 동시에 목곽묘의 유택화幽宅化로의 전환이 시작되었다. 초나라 목곽묘는 상자형 목곽묘에 출발하여 발전하였는데 그 출현기의 구조는 비교적 단순하다. 단지 1~2개의 격벽을 사용하여 하나의 상자형 목곽을 두 개의 공간으로 나눈 것이 많고 새 개의 공간으로 나눈 것도 몇몇 있다. 그 내부에는 관과 부장품을 나누어 배치하였다. 전국시대이른 단계부터 초나라 무덤의 칸막이 목곽은 크게 변화하여 다른 지역의 목곽묘에 비해 형식이 복잡하게 된다. 대형 목곽묘는 거의 모두 복잡한 칸막기 목곽으로 격벽을 설치하는 방식과 위치에 따라 외칸 격리형과 여러칸 격리형으로 나눌 수 있고 전자에서 후자로 변화하였다[25].

---

25)   黃曉芬, 2003,『漢墓的考古學研究』, 嶽麓出版社; 2006,「東亞地區的木槨墓」,『西部考古 第一輯』, 三秦出版社, pp.130-138.

그림 2-4 楚國 木槨墓 位階 區分 模式圖(俞偉超 1985)(1. 머리칸 2. 옆칸 3. 발치칸 4. 관칸 C. 목관)

무덤의 위계에 따라 공간 설치는 대략 네 가지가 있다(그림 2-4). 제1위계는 격벽을 세워 앞칸, 좌우 옆칸 공간, 발쪽 공간과 관이 안치되는 공간으로 구분한 것이다. 제2위계는 관이 안치되는 공간 이외 앞칸과 옆칸 공간 하나씩 있는 것이다. 제3위계는 관을 안치하는 공간 이외에 앞칸만 있는 것이다. 격벽을 세우지 않은 경우도 있다. 제4위계는 관만 있고 곽을 사용하지 않는 것이다.

주나라 궁실제도에 따르면 제후의 궁실은 전조, 후침, 좌우방과 함께, 방의 후반부라 할 수 있는 북당, 침실 뒤의 하실이 있다. 전국 초나라 목곽의 공간 분활을 그에 대조시키면, 제1위계의 목곽은 머리칸은 전조를 상징하고, 관은 침실을 상징하며, 옆칸은 방을 상징하고, 발치칸은 북당 또는 하실을 상징한다[26].

전국 초기에 이르러 초나라 무덤에서 먼저 곽 내에 장식 창, 문 및 문비형 목조시설이 출현하였다. 그것들은 곽 내 개통 형상의 발생을 상징한다. 처음에 이런 곽 내 개통은 관칸에서 유물칸으로 향하는 곳에 한두 개의 모조 문짝을

---

26) 俞偉超, 1985, 「漢代諸侯王與列侯墓葬的形制分析」, 『先秦兩漢考古學論集』, 文物出版社.

만드는 것이었다. 이 단계 매장시설의 개통 범위는 단지 곽 내에 한정된다는 것이다. 이것은 곽 내 공간 변화의 가능성을 설명해 주는 것일 뿐 아직 바깥을 향하여 통로를 연다는 의식이 형성되지 않았다.

진한 초기에 일찍부터 이런 곽 내 개통의 현상에 근본적인 변화가 발생하기 시작한다. 곽 내 문비형 목조시설이 처음에는 방향성이 없다가 점차 일정한 방향을 따라 설치되고 주된 것과 부차적인 것이 나뉘어서 설치되기 시작하는 것이다. 예를 들어 경사 묘도 방향에 개설된 문짝이 중시되고 무덤길에서 관칸으로 통하는 방향의 문비형 목조시설이 비교적 중시되어 이러한 문짝들은 대부분 두 짝으로 설치되는 양상을 보인다.

중국 북방지역에서는 남방 초나라 목곽묘처럼 목곽 내부에 칸을 막는 구조가 보이지 않지만 목곽묘들이 전체적으로 가옥과 같은 구조로 축조된다. 전국 만기인 산서성山西省 유천촌柳泉村 M301호[27], 하남성河南省 낙양서교洛陽西郊 M1호[28]와 서한 중기인 산동山東 청도靑島 토산둔土山屯 M6호, M8호(그림 2-5)[29]에서 지붕처럼 구축된 덮개를 확인되었다. 이러한 양상은 가옥와 비슷한 모양이다. 이는 목곽묘 유실화의 체현이다. 다시 정리하면 목곽의 구조는 피장자 생전 가

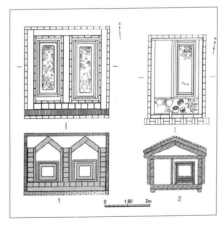

그림 2-5 山東 靑島 土山屯 M6호(1), M8호(2)

27) 山西省考古研究所侯馬工作站, 1996, 『新絳柳泉墓地調查, 發掘報告』, 山西省人們出版社.
28) 考古研究所洛陽發掘隊, 1959, 「洛陽西郊一號戰國墓發掘記」, 『考古』 12, pp.653-657, 705.
29) 靑島市文物保護研究所·靑島市黃島區博物館, 2018, 『琅琊墩式封土墓』, 科學出版社.

옥의 상징이며 부장품의 조합 방식은 묘주 생전 생활의 모의(simulation)이다[30].

3. 木槨墓의 槪念과 關聯 用語 設定

분묘의 분류에 있어 분묘의 발전이 기념물적인 외관外觀이 확대되는 과정으로 파악되며 분묘墳墓 → 고분古墳 → 고총高塚[31]이나 묘墓 → 분墳 → 총塚[32]의 변천으로 개념화된다. 이에 반해 내부 매장시설의 변동을 중시하는 관점에 따르면 관棺 → 곽槨 → 실室[33]의 변천으로 요약된다. 또 수혈계竪穴系에서 횡혈계橫穴系로 변화한다는 견해도 있다[34]. 매장시설의 관점으로 묘에 사용된 매장시설의 구조에 따라 관, 곽, 실로 나누는 것이 일반적이며 재질에 따라 목木, 석石, 전塼 등이 수식어로 붙어 묘제 분류의 기본 명칭이 된다[35]. 그래서 분묘의 종류를 일컬을 때 흔히 목관묘, 목곽묘, 석곽묘, 전실묘 등과 같은 명칭을 사용하게 된다.

매장시설 가운데 실이란 보통 곽보다는 규모가 큰 현실이 기본이 되고 여기

---

30) 劉振東, 2020, 「以漢代墓葬爲例解讀中國古代墓葬性質」, 『考古與文物』 4, pp.64-69.
31) 金龍星, 1996, 「林堂 I A~1號墳의 性格에 대하여」, 『碩晤尹容鎭教授停年退任紀念論叢』, 碩晤尹容鎭教授停年退任紀念論叢刊行會, pp.311~343.
32) 李熙濬, 1997, 「新羅 高塚의 특성과 의의」, 『嶺南考古學』 20, pp.1~25.
33) 權五榮, 2011, 「喪葬制와 墓制」, 중앙문화재연구원 편, 『동아시아의 고분문화』, 서경문화사, pp.41-62.
34) 홍보식, 1990, 「관·곽에 대하여」, 『東萊福泉洞古墳群II』, 부산대학교박물관; 權五榮, 2008, 「총론 : 무덤연구의 새로운 시각」, 『무덤연구의 새로운 시각』, 제51회 전국역사학대회 고고학부 발표자료집, pp.5~14; 李盛周, 2014, 「貯藏祭祀와 盛饌祭祀 : 목곽묘의 토기 부장을 통해 본 음식물 봉헌과 그 의미」, 『嶺南考古學』 70, pp.106-141.
35) 黃曉芬, 2003, 앞 책; 김용성, 2015, 『신라 고분고고학의 탐색』, 진인진; 李盛周, 2020, 「동북아 토착사회의 관·곽묘 수용」, 『철기문화 시기의 분묘와 매장』, 한국학중앙연구원·한국학기초연구 공동연구팀 결과발표회의 자료집.

에 묘도, 연도, 현문 등이 부가된다. 사실은 곽과 실의 구분은 그렇게 간단한 것이 아니고 시공간적으로 또 매장의 방법과 의미 등에 따라 유동적이라는 의견도 있다[36]. 하지만 현실과 부가시설로 구축된 실은 구조적으로 곽과의 구분이 비교적 쉬운 편이다. 문헌기록을 통해서 일반적으로 관이란 것은 시신을 보호하기 위한 시설물로서 보통 시신을 넣어 운반하는 것을 말한다. 곽도 역시 시신을 보호하기 위한 시설물이나 운반하기 위한 것이 아닌 매장 장소에 조립된 것이고 그 안에 매장되는 유물에 있어서 관과는 뚜렷한 차이가 있다[37]. 부장품은 목걸이나 귀걸이, 허리띠 등과 같이 피장자가 몸에 걸치거나 생전에도 차고 다녔던 신변착장품과, 용기류 토기와 같이 피장자를 위해 공헌한 물품으로 크게 나눌 수 있다. 이 중 신변착장품은 피장자의 몸에 부착한 채 매장되는 것이 일반적이기 때문에 관내에 매납된다. 피장자를 위해 공헌한 물품, 특히 토기와 같이 규모가 있는 기물들은 관내의 공간이 부족하므로 관외(곽)에 매납하게 된다[38].

목곽묘는 곽과 관을 모두 갖춘 것이 전형적이지만, 연대가 오래된 데다가 특별한 방부조치가 없기 때문에 선사시대의 목재 매장시설은 보존하기가 매우 어렵다. 고고학적으로 발견된 나무 매장시설은 주로 세 가지 경우가 있다 : 첫째는 비교적 보존이 잘 된 목곽이나 목관이 있는데 진공대묘秦公大墓[39], 증후을묘曾侯乙墓[40] 등과 같이 그대로 보존된 상태로 발굴된 적이 있으나 이러한 경우가 극히 드물다. 둘째, 목곽이나 목관은 썩었지만 판재의 흔적이 남아 있어 판

---

36) 홍보식, 1990, 앞 논문.
37) 김용성, 2015, 앞 책, pp.21-22.
38) 성정용, 2011, 「목관묘와 목곽묘」, 『동아시아의 고분문화』, 서경문화사, pp.185-200.
39) 陝西省考古所雍城考古隊, 1983, 「鳳翔秦公陵園鑽探與試掘簡報」, 『文物』1983-7.
40) 湖北省博物館, 1989, 『曾侯乙墓』, 文物出版社.

재의 범위에 따라 목곽이나 목관의 대체적인 모양을 그릴 수 있는데, 이런 경우는 고고학적으로 발견된 사례가 많은 편이다. 셋째, 나무판재 흔적도 존재하지 않지만, 무덤 안의 하부에 흙을 메우는 재질, 구조, 색깔 등에서 구분할 수 있는 경우가 적지 않을 것이다. 선사시대에는 2, 3번째 방법으로 목재 매장 시설 사용 여부를 판별하는 것이 일반적이었다[41].

묘광 내 목관과 목곽혼이 동시에 나타나는 경우를 판단하여 목곽 시설을 상정하는 경우도 있다. 그러나 동북아, 특히 한반도 남부에서 발견된 목곽묘는 유곽무관의 형태도 있다. 이와 같은 경우라면 소형 목곽묘와 목관묘를 구분하는 것이 사실상 어렵기 때문에 목관계 목곽묘[42], 목곽계 목관묘[43] 등의 용어도 사용되기도 한다. 일반적으로 목곽묘는 규모가 목관묘보다 크고, 기물을 부장하기 위해 일정한 칸 또는 공간을 마련한 경우에는 목곽묘라 할 수 있다.

일반적으로 문헌기록에 있는 곽의 구조를 근거하여 목곽묘를 정의하는 것이 중국학계의 통설이다. 즉, 관곽이 모두 있어야 목곽묘로 볼 수 있다. 「동이전東夷傳」에 기록된 '유곽무관'형 목곽묘는 대부분 목관묘로 보았지만, 옥황묘 문화의 관이 없는 매장시설 연구[44]에서 목곽묘로 정의하는 경우도 있다. 일본 학계에서 목곽의 개념은 중국 학계의 인식을 참고하여 설정하였다[45].

한국에서 발굴 조사된 목곽묘 중에는 목곽 내에 목관이 확인되지 않는 경우가 대부분이기 때문에 소형 목곽묘와 목관묘의 구분이 어렵다. 이러한 문제

---

41) 袁勝文, 2014, 「棺槨制度的産生和演變述論」, 『南開學報(哲學社會科學版)』3, pp.94-101.

42) 李在興, 2001, 「목관계 목곽묘의 등장과 배경」, 『嶺南文化財研究』14, pp.5-17.

43) 성정용, 2007, 「Ⅳ. 考察」, 『忠州 金陵洞 遺蹟』, pp.533.

44) 北京市文物研究所, 2007, 『軍都山墓地』, 文物出版社.

45) 岡林孝作, 2012, 『北東アジアにおける木槨墓の展開に関する綜合的研究』, 奈良縣立檀原考古學研究所.

를 극복하고 목관묘와 목곽묘를 명확히 구분하고자 여러 연구자들이 다양한 견해를 제시하였다. 이재현[46]은 영남지역 목곽묘의 구성 요소를 정리한 바 있다. 목곽묘의 구성 요소로서는 나무로 구성된 목곽 자체와 목곽과 묘광사이에 공간을 채우는 충전토, 시신을 안치하기 위한 시상시설, 부장품 부장을 위한 부곽 등으로 대별할 수 있다. 김용성[47]은 피장자를 직접 보호하거나 신변유물 이외에 유물을 포함하고 있는 것, 피장자를 보호하는 관을 다시 보호하는 것, 부장유물을 포함하지 않는 경우라도 피장자가 매납되고 남은 공간이 인정되는 것으로 목곽묘를 정의한 바가 있다.

최근에 한국 학계에서 목곽묘의 매장의례에 초점을 맞추어 관·곽을 구분해 왔다. 원삼국시대 전기의 목관묘의 예제를 검토한 연구를 보면 목관묘 의례는 층을 달리하여 겹쳐진다는 의견이 제시되어 있다[48]. 즉, 의례의 행위 요소들과 상징물들이 수평적으로 분할되지 않고 수직적으로 누적된다는 것이다[49]. 이에 비해 목곽 의례는 층을 달리하지 않고 한 층으로 배치된다고 한다. 한 층, 즉 하나의 평면에 행위 요소들과 상징물들이 수평적으로 분포한다는 것이다. 상징물 가운데 토기가 가장 보편적으로 부장되고 있기 때문에 토기의 부장위치에 따라 관·곽을 구분하는 것이 보통이다.

목곽묘의 연구에서 시기별, 국가별 연구자에 따라 목곽묘의 개념과 용어를 서로 다르게 사용되는 경우가 있으므로 본고에서 목곽묘와 관련 용어의 설정은 고대 문헌기록과 매장의례의 차이를 함께 참고하여 다음과 같이 설정하고

---

46) 이재현, 1994, 「영남지역 목곽묘의 구조」, 『영남고고학보』 15, pp.54-55.
47) 金龍星, 1998, 『新羅의 高塚과 地域集團-大邱·慶山의 例』, 전국 만기각.
48) 崔鍾圭, 2007, 「삼한 조기묘의 례제」, 『考古學探究』 創刊號, pp.1-14.
49) 李盛周, 2013, 「목곽묘의 출현과 그 역사적 의의」, 『三韓時代, 文化와 蔚山』, 2013년 울산 문화재연구원 학술대회, pp.23-42.

자 한다.

관은 시체 수납과 부장품의 매장시설이다. 관 내에 부장된 유물은 철기류나 장신구 등의 귀중품과 패용하는 신변착장품이 있고, 토기류나 기타 일상용품은 관의 위나 밖에 부장한다.

외관은 내관을 수납하는 매장시설이다. 통상 외관과 내관 사이는 공간이 좁아 부장품을 놓지 않는다.

내곽은 관 및 부장품을 수납하는 매장시설이다. 『예기禮記』 상대기喪大記에는 '관곽 사이에 군君은 축柷을 놓을 수 있고 대부大夫는 호壺를 놓을 수 있고 사士는 무甒를 놓을 수 있다.' 라는 기록을 참고하면 내곽와 관의 사이에 일정한 공간이 있다. 또한 내곽을 외곽 안에 만들고 관을 놓는 것, 외관은 미리 하나 또는 몇 개의 뚜껑이 있는 나무상자를 만들어 내관을 그 안에 놓고 외관과 내관을 함께 곽에 놓는 것이다. 낙랑 목곽묘에서 합장된 2개 관이나 3개 관을 같이 이 매장시설에 함께 수납된다.

곽은 내곽, 관과 부장품을 넣어 두는 매장시설이다. 관이 없더라도 곽의 매장의례를 근거하여 상징물인 토기나 용기류 유물이 부장되면 곽으로 볼 수 있다. 즉, 토기를 매장시설 밖에 부장하면 관으로 정의할 수 있고 매장시설 안에 부장하면 관의 유무에 상관없이 목곽으로 볼 수 있다. 또한 낙랑 남정리116호[50]라는 경우, '수혈계竪穴系'와 '횡혈계橫穴系'의 관점으로 보면 목실묘로 하는데 목실묘는 목곽묘의 발전에서 등장하는 것으로 목재로 구축된 매장시설이다. 그래서 목곽묘 전개의 기술 편의상 목곽묘로 총칭한다.

낙랑 목곽묘는 격판이나 나무 기둥으로 곽을 머리칸, 관칸, 발치칸, 옆칸을

---

50) 小泉顯夫 외, 1934, 『樂浪彩篋塚』, 朝鮮古跡研究會.

구분된다. 관칸은 곽내 간격된 관을 수납하는 공간이다. 머리칸은 곽내 피장자 머리 부분 간격된 유물을 부장 공간이다. 발치칸은 발치 부분 간격된 유물을 부장 공간이다. 옆칸은 곽내 관칸의 옆에 간격된 유물을 부장 공간이다.

—
Ⅲ장
東北亞 先史時代 墓制의 變遷과 木槨墓의 受容
—

1. 東北亞 先史時代 物質文化와 墓制의 變遷

요령지역으로부터 한반도에 이르는 동북아시아 지역에서는 신석기시대부터 초기 철기시대까지 다양한 물질문화가 지역권을 달리하면서 전개되었다. 이 일대 물질문화의 분포와 변동에 대해서는 다양한 형식의 논문과 저작을 통해 서술된 바 있다. 이를 토대로 요서·요동·서북한·남한지역 물질문화들 간의 시간적인 병행 및 선후 관계를 정리하고 동북아 선사시대 주요 묘제의 변천 추세를 정리하고자 한다.

동북아시아 신석기시대 조기는 구석기시대와 비슷하고 고립적으로 분포하는 소수의 유적만 있다. 신석기 중기 이후 유적의 수가 증가하여 비교적 체계적인 고고학적 문화 구분이 가능해진다. 동북아 신서기문화의 전개과정은 제 지역 단위로 변천의 양상이 파악되어 왔다〈표 3-1〉.

요서지역은 홍륭와문화興隆窪文化 → 조보구문화趙寶溝文化 → 홍산문화紅山文化 → 소하연문화小河沿文化가, 요동지역은 소주산하층문화小珠山下層文化 → 후와상층문화後窪上層文化 → 소주산중층문화小珠山中層文化 → 삼당 I기문화三堂 I期文化 → 소주산상층문화小珠山上層文化가[1], 서북한지역은 미송리하층문화 → 당산 → 쌍하리문화로[2] 변천과정이 구분되어 있다.

---

1) 田立坤, 2013,「遼寧古代文化特征及形成之背景」,『遼寧大學學報(哲學社會科學版)』02, pp.33-37.

2) 백홍기, 1986,『한반도북부와 요동반도지역의 평저토기연구』, 檀國大學校 大學院 博士論文.

표 3-1 동북아 신석기시대 물질문화의 변천

시기	지역					
	요서		요동		한반도	
	서부	동부	남부	북부	서북한	남한
6000	흥륭와문화					고토기단계
5000	조보구문화		소주산하층문화	신락문화	미송리하층문화	융기문토기단계
4000	홍산문화		후와상층문화			
3000			소주산중층문화		당산문화	빗살무늬토기단계
	소하연문화		삼당 I기문화	편보자문화		
2000			소주산상층문화	북구문화	쌍하리문화	이중구연토기단계

남한의 신석기시대는 토기의 형태와 표면 장식의 특징에 대한 분석을 토대로 시기구분이 이루어져 왔다. 고토기 신석기시대는 기원전 8000~5000년으로 제주도 고산리유적, 청도 오진리유적에서 무문양토기, 유기물 혼입토기 등이 확인되었다. 최초의 토기가 발견됨에 따라 이를 신석기시대의 시작으로 보고 있다. 조기는 기원전 5000년부터인데 이 시기를 대표하는 토기는 융기문토기이다. 전기는 기원전 4000년부터 시작되며 전형적인 빗살무늬 토기가 등장한다. 중기는 기원전 3500년으로 빗살무늬토기가 전 권역으로 확산된다. 말기

는 기원전 2000년부터로 퇴화된 즐문토기, 이중구연 토기가 확인된다[3].

청동기시대가 되면 물질문화의 분포권역은 보다 세분되고 그 변동은 짧은 시간 단위로 빠르게 이루어진다.

청동기시대 요서 북부지역은 하가점하층문화夏家店下層文化 → 하가점상층문화夏家店上層文化 → 수천문화水泉文化[4]의 변동을 거치며, 남부지역은 하가점하층문화夏家店下層文化 → 위영자문화魏營子文化 → 십이대영자문화十二臺營子文化[5](능하문화[6])로 변화해 간다. 요동 남부지역은 쌍타자雙砣子 I, II기문화 → 쌍타자 III기 문화 → 쌍방문화雙房文化, 강상문화崗上文化로의 변동이 확인되며, 북부지역은 마성자문화 → 이도하자문화의 변동을 거친다[7]. 서북한지역은 신암리 I, II기문화, 신흥동문화新興洞文化의 변동이 파악되고[8], 한반도 남부지역은 청동기

---

3) 신숙정, 2011, 「I. 신석기시대 연구의 성과와 전망」, 『한국 신석기문화 개론』, 서경문화사, pp.9-58.

4) 중국 내몽고 敖漢旗 水泉村에 위치한 수천고분군의 북구를 표지로 하는 문화로 중국 고고학계에서는 이를 수천문화로 명명하였다(郭治中 2000). 오강원은 시라무렌하 중상류역, 영성과 적봉, 오한기 등지에 모두 유형적 차이를 보이는 여러 물질문화가 형성되어 있음이 분명해서 이를 시라무렌하 중상류역의 井溝子類型을 포함하는 '鐵匠溝-水泉 諸 類型'이라 일괄하는 견해(오강원 2013 : 24~26)도 있다.

5) 오강원이 조양현 십이대영자 고분군을 표지로 하여 '십이대영자문화'라 처음으로 명명하였다. 오강원은 십이대영자문화를 시간의 변천에 따른 유물 유형의 변천에 착안하여 십이대영자문화 십이대영자유형(기원전 8~7세기), 십이대영자문화 남동구유형(기원전 6~5세기), 십이대영자문화 동대장자유형(기원전 4~3세기 초엽)으로 나누기도 하였다. 한국학계에서 오강원의 '십이대영자문화'라는 개념이 폭넓게 수용되고 있다.

6) '능하문화'라는 개념은 아직 학계에서 합의되지 않았다. 朱永剛은 『大小凌河流域含曲刃短劍遺構的考古學文化及相關問題』에서 능하유형이라고 불렀으며, 趙賓福은 『中國東北地區夏至戰國時期的考古學文化研究』에서 능하고분군이라고 불렀으며, 郭治中은 『水泉墓地及相關問題之探討』에서 능하문화라고 불렀다. 본고에서 능하문화라는 개념을 수용하고자 한다.

7) 華玉冰, 2010, 「遼東地域 靑銅器時代 考古學文化 系統의 硏究」, 『考古學探究』 7.

8) 보고에 오강원의 요동지역의 청동기~초기 철기시대의 물질문화 체계화 의견을 수용한다 (오강원 2006, 2011, 2016년의 논문 참고).

표 3-2 동북아 청동기~초기 철기시대 물질문화 변천

시기	지역					
	요서		요동		한반도	
	서부	동부	남부	북부	서북한	남한
BC2000	하가점하층문화		쌍타자 I,II기문화	고대산문화	신암리 I기	
BC1500			쌍타자 III기문화	마성자문화	신암리II기	미사리
		위영자문화				가락동·역삼동·혼암리
BC1000	하가점 상층문화		쌍방문화 / 강상문화	이도하자문화	신흥동문화	송국리형·역삼동후기형
		십이대영자문화				
BC500	수천문화					수석리
BC300	전국 연문화		윤가촌유형	유가초유형	고리산문화	초기철기

시대의 미사리유형, 가락동·역삼동·혼암리유형, 송국리형·역삼동후기형, 수석리유형의 변동을 거친다[9](표 3-2).

초기철기시대 요령지역은 연 문화의 재지형인 미안구유형眉眼溝類型, 임가보유형任家堡類型, 유가소유형劉家哨類型, 윤가촌유형尹家村類型, 대전자유형大甸子類型, 서북한 지역에는 고산리문화孤山里文化가 형성되어있었다.

1) 新石器時代

요서지역 신석기시대 중기문화인 홍룡와문화는 일종의 갈색 조질의 압인문 통형관을 주요 기종으로 하는 문화로, 대릉하의 지류인 우망하 상류를 중심으

---

9) 중앙문화재연구원, 2015, 『한국 청동기문화 개론』, 진인진.

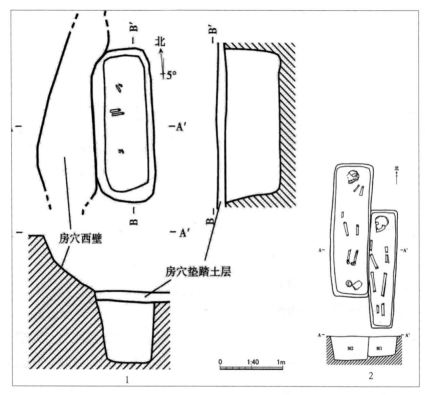

그림 3-1 興隆窪文化 査海遺蹟의 居室墓와 土壙墓 1. 居室葬(F7M) 2. 토광묘(M1, M2)

로 북쪽은 서랍목륜하를 넘어 내몽고 동남부를 포함하며, 남쪽은 연산 남록
의 하북성 동북 지역까지 포함한다. 이 시기의 조사현황을 보면 홍륭와문화의
전형유적인 홍륭와유적과 사해査海유적만 전면 발굴되었다. 방사성탄소연대
측정에 따르면 홍륭와문화의 연대는 기원전 6000~5000년이며, 그 전기는 기
원전 6000년을 초과한다고 추정되고 있다. 매장 습속은 거실장居室葬(그림 3-1,1)
과 거지장居址葬으로 구분할 수 있고 사해유적에서 취락 중심에 분포하는 토광

묘군(그림 3-1,2)도 확인된다[10].

신석기시대 중기에 들어, 흥륭와문화를 바탕으로 발전해 온 조보구문화[11] 단계에 해당되는 중요 유적은 대부분 취락유적이어서 그 매장 습속이 명확하게 파악하기에는 한계가 있다.

흥산문화는 노합하老哈河 중·상류에서 대릉하大凌河 중·상류 사이가 이 문화의 중심 분포 구역일 것으로 추정된다. 후기에 속하는 동산취유적의 방사성탄소연대에 근거해 추정하면 흥산문화의 중심 연대는 기원전 4000~3000년에 걸쳐 있다고 판단된다. 적석총은 흥산문화의 대표 묘제이다. 우하량牛河梁유적[12]을 예로 들면, 적석총은 보통 고도가 적당한 구릉의 정상부에 위치한다. 일반적으로 한 구릉에 적석총이 단독으로 존재하지만, 두 개이거나 여러 개인 경우도 있다.

적석총 내에 매장시설은 여러 개가 있다. 석관은 판석과 활석을 이용하여 구축된다. 이 가운데 중심 대묘는 적석총의 중앙에 위치하며, 부장된 옥기의 수량이 많고 그 종류 또한 다양하게 갖추어져 있다.

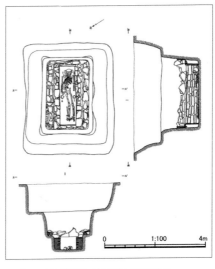

그림 3-2 牛河梁遺蹟 제5지점 N5Z1M1호

---

10) 遼寧省文物考古研究所, 2012, 『査海—新石器時代聚落遺址發掘報告 中』, 文物出版社.
11) 일반적으로 조보거문화는 주로 흥륭와문화에서 발전한 것이라고 주장하지만, 연남 지역의 관련 자료에 대한 인식에 따라서 다른 의견도 있다.
12) 遼寧省文物考古研究所, 2012, 『牛河梁』, 文物出版社.

적석총 상부에는 봉토를 설치한 다음에 다시 돌을 쌓아 지상 축조물을 구축하였다. 주변에 가공된 석재를 쌓아 적석총의 기단부를 만들었으며, 적석총은 일반적으로 삼단의 층을 두어 묘광을 굴착하는 방식을 채택하였다. 평면형태는 방형, 장방형, 원형, 전방후원형 등이 있다.

홍산문화 적석총 내부에 있는 묘실은 여러 위계로 뚜렷하게 구분되는데, 중심대형묘, 계단식묘, 갑형 석관, 을형 석관 그리고 부속묘 등 5개의 위계가 그것이다. 중심대형묘는 적석총 중에서 최고 위계이다. 이 무덤에는 대부분 부장된 옥기의 수량이 많고 옥기의 개체가 크며, 질도 엄선된 것을 부장된다. 예를 들면, 우하량 제5지점의 N5Z1M1호(그림 3-2)[13]에는 7점의 옥기가 부장되었다. 중심대형묘에 부장된 옥기 조합에서는 무언가 규칙적인 현상도 발견된다. 계단식묘는 중심대형묘 아래의 위계이다. 이는 기반암까지 파고들어가 대형 토광을 구축하였으며 석관이 넓은 편이다. 토광의 한쪽 측면에 여러 층의 돌로 계단을 쌓은 것이 특징적이므로 계단식묘라고 할 수 있다. 갑甲형 석관묘는 옥이 부장된 중소형 석관묘를 말한다. 을乙형 석관묘는 옥기가 부장되지 않았지만 석관이 정교하게 축조되고 일부는 채색 토기가 한 점씩 부장되고 있다. 부속묘는 적석총의 정부, 제단의 정부 혹은 적석총의 경계 밖에 매장되어 있으며 간단한 묘광을 가지고 있을 뿐, 보통 부장품은 없다.

홍산문화의 후속문화인 소하연문화는 홍산문화적 요소를 비교적 많이 계승하고 있으므로 후홍산문화라고도 부른다. 이 문화의 연대는 홍산문화와 청동기시대 전기의 하가점하층문화 사이에 위치하며, 그 문화적 면모는 신석기시대에서 청동기시대 전기로 이행해가는 과도적 특징을 보인다.

---

13) 遼寧省文物考古研究所, 2012, 『牛河梁 中』, 文物出版社, p.313.

소하연문화의 고분유적은 매우 특징적이다. 지금까지 발굴된 유적은 4곳인데, 이 가운데 요서 사과둔沙鍋屯과 객좌喀左 유장자尤杖子고분군은 동굴 무덤이고 나머지 대남구의 석봉산石棚山고분군과 부근인 노요와량老鷗窩粱고분군은 상대적으로 고도가 높은 산지에 분포한다[14]. 이와 같은 동굴 무덤, 특히 고산지대에 분포하는 고분군은 신석시시대에는 거의 볼 수 없던 것이다.

요동의 북부지역에서는 신락문화新樂文化와 편보문화偏堡文化가 확인되었는데, 발견되는 유적은 거의 주거지유적이기 때문에 매장 습속을 파악하기에는 한계가 있다. 요동 남부지역에서는 소주산하층문화, 중층문화, 하층문화가 확인되었는데 소주산하층과 중층문화시기에 해당되는 무덤유적은 아직 발견되지 않았다. 소주산상층문화에서는 무덤유적이 발견되었는데 적석묘군의 특징을 가지고 있다. 요동반도의 남단에 집중적으로 분포되어 있는데, 노철산老鐵山

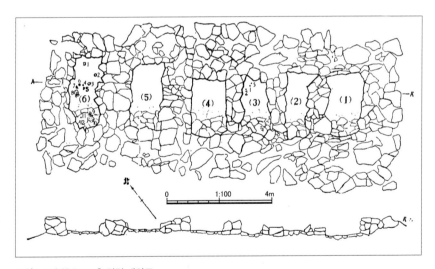

그림 3-3 老鐵山 M1호 평면 배치도

---

14)　郭大順·張星德, 2005, 『東北文化與幽燕文明』, 江蘇敎育出版社, p.160.

(그림 3-3)[15], 장군산將軍山[16], 감정자甘井子, 사평산四平山유적[17] 등이 대표적이다. 이 유형의 적석묘군은 대부분 요동반도의 해안에 가까운 산과 구릉의 꼭대기, 혹은 해안 구릉에 위치한다. 자연석 혹은 자갈을 쌓아 장방형, 방형, 원각방형의 병렬되거나 서로 연결된 다실묘를 구축하였다[18].

서북한 지역에서는 신석기시대의 무덤이 많이 알려지지 않았다. 남한지역 신석기시대의 무덤으로는 경남 통영 연대도패총, 욕지도패총, 부산 범방패총 등과 같이 토광을 파고 시신을 신전장伸展葬 한 사례가 가장 많다. 이 밖에도 부산 동삼동 패총과 경남 진주 상촌리유적에서 확인된 옹관을 이용한 예, 강원 춘천 교동과 같이 주거 공간인 동굴에 무덤을 만든 예, 경북 울진 후포리유적과 같이 묘광 안에 40여명의 뼈만 추려서 매장한 예 등 다양한 무덤의 방식과 장법이 행해졌음을 알 수 있다. 이 밖에도 인천 시도 3지구, 부산 동삼동패총, 금곡동 율리패총에서 확인된 적석시설이 무덤일 가능성이 제기되기도 하지만 매장시설로서의 확증이 불분명한 상태이다[19].

2) 靑銅器時代

요서지역 청동기시대 초기에 해당하는 하가점하층문화는 상당히 광활한 분포 범위를 보인다. 특히 요서지역은 하가점하층문화의 중심 분포지역이다. 하가점하층문화의 취락 유적은 요서지역에서 많이 확인되었지만 고분 유적은 많이 발견되지 않았다. 지금까지 명확하게 확인된 하가점하층문화의 고분군은

---

15) 旅大市文物管理組, 1978,「旅順老鐵山積石墓」,『考古』2.
16) 中國社會科學院, 1996,『雙砣子與崗上』, 科學出版社.
17) 澄田正一,小野山節,宮本一夫, 2008,『遼東半島四平山積石塚の研究』, 柳原出版.
18) 郭大順・張星德, 2005, 앞책, pp. 231.
19) 양성혁, 2011,「Ⅵ. 매장과 의례」,『한국 신석기문화 개론』, p.439-452.

10개소가 채 되지 않으며, 발굴되어 성격이 명확하게 파악된 고분군은 두 곳이다. 이 가운데 대전자大甸子 고분군[20]이 규모도 가장 크고 정형 성도 갖추고 있다.

대전자大甸子고분군 보고서에는 매 장시설을 5가지로 구분되어 있는데 그 중 목구형木構型이 목관에 속한다 (그림 3-4). 목관은 대형묘와 중형묘에 많이 채용되고, 소형묘에도 목관이 채용되는 경우가 있지만 대부분 이단 토광묘가 주묘제로 채용되고 있다. 목관을 매장시설로 한 고분은 대부분 감실을 설치하였고 그 내부에 의례용 토기들을 배치하고 있다. 관罐

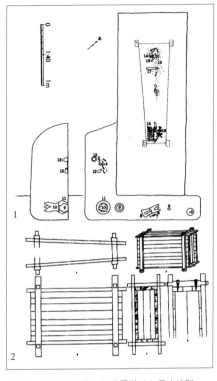

그림 3-4 夏家店下層文化의 목관 大甸子古墳群 M672호(1)와 목관의 복원도(2)

과 력鬲, 정鼎 등의 의례용 토기들은 목곽묘에서 보이는 음식 봉헌의 상징물으로 이해되고 있으므로 관이기 보다는 곽으로 보아야 하는 의견도 있다[21]. 그러나 의례용 토기가 감실에 배치되는 점은 목관묘의 특징이어서 목곽묘적인 음식 봉헌의례가 수용되었다고 하더라도 매장 시설은 목관으로 정의하는 것이 타당하다고 생각된다.

---

20) 中國社會科學院考古研究所, 1996, 『大甸子』, 科學出版社.
21) 李盛周, 2014, 「貯藏祭祀와 盛饌祭祀 : 목곽묘의 토기부장을 통해 본 음식물 봉헌과 그 의미」, 『嶺南考古學』 70, p.117.

하가점하층의 초기 청동문화가 소멸한 이후 일정한 공백기를 거쳐 본격적으로 전개되기 시작하는 청동기문화는 위영자문화이다. 위영자문화는 요서지역에서 확인된 상주교체기의 청동기문화이다. 지금까지의 발굴 자료에 따르면, 위영자문화는 대릉하유역의 남부 소릉하유역에서 요서회랑에 이르는 발해 연안에 비교적 밀집 분포하고 있다.

지금까지 발견되는 전형적인 고분 유적은 위영자 서주묘[22]와 화상구고분군 A지점[23]이 있다. 위영자 서주묘에서는 무덤 9기가 확인되었다. 무덤들은 목곽을 갖추고 있으며 일부는 회색의 고닐膏泥로 복토하였다. 무덤에서 거마구, 회갑 등 서주 전기의 청동기가 수집되었다. 화상구고분군 A지점은 모두 4기의 무덤이 발견되었으며, 모두 토기가 부장되었다. 그 가운데 M1호에서는 동호銅壺와 동유銅卣 등 상주 교체기의 청동기와 금동 팔찌 등이 출토되었다. 위영자문화는 동북아시아 제 물질문화 중 목곽묘를 최초로 사용한 사례로 평가되고 있다.

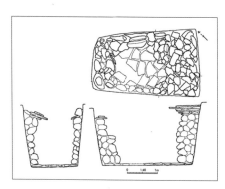

그림 3-5 南山根古墳群 M101호 석곽묘

하가점상층문화는 서랍목륜하유역과 노합하유역에 밀집 분포되어 있다. 남산근南山根[24](그림 3-5)과 서흑석구小黑石溝[25] 등의 대형 무덤이 노합하 중·상류에서 여러 차례 발

22) 遼寧省博物館文物工作隊, 1977, 「遼寧朝陽魏營子西周墓和古遺址」, 『考古』 5, pp.306-309.
23) 遼寧省文物考古研究所,喀左縣博物館, 1989, 「喀左和尚溝墓地」, 『遼寧文物學刊』 2.
24) 遼寧省昭島達盟文物工作站,中國科學院考古研究所東北工作隊, 1973, 「寧城縣南山根的石槨墓」, 『考古學報』 02, pp.27-39+148-159.
25) 內蒙古自治區文物考古研究所, 2009, 『小黑石溝』, 科學出版社.

건되었다. 하가점상층문화의 무덤은 대부분 석곽묘이다. 무덤의 네 주위에 여러 층의 석괴를 쌓았는데, 네 벽과 저부에 석판을 깐 사례도 있다. 석곽묘 위주의 고분군 가운데 소수의 토광묘도 있다.

십이대영자문화는 십이대영자유형, 남동구유형, 정가와자유형의 3개 유형으로 나눌 수 있다. 십이대영자유형은 조양 장보영자長寶營子 토광묘[26], 원태자袁台子 1호목곽[27], 동령강東嶺崗 1호 토광묘[28] 등이 있는데 다양한 묘제를 포함한다. 남동구유형과 정가와자유형 단계는 석곽과 목곽이 병존하는 시기이다. 정가와자유형의 묘제는 목곽묘를 중심이 되고 퇴화 석곽묘가 일부 포함되며, 남동구유형에서는 석곽묘가 절대 다수가 된다.

요동지역 초기 청동기문화는 고태산문화高台山文化와 마성자문화, 그리고 요동 남단에 있는 쌍타자문화가 있다. 고대산문화는 의무려산醫巫閭山과 그 동북의 송요평원 남부이며, 동쪽으로는 요하를 넘지 않는다. 요하의 지류인 유하 양안이 중심 분포지역이다. 고대산문화의 고분은 주거지 부근에 상대적으로 독립된 곳에 위치하고 있다. 평안보고분군平安堡古墳群[29]을 보면, 발굴된 170여 기의 무덤이 대개 남북향 취하여 동서로 배열되어 있다. 무덤은 모두 단장 토광묘이며, 일부는 이단 묘광와 목재 매장시설을 갖추고 있다. 부장된 토기는 대부분 발치쪽에 놓여지며, 그 부장 위치는 대체로 고정적이다. 부장품 가운데 호와 발의 수량이 가장 많아 전체 부장 토기의 절반 이상을 차지한다.

마성자문화는 주로 요동 산지의 핵심 지역인 태자하유역의 상류에 분포한

---

26) 靳楓毅, 1988,「大凌河流域出土的靑銅時代遺物」,『文物』11, pp.24-35.
27) 遼寧省文物考古硏究所, 朝陽市博物館, 2010,『朝陽袁台子』, 文物出版社.
28) 朝陽市博物館, 1996,『朝陽歷史與文物』, 遼寧大學出版社.
29) 遼寧省文物考古硏究所・吉林大學考古學系, 1992,「遼寧彰武平安堡遺址」,『考古學報』4, pp.437-472.

다. 마성자문화에서 발견된 유적의 대부분이 동굴 무덤으로 이 문화의 매장 습속은 대단히 특징적이다고 할 수 있다. 동굴 무덤은 대부분 하천과 평지보다 약 30m 가량 높은 산지의 중간에 위치한다. 마성자 C동은[30] 더욱 높은 단애 위에 있어 현관묘와 유사한 점이 있다. 동굴 무덤은 묘광도 없고 매장 방향도 일치하지 않는다. 대부분 단인장이며, 2인 합장묘는 적다. 합장묘는 모두 성년 여성과 아동이 합장된 것이며, 남녀 합장묘는 확인되지 않았다.

쌍타자문화는 대련을 중심으로 요동 반도 남단과 남부의 일부 지역에 분포하고 있던 쌍타자 1기(기원전 20세기~16세기), 쌍타자 2기(기원전 16세기~14세기), 쌍타자 3기(기원전 14세기~11세기)문화로 구분되고 있지만, 묘제와 토기 등에서 연속성과 동질성이 강하므로 쌍타자 문화로 일괄할 수 있다.

쌍타자 I기문화에 속하는 쌍타자하층유적, 대추자大嘴子과 우가於家유적에서는 주거지만 확인되었을 뿐 무덤유적은 확인되지 않았다. II기문화의 무덤은 단타자와 상마석유적에서 확인되었다. 단타자유적은 토광묘인데 상마석유적에서 발견된 무덤은 옹관묘이다, 옹관은 물레로 제작된 흑갈색 조질의 호이다, 옹관은 주로 아동 및 미성년을 매장하기 위해 사용된 것이다. III기문화의 무덤유적은 모두 산기슭 혹은 산 정부에 조영된 적석총이다. 발굴된 유적 중 우가於家 타두砣頭[31], 후석後石 왕보산王寶山[32], 묘산廟山 토룡土龍유적[33]은 서로 다른 유형의 무덤을 대표한다. 왕보산유적의 적석총은 하나의 봉분에 매장시설이 하나인 특징을 갖고 있다. 우가 타두와 묘산 토룡유적의 적석총은 비슷하고

30) 遼寧省文物考古硏究所, 1994, 『馬城子』, 文物出版社.
31) 許明綱·劉俊勇, 1983, 「大連於家村砣頭積石墓地」, 『文物』 9, pp.39-50.
32) 王冰·萬慶, 1996, 「遼寧大連市王寶山積石墓試掘簡報」, 『考古』 3, pp.1-3.
33) 華玉冰·王瑽·陳國慶, 1996, 「遼寧大連市土龍積石墓地1號積石塚」, 『考古』 3, pp.6-9.

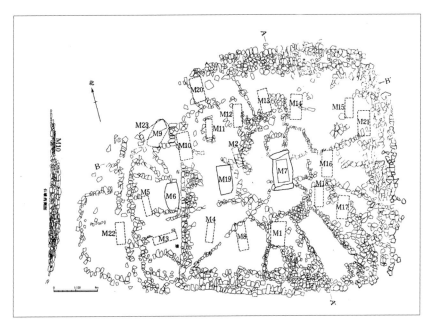

그림 3-6 崗上積石墓 평면도

모두 하나의 봉분에 다수의 매장시설이 있다. 차이점은 묘산 토룡유적에서는 시기가 서로 다른 세 부분이 계속 이어져 형성된 것이다. 우가 타두유적은 그 자체가 일회성 매장으로 형성되었다.

이도하자문화는 기원전 10세기 마성자문화의 후계 문화로 형성되어 기원전 4세기 유가초유형으로 전환되기까지 강한 지역성을 보이며 존속하였다. 석관묘가 묘제의 절대 주류를 이루고 있고 기원전 6~5세기에는 이도하자문화의 서부와 서남부가 정가와자유형 지대로 변모된다. 이 과정에서 개원현開原縣 서부·부순현撫順縣 남부·신빈만족자치현新賓滿族自治縣 서부 등지에는 지석묘가 확산되기도 하였다.

요동 남단의 청동기문화인 강상문화는 선행 문화인 쌍타자 3기문화를 직접적인 기원으로 하고 중심 묘제인 적석묘(그림 3-6)도 계승하였다. 이도하자문화와 강상문화의 사이에 쌍방문화가 자리잡고 있다. 이 문화의 중심 묘제는 지석묘이다. 지석묘는 쌍방문화뿐만 아니라 한반도와 일본의 규슈지역 등 동북아 청동기시대의 대표 묘제라고 말할 수 있다.

지석묘는 외형적으로 나타나는 특징에 따라 탁자식, 기반식, 개석식, 위석식으로 구분된다(그림 3-7). 탁자식 지석묘는 넓은 판석으로 된 무덤방이 지상에 노출되어 있는 형식으로, 판석 4매로 짜맞춘 석실 위에 납작한 상석이 올려진 것이다. 책상처럼 생겨서 탁자식이라 한다. 주로 요동지역부터 한강 이북까지 집중 분포되어 북방식으로도 불린다. 북한에서는 발굴 지역명을 따서 오덕형五

그림 3-7 지석묘의 다양한 형태(중앙문화재연구원 2015)
1. 탁자식(석봉산) 2. 기반식(죽림리) 3. 개석식(진라리) 4. 개석식의 하부구조(상동) 5. 위석식(용담동)

德形[34]이라 하고, 중국에서는 석봉石棚[35]이라고 한다.

개석식 지석묘는 중국에서 대석개묘大石蓋墓로 불리며 지하에 만든 석실 위에 바로 상석을 올린 형식이다. 이 형식에서는 거의 돌로 만든 석실이 확인되고 있어 원래 무덤의 기능으로 축조된 것이다. 요동반도, 한반도, 일본 규슈지역에 널리 분포하고 있어 지석묘 형태 중에서도 가장 보편적인 무덤으로 쓰인 것임을 알 수 있다.

기반식 지석묘는 판돌이나 깬돌로 석실을 지하에 만들고, 그 주위에 지석 4~8개를 돌린 후 상석을 올린 형식으로 석실과 상석 사이에는 지석으로 인한 공간이 있다. 바둑판처럼 생긴 탓에 기반식이라 한다. 이 형태는 호서, 호남과 영남지방 등 주로 남부지역에 분포되어 있어 남방식으로도 불리며, 북한에서는 아직 기반식 지석묘가 발견되지 않았다.

위석식 지석묘는 제주지역에서 주로 나타나는 독특한 구조이다. 이 형태는 석곽이 지상에 노출되어 있으며, 수 매의 판석이 상석의 가장자리를 따라 돌려 세워진 형식이다. 지상에 드러난 판석 수는 10매 이상으로 상석의 평면형태에 따라 판석을 돌려세워 석관의 형태는 대개 타원형이나 방형에 가까운 것이 특징이다.

한반도의 청동기시대에는 지석묘 외에 석관(곽)묘도 있다. 서북한지역에 석관(곽)묘는 평안남도, 평안북도, 황해도, 평양에 집중 분포하고 있으며 남한지역의 석관(곽)묘는 강원도와 서부 경남 일대에 주로 분포한다. 석관(곽)묘의 구

---

34) 석광준, 1974, 「오덕리고인돌 발굴보고」, 『고고학자료집』 제4집, 사회과학출판사.
35) "石棚"이라는 용어는 현지민이 지상에 새운 세 면에 큰 석찬을 세우고 위에는 평평한 석판을 덮은 건축물의 속징이다. 그 명칭의 유래는 금나라까지 거슬러 올라 갈 수 있다(華玉冰, 2008, 『中國 東北地區 石棚 硏究』, 吉林大學 博士論文).

조는 크게 판석식, 활석식 두 가지 형식으로 나눌 수 있는데 활석식에 판석을 덮개로 사용하는 예도 있다. 이 두 가지 형식은 분포범위가 다소 한정적이라는 특징이 있다. 활석식은 주로 요서지역에 많이 확인되었고 판석식은 요동과 한반도에서 많이 확인되었다[36]. 한반도에는 활석형이 판석식 지석묘에 비해 늦은 것으로 평가되고 있다[37].

3) 初期鐵器時代

동북아 초기철기시대는 전국 연의 확장으로 시작된다. 이 시기에 연 문화는 요서지역과 요동의 대부분 지역에 확산되었으며 이 지역의 토착 묘제인 석관(곽)묘, 지석묘, 적석묘는 거의 소멸하게 된다. 이 무렵 요서지역은 목곽묘가 거의 주류 묘제로 정착하게 된다. 미안구유적와 동대장자유적의 목곽묘에는 희생물 순장 등의 토착 매장 습속이 유지되는 경우도 있다.

요동지역에서는 연문화 이외에도 북부의 유가소유형과 남단의 윤가촌유형이 확인되었다. 이 두 유형의 문화권역 안에서는 퇴화된 석곽묘와 토광묘가 묘제의 주류를 이루고 있다[38](그림 3-8). 서북한 지역에서 확인된 고산리문화는 재령군 고산리 토광묘[39]와 봉산군 송산리 석곽묘[40]를 표지로 하며 중심적인 묘제는 유가소유형, 윤가촌유형과 비슷하고 토광묘와 퇴화된 석곽묘에 속한다.

---

36) 鄭大寧, 2002, 『中國東北地區靑銅時代石棺墓遺存的考古學硏究』, 中國社會科學院硏究生院 博士論文; 2013, 『朝鮮半島北部地區靑銅時代石構墓葬硏究』, 吉林大學 博士論文.

37) 중앙문화재연구원, 2015, 『한국 청동기문화 개론』, 진인진, pp 91.

38) 中國社會科學院考古硏究所, 1996, 『雙砣子與崗上·遼東史前文化的發現與硏究』, 科學出版社.

39) 황기덕, 1974, 「최근에 새로 알려진 비파형단검과 좁은놋단검 관계의 유적유물 : 3.재령군 고산리 성황동에서 나온 유물」, 『고고학자료집 4』, 과학·백과사전출판사.

40) 황기덕, 1962, 「황해도 봉산군 송산리 솔뫼골 돌돌림무덤」, 『고고학자료집 3』, 과학원출판사, pp. 77~81.

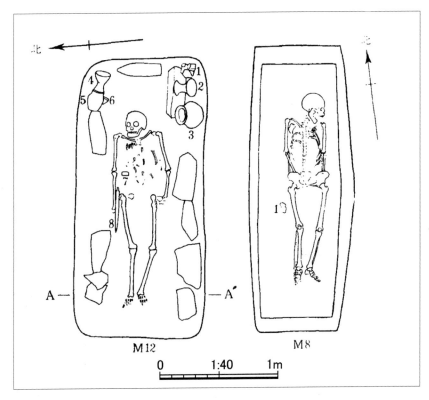

그림 3-8 尹家村類型의 무덤

한반도 남부에는 초기철기시대에 돌입하기 이전에 지석묘가 이미 소멸되기 시작한다. 초기철기시대에 이르러 주류 묘제는 목관묘라고 할 수 있다. 목관의 형태에 따라 통나무식 관과 판재조립식 관으로 나눌 수 있다(그림 3-9). 통나무식 관은 그 자체의 유존 사례가 드물어 일반적인 형태를 파악하기 어려우나, 창원 다호리유적[41]과 화순 대곡리유적[42]에서 조사된 예를 통해서 그 구조적 양상을 살펴볼 수 있다. 통나무를 반으로 잘라, 통나무 내부를 파낸 뒤 시

---

41) 국립중앙박물관, 2012, 『창원 다호리 1~7차 발굴조사 종합보고서』.
42) 전남대학교박물관, 2005, 『화순 대곡리유적』.

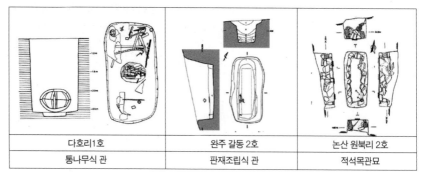

다호리1호	완주 갈동 2호	논산 원북리 2호
통나무식 관	판재조립식 관	적석목관묘

그림 3-9 한반도 남부의 목관묘

신을 안치하고 판자형의 목개를 덮거나, 또는 속을 파낸 구유형 통나무 덮개를 사용한 두 가지 형태가 있을 것으로 추정된다.

판재조립식 관은 목판 형태의 목재를 이용하여 상자형 관을 짜 맞춘 것이다. 각각 한 매 씩의 목판재로 제작하기도 하고 결구방식에 따라 다양한 형태로 나타난다. 결구형태는 토착묘제의 지역적 특성과 새로운 묘제의 도입에 따라 서로 다른 양상을 보였을 것으로 추측되는데, 잔존상태가 양호하지 못한 경우가 많아 결구방식을 체계적으로 파악하는 일은 지난한 일로 생각된다. 또한 목관과 묘광의 사이에 돌을 채워 넣거나 목관 상부에 돌을 쌓는 적석목관묘도 있다.

한반도 남부지역은 원삼국시대 중후기인 2세기 중반까지 목관묘가 중심 묘제였지만, 2세기 중반 이후 목곽묘가 등장하면서 목관묘는 소멸되기 시작한다.

2. 東北亞 木築墓의 起源과 分化

앞 절에서 신석기시대 중기부터 초기철기시대까지 동북아 제 지역의 물질문화 변천과 주요 묘제의 전환을 대략적으로 살펴보았다. 이러한 묘제의 변천을 통해서 동북아 지역의 묘제는 크게 목축묘 계통과 석축묘 계통으로 선구분하는 것이 타당하다고 본다. 석축묘는 검토 대상이 아니므로 여기서 목축묘의 계통을 자세히 살펴 보고자 한다.

1) 東北亞 木築墓의 系統

동북아 지역의 목축묘는 앞 절에서 언급하였듯이 초기 청동기문화의 하가점하층문화에 등장한다. 하가점하층문화 이외에 내몽고 중남부에 분포하는 초기 청동기문화인 주개구문화에서도 목관묘가 채용되는 양상이 확인하였다. 이 두 문화에 채용되는 목관묘는 매장의례에 큰 차이가 확인되며, 이는 이후 목곽묘에서도 확인할 수 있다. 따라서 하가점하층문화와 주개구문화의 목관묘 매장의례를 비교 검토할 필요가 있다.

앞 절에서 하가점하층문화의 목관묘를 서술하였기에 여기서는 주개구문화를 살펴보도록 하겠다. 주개구문화는 동쪽으로 대해岱海지역, 서쪽으로 오르도스 초원 내지, 북쪽으로 음산산맥 남쪽 기슭, 남쪽으로는 연하 수계까지 분포하고 있다. 주개구문화의 무덤은 주개구朱開溝[43], 채자탑寨子塔[44], 고가평高家坪[45] 등 유적에서 모두 확인되었으며 토광묘와 옹관묘 두 가지로 분류할 수 있다. 주개구유적에서 옹관묘는 대부분 주거지 내에서 확인되는 반면 토광묘는 주거지 주변에 따로 설정된 매장구역에서 발견된다.

43) 內蒙古自治去文物考古研究所・鄂爾多斯博物館, 2000, 『朱開溝-靑銅時代早期遺址發掘報告』, 文物出版社.

44) 魏堅, 1989, 「准格爾旗寨子塔,二里半考古主要收獲」, 『內蒙古中南部原始文化硏究文集』, 海洋出版社.

45) 伊克昭盟文物工作站, 1994, 「准格爾旗高家坪遺址」, 『內蒙古文物考古文集 第一輯』, 中國大百科全書出版社.

주개구유적은 시기에 따라 1단계부터 5단계까지 구분되며, 1단계부터 각각의 단계는 용산문화만기 병행기, 하대夏代 조기 병행기, 하대 중기 병행기, 하대 만기 병행기, 상대商代 조기 병행기로 비정된다. 주개구유적에서 발굴된 329기의 토광묘에서 목관을 채용한 무덤은 23기이다. 이 가운데 M2022호는 아동묘로 묘광이 작지만, 나머지는 모두 대형 무덤이다. 목관은 길이가 2m 정도이고, 가장 긴 것은 3.56m이며, 모두 판재로 만든 장방형이다. 대부분의 무덤에서 목관 흔적이 명확하게 확인되고 있으며, 잔존 높이는 일반적으로 0.1m~0.2m 내외이다. 목관흔은 장방형틀이며, 일단 또는 양단의 단판이 장판 안쪽으로 들여진 평면 '工'자형 이다(그림 3-10).

목관을 채용한 무덤은 대형 무덤이지만 부장품은 거의 출토되지 않았다. 23기 의 목관묘 중 4기만 부장품이 출토되었으며, 희생물은 모두 7기에서 확인되었다. 목관묘 뿐만 아니라 길이 2.5m이상의 대형 토광묘 90기 가운데 26기에서만 부장품이 확인되었다. 따라서 부장품의 유무는 묘광의 크기, 매장시설의 유무 등과의 관련성을 확인하기 어렵다.

주개구유적에서 부장품으로 사용된 단이력單耳鬲, 쌍이관雙耳罐, 절견관折肩罐 등의 토기는 감숙甘肅지역 제가문화齊家文化와 유사하며, 남성 중심의 합장문화도 제가문화와 일치한다. 따라서 연구자들은 주개주문화가 제가문화와 상당히 밀접한 관계가 있다고 추정하고 있다[46]. 주개구문화가 형성되기 전에 이러한 매장습속과 부장유물들이 이미 제가문화의 분포 지역에 전파되고 비교적 긴 기간 지속되었다. 그리고 제가문화의 유만柳灣고분군에서도[47] 목관을 채용하는 사례가 많이 확인되었으므로 주개구문화의 목관묘는 제가문화에서

---

46) 中國社會科學院考古研究所, 2003,『中國考古學:夏商卷』, 中國社會科學出版社, pp.583.
47) 青海省文物管理處, 1984,『靑海柳灣』, 文物出版社.

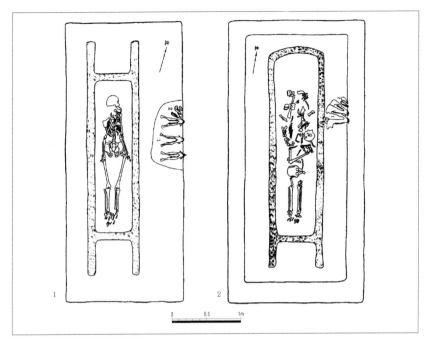

그림 3-10 朱開溝遺蹟의 목관묘(1. M1078 2. M1077)

유입된 것으로 추정할 수 있다.

이상 주개구문화의 목관묘는 앞서 언급한 하가점하층문화의 목관묘와 비교해 보면, 양 문화는 모두 용산시대 중원문화의 주변부에 해당되는 지역형 용산문화의 영향을 받아서 목관이 채용된 것으로 보인다. 다만 매장의례는 양 문화에서 큰 차이가 나타나며, 토기의 부장양상에서 더욱 명확하게 확인할 수 있다. 주개구문화에서 토기가 부장된 목관묘는 극소수이다. 토기를 부장하더라도 2~3점으로 빈약한 편이다. 반면 하가점하층문화에서는 목관이 채용된 대형 무덤에 토기가 부장되는 것은 기본으로, 관罐과 력鬲, 정鼎이 세트로 부장되는 경우가 대부분이다. 이는 중원 용산시대 목곽묘의 매장의례를 모방한 것으로 해석된다.

이후 양 문화의 목관묘 매장의례를 바탕으로 발전해 온 목곽묘도 이러한 토기 부장에 차이가 존재한다. 즉 주개구문화의 목관묘를 바탕으로 발전해 온 목곽묘는 토기의 부장이 빈약하고 북방계 청동무기와 장신구가 주를 이루기 때문에 북방식으로 정의할 수 있다. 하가점하층문화의 목관묘를 바탕으로 발전해 온 목곽묘는 토기를 대량으로 부장하고, 청동기는 부장하더라도 양이 많지 않고 대부분 음식 봉헌과 관련된 청동기이며 무기류는 소수이다. 중원계 목곽묘를 모방하는 양상이 뚜렷하게 보이며 仿(모방)중원식으로 정의할 수 있다(표 3-3).

표 3-3 주개구문화와 하가점하층문화 목관묘의 비교

	주개구문화	하가점하층문화
기원	제가문화	하북성에 분포하고 있는 용산문화
구조	판재로 만든 장방형, 일단 또는 양단의 단판이 장판 안쪽으로 들여진 평면 'ㅍ'자형.	판재로 만든 제형
토기	빈약	풍부
발전	북방식 목곽묘	방중원식 목곽묘

2) 木槨墓의 登場과 地域的 發展

(1) 仿(모방)中原式 木槨墓

仿(모방)중원식 목곽묘는 중원계 목곽묘가 토착사회에서 변용된 산물이다. 그 기원은 하가점하층문화의 목관묘과 관련있다고 판단된다. 하가점하층문화의 목관묘는 동북아지역에서 처음 중원 묘제를 모방하는 사례라고 말할 수 있다. 묘광 가장자리를 따라 감실을 마련하고 도정陶鼎, 도력陶鬲, 도호陶壺 등의 의례용 토기를 배치하는 것도 중원 목곽묘 전통의 음식 봉헌의례가 지역의 전통적 방식에 따라 변용된 형태로 이해된다.

하가점하층문화가 해체된 이후
에 하가점하층문화 연남형은 상문
화와 서쪽에 있는 장가원문화張家園
文化를 형성하였다. 장가원문화는
연산 남록, 태항산 북단 동쪽의 평
원 일대에 주로 분포하며 하가점하
층문화 연남형의 분포 범위와 거의
일치한다. 장가원문화의 유적 가운
데에는 고분 유적이 많지 않지만 상
말주초로 편년된 청동예기가 부장
된 무덤이 확인된다. 청동예기를 부
장된 무덤자료 중에서 백부촌白浮村

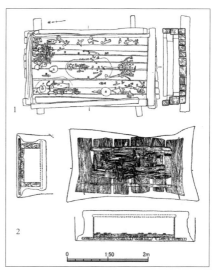

그림 3-11 白浮村 木槨墓와 魏營子 木槨墓
(1. 백부촌 M2 2. 위영자 서주묘 M7603)

목곽묘(그림 3-11,1)[48]가 대표사례이며 백부촌白浮村 목곽묘도 전형적인 방중원
식 목곽묘이다.

백부촌 목곽묘는 서주시대 연나라 도성 북쪽, 연산 주변에서 발견된 위계가
가장 높은 대형 서주 무덤이다. 일군의 북방식 청동 무기와 청동예기가 출토되
어서 학계의 주목을 받고 있다. 백부촌 목곽묘는 총 3기가 발견되었는데, 이 3
기는 역 品품자형으로 배치되었으며 두향은 모두 북향이다. 1, 3호는 목곽 저
판이 잔존하고, 2호는 목곽 사벽, 저판 등이 대부분 잔존하여 목곽의 전모를
파악할 수 있다. 2호 목곽은 장방형의 곽실을 가지고 있는데 목곽 저판 아래에
는 동서 방향의 방목方木 2개로 받침대를 설치하였고 그 위에 방목 11개를 종

48)　北京市文物管理處, 1976,「北京地區的又一重要考古收獲——昌平白浮西周木槨墓的新啓
　　示」,『考古』04, pp.228, 246-258, 281-284.

향으로 배열하여 목곽 저부를 구축하였다. 사벽은 방목을 쌓아올려 만들었다. 동서 양벽의 방목은 남북 양벽의 횡목橫木에 낸 반원형의 홈에 끼워져서 곽실 전체가 매우 단단하게 구축되었다. 다만 목곽 안에 관의 흔적이 확인되지는 않았다. 목곽과 묘광 사이에는 백고닐白膏泥로 충전되었다. 2, 3호의 목곽 중앙에 요갱이 설치되었다.

백부촌 목곽묘에 대한 초기연구에서는 주초 연이 설치한 거점지역으로 분석되었지만, 이후 연구에서는 연 문화의 영향을 받은 장가원문화의 고분으로 파악하게 된다. 따라서 장가원문화의 묘제는 연 문화 영향 아래 이미 중원의 목곽적 매장의례를 수용하고 있었던 것으로 볼 수 있다. 하지만 관을 갖춘 중원계 목곽묘를 직접 수용한 것이 아니라 이미 채용하였던 목재 매장시설을 확대한 것이다.

비슷한 시기의 위영자문화에서도 목곽묘가 확인되었다. 위영자 서주 목곽묘(그림 3-11,2)[49]가 목곽의 구조과 부장품의 형식에서 백부촌 목곽묘과 유사한 양상이 보인다. 위영자 서주묘에서 출토된 축두車軎, 난령鑾鈴, 수면마면獸面馬面, 동회銅盔, 동포銅泡 등 동기와 동일한 형식이 북경 백부白浮 M2, M3호에서도 발견된 바 있다. 따라서 장가원문화와 위영자문화 사이에 밀접한 교류가 존재한 것으로 판단된다. 위영자 서주묘는 백부촌 목곽묘와 비슷한 연대를 보이만 선행 연구에서는 연산 남북의 교류가 연산 남쪽에서 북쪽으로 전파된 점이 지적된 바 있다. 그래서 위영자문화의 목곽묘는 장가원문화의 영향을 받아 등장하는 것으로 추정된다. 다만 위영자문화가 직접 연 문화와 교섭하였을 가능성을 배제할 수 없다.

---

49) 遼寧省博物館文物工作隊, 1977, 「遼寧朝陽魏營子西周墓和古遺址」, 『考古』 5, pp.306-309.

장가원문화와 위영자문화기에 방중원식 목곽묘의 기본 구조가 마련되었다고 말할 수 있다. 양 문화의 목곽묘에 근거하여 방중원식 목곽묘의 특징은 다음과 같이 정리할 수 있다. a. 크기에 있어서 목관과 명확한 차이를 보인다. b. 목곽 안에 목관을 채용하지 않았다. c. 다량의 음식 봉헌의례와 관련된 유물이 부장된다. d. 중원계 문화와의 직접 교섭 지역에 주로 분포한다.

(2) 北方式 木槨墓

북방식 목곽묘는 장성 북쪽의 유목 집단에서 주로 확인되며, 그 기원은 주개구문화에서 찾을 수 있다. 다만 후속 발전 단계는 방중원식 목곽묘처럼 명확하지 않다. 지금까지 확인된 최고의 북방식 목곽묘는 옥황묘문화의 목곽묘이다.

옥황묘문화의 무덤유적은 호로구胡蘆溝, 옥황묘玉皇廟, 서량광西梁㹰 세 곳[50]의 대표적인 고분군이 있으며 모두 군도산 남록의 경사지에 분포한다. 옥황묘문화의 무덤에 사용하는 매장시설은 목곽, 석곽 그리고 목곽에 석축을 결합된 것(그림 3-12) 등 세 가지가 있다. 이들은 각각 위계 차이를 보이고 있는데, 목곽을 사용한 것이 최고 위계의 무덤이다. 목곽의 구조는 먼저 동서 방향으로 저판을 깐 다음 좌우는 장축 방향의 측판을 저판 위에 세운다. 단축 방향의 측판은 장축 측판의 끝부분에 세운 것이 아니고 장축 측판의 약간 안 쪽에 세워서 끼웠다. 개판은 측판 위에 남북 방향으로 덮었다. 이러한 구조는 주개구문화의 목관묘와 유사하다. 유물의 부장양상을 보면, 목곽 내에는 보통 토기와

---

50)　北京市文物研究所, 2007, 『軍都山墓地』, 文物出版社.

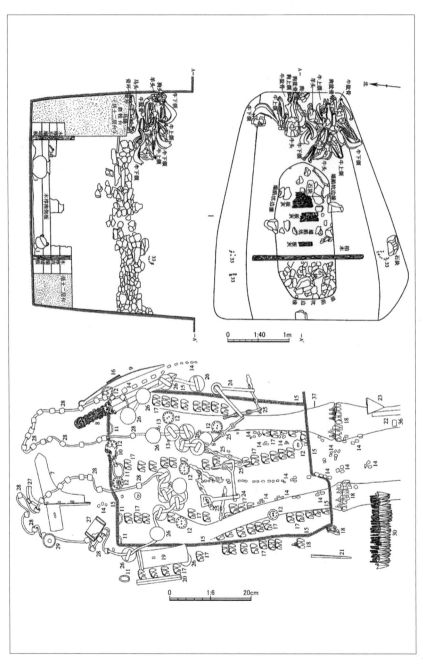

그림 3-12 玉皇廟文化 木槨墓(軍都山 YYM18)

북방계 청동유물군[51]을 배치하는데, 토기는 두부에 한 점만 부장하는 것이 가장 보편적이다. 희생물의 순장은 옥황묘문화가 가지고 있는 뚜렷한 특징이라 할 수 있다. 목곽의 경우에는 개판 위의 봉토나 이층대二層臺에 두었다. 희생물의 수를 과시하기 위해 몸통 전부를 사용하지 않고 머리만 부장하였다.

이러한 목곽묘는 중원 목곽묘와 다른 양상이 보인다. 토기를 빈약하게 부장하는 것은 북방계 목곽묘의 뚜렷한 특징이다. 또한 목곽묘의 크기는 목관과 비슷하지만 중국 동북지역의 보고서에서 항상 목관묘로 보고되고 있다. 옥황묘문화의 목곽묘는 주개구문화의 목관묘와 비교해도 크기에 명확한 차이가 없고 유물 부장의 양과 질의 차이만을 확인할 수 있다. 이러한 차이는 자체 발전의 결과인지 연 문화의 영향인지 명확하게 판단하기는 어렵다. 이러한 북방계 목곽묘는 중원과의 접경지역이나 중원문화와 직접 교섭이 어려운 지역에서 주로 확인된다. 그래서 북방계 목곽묘는 중원계 목곽묘의 영향을 매우 적게 받아들인 것이라고 말할 수 있다.

이후 춘추 만기에 옥황묘문화의 동포 등의 장신구와 묘제의 일부요소는 하가점하층문화의 쇠퇴기에 요서에 진입하기 시작하였으며 조양朝陽 원대자袁台子유적(그림 3-13, 2)과 오한기敖漢旗 주가지周家地유적(그림 3-13, 1)에서 확인된다. 조양 원대자유적 갑甲류 목곽묘는 목곽의 주조가 옥황묘문화의 목곽묘와 유사한 양상이고 옥황묘문화의 동포 등의 청동 장신구도 확인되었으며 옥황묘문화가 동쪽으로 전파된 것과 관련[52]이 있다고 생각된다. 주가지유적에서는 하가

---

51)   林沄, 1998, 「早期北方青銅器的幾個年代問題」, 『林沄學術文集』, 中國大百科全書網站. 중국 북방에 널리 분포하여 중원 문화에 중요한 영향을 미치는 북방 청동기는 다원의 복잡한 종합체이다. "북방계"라는 표현은 중원 청동기와의 차이를 강조하는 한편, 유라시아 초원 기타 지역 청동기와의 연계를 강조한 것이다.

52)   潘玲·於子夏, 2013, 「朝陽袁台子甲類墓葬的年代和文化因素分析」, 『北方文物』 01, pp.43~48.

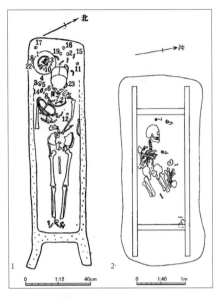

그림 3-13 周家地 木槨墓와 袁臺子 甲類 木槨墓
(1. 주가지 M43호 2. 원대자 M123호)

점상층문화 무덤에서는 확인되지 않는 순생殉牲행위가 확인되었으며 북방 장성지역 다른 문화의 영향을 받아서 형성된 습속이라는 견해53가 있다. 그리고 주가지유적 43호는 목곽의 한쪽 단판을 장판 안쪽으로 홈씬 들여 끼우는 구조가 주개구문화의 목관 구조와 유사하고 옥황묘문화 목곽묘의 머리 쪽에 토기 한 점을 부장하는 매장의례도 확인된다. 따라서 주가지유적에 목곽은 서쪽에서 유입된 것으로 판단할 수 있으며, 옥황묘문화나 주개구문화와 직·간접적 연관성이 있다고 추정해볼 수 있다. 반면 주개구문화의 목관묘는 옥황묘문화의 목곽묘나 주가지유적의 목곽묘의 발전과정에서 명확하게 확인되지 않는다. 북방식 목곽묘는 중원 목곽묘와 차이가 크지만, 곽묘적 매장의례는 중원 목곽묘의 영향 아래 형성되었을 가능성을 배제할 수 없다.

연문화가 요서에 진출하기 시작하면서 북방식 목곽묘는 요서지역에서 거의 소멸되어 간다. 이후 그 분포범위는 연 장성 북쪽에 있는 오환烏桓, 부여夫餘, 선비鮮卑 등 유목집단의 무덤유적에서 많이 확인되고 있다. 한편 방중원식 목곽묘는 연 문화가 요서 요동에 진입한 후에 연식 목곽묘로 대체되고 있으며, 그

53) 王立新, 2004,「遼西區夏至戰國時期文化格局與經濟形態的演進」,『考古學報』3, pp.243-270.

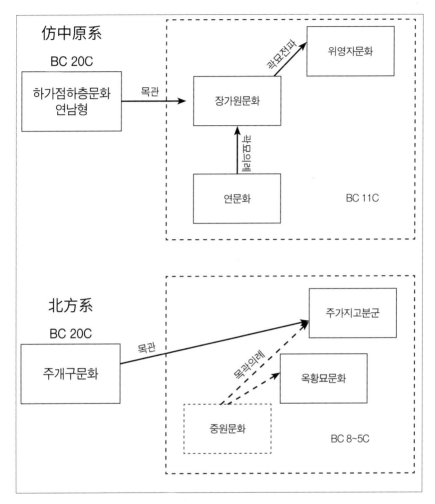

그림 3-14 방중원식 목곽묘와 북방식 목곽묘의 등장과정 모식도

주변의 중원문화를 친한 집단에 다시 등장하는 경향성을 보이고 있다(그림 3-14).

IV장
遼寧 木槨墓의 受容과 變遷

요령지역 목곽묘는 북방 초원문화 요소와 중원문화 요소를 동시 수용한다. 그러나 초기에는 북방 초원문화의 특징적인 목곽묘 요소를 수용하면서 동북 아시아 각 지역의 목곽묘 전파 및 수용에 있어 거대한 영향을 미친다.

이 지역의 고대 문화 변동에 관해서는 제 Ⅲ장에서 이미 정리하였으므로 여 기서 다시 설명하지 않는다. 요령지역의 목곽묘에 관해서는 지금까지의 연구에 따르면 위영자문화기에 최초로 나타나고 서한까지 이어져 왔던 것으로 알려져 있다. 다양한 문화가 교차했던 요령지역에서 목곽묘는 오랜 기간 지속되는 가 운데, 목곽묘에는 여러 문화가 혼합되는데 지역에 따라서 차이를 보이기도 한 다. 그래서 목곽묘는 당시 요서·요동지역의 지역적 특색과 문화 계통을 파악 하는 중요한 고찰 대상이 될 수 있다.

편의상 요령지역은 요서와 요동으로 구분된다. 요서는 노로아호산努魯兒虎山 을 경계로 요서지역을 동부의 서랍목륜하西拉木倫河유역과 서부의 대·소릉하 유역으로 나누고자 한다. 동부지역의 목곽묘는 연 장성 이북의 오한기敖漢旗지 역에 집중 분포되어 있는 반면 서부지역의 경우 대·소능하 유역이 목곽묘의 집중 분포 구역이 된다. 요동은 지리적 경계가 없지만 일반적으로 요양지역을 중심의 북부와 대련지역을 중심의 남부로 구분된다.

요서 동부지역의 주요 고분군으로는 주가지周家地고분군1), 오란보랍격烏蘭寶拉

---

1) 中國社會科學院考古研究所內蒙古工作隊, 2001, 「內蒙古敖漢旗周家地墓地發掘簡報」, 『考 古』11, pp.417-429.

格고분군2 그리고 자료가 발표되지 않은 수천水泉고분군3 등이 있다. 서부지역의 주요 고분군으로는 조양朝陽 위영자서주묘魏營子西周墓4, 객좌喀左 화상구和尙溝고분군5, 미안구眉眼溝고분군6, 조양朝陽 원대자袁台子고분군7, 건창建昌 우도구於道溝고분군8 그리고 동대장자東大杖子고분군9 등이 있다. 요동 북부지역의 주요 고분군으로는 심양沈陽 정가와자鄭家窪子고분군10, 요양遼陽 신성전국묘新城戰國墓11, 요양遼陽 묘포苗圃고분군12, 안산鞍山 양초장羊草莊고분군13, 안산鞍山 조군대調軍台고분군14, 영구營口 발어권鲅魚圈 패묘貝墓15 등이 있다. 남부지역의 주요 고분군으로는 강둔姜屯고분군16, 영성자營城子 패묘貝墓17, 여순旅順 이가구李家溝

2) 邵國田, 1996, 「敖漢旗烏蘭寶拉格戰國墓地調査」, 『內蒙古文物考古』 1, pp.55-59, 81.

3) 郭治中, 2000, 「水泉墓地及相關問題之探索」, 『中國考古學跨世紀的回顧與前瞻—1999 年西陵國際學術硏討文集』, 科學出版社, pp.297-309.

4) 遼寧省博物館文物工作隊, 1977, 앞 논문.

5) 遼寧省文物考古研究所・喀左縣博物館, 1989, 「喀左和尙溝墓地」, 『遼寧文物學刊』 2.

6) 朝陽地區博物館・喀左縣文化館, 1985, 「遼寧喀左大城子眉眼溝戰國墓」, 『考古』 1, pp.7-13.

7) 遼寧省文物考古研究所・朝陽市博物館, 2010, 앞 논문.

8) 遼寧省文物考古研究所・葫蘆島市博物館・建昌縣文管所, 2006, 「遼寧建昌於道溝戰國墓地調査發掘簡報」, 『遼寧博物館館刊』.

9) 遼寧省文物考古研究所・吉林大學邊疆考古研究中心, 2014, 앞 논문; 遼寧省文物考古研究所・吉林大學邊疆考古研究中心, 2015, 앞 논문.

10) 沈陽故宮博物館・沈陽市文物管理辦公室, 1975, 「沈陽鄭家窪子的兩座青銅時代墓葬」, 『考古學報』 01, pp.141-156, 212-219.

11) 穆啟文, 2009, 「遼陽新城戰國墓發現與研究」, 『遼寧省博物館館刊』.

12) 遼寧省文物考古研究所, 2015, 「遼寧遼陽市苗圃墓地漢代土坑墓」, 『考古』 4, pp.53-66.

13) 遼寧省文物考古研究所, 2015, 『羊草莊漢墓』, 北京, 文物出版社.

14) 遼寧省文物考古研究院・鞍山市博物館, 2020, 「遼寧鞍山市調軍台墓地西漢墓葬的發掘」, 『考古』 3, pp.46-62.

15) 遼寧省文物考古研究所, 2017, 「遼寧營口鲅魚圈漢代貝殼墓」, 『考古學報』 1, pp.119-148.

16) 遼寧省文物考古研究所, 2013, 『薑屯漢墓』, 文物出版社.

17) 於臨祥, 1958, 「營城子貝墓」, 『考古學報』 4, pp.7.1-89.

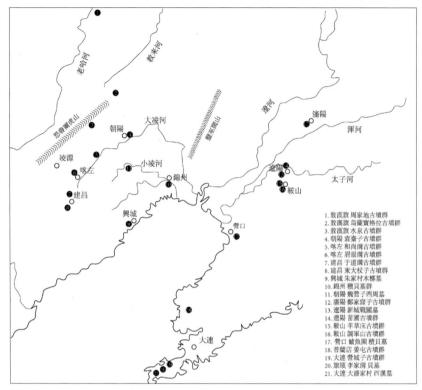

그림 4-1 요령지역 목곽묘유적 분포도

패묘貝墓[18], 대련大連 대판가촌大潘家村 서한묘西漢墓[19] 등이 있다.

　　본장에서는 현재 발굴된 목곽묘 자료를 중심으로 목곽묘와 출토유물의 형식과 연대를 체계적으로 분석·정리하면서, 요서·요동지역의 목곽묘의 수용과정과 향후 의미를 검토하고자 한다.

---

18)　於臨祥, 1965,「旅順李家溝西漢貝墓」,『考古』3, pp.154-156.

19)　劉俊勇, 1995,「遼寧大連大潘家村西漢墓」,『考古』7, pp.661-665.

1. 木槨墓 古墳群의 分布와 性格

1) 遼西

(1) 오한기 주가지고분군

주가지고분군은 오한기 주가지촌의 서쪽 800m에 위치한다. 1981년 중국사회과학원 고고학연구소 내몽고공작대에 의해 54기의 무덤이 발굴되었는데 대부분의 무덤에는 목재 매장시설이 남아 있었다. 자세한 자료는 M45, M43(그림 4-2, 1), M2, M16 4기에 불과하며, M2호를 제외하여 나머지는 모두 "U"자형 목곽을 사용하고 적석이 없는 목곽묘이다. 대부분의 무덤에서는 시신의 머리 한쪽에 토기 한 점을 놓았으며 동포, 동패식 등 북방계 청동유물군을 착용하였고 허리에는 동도, 골침 등을 두었다.

M45호에 출토된 동촉은 낙양 중구로 M4[20]의 출토품(M4:30)과 특징이 비슷하며, 연대는 전국 만기 중기 이전으로 추정된다. 다만 청동기를 기준으로 고분군의 연대를 추정하게 되면 유구의 실연대보다 이른 시기로 판단하게 될 가능성이 있으며 M45호의 실제 하한 연대는 춘추 말기까지 늦출 수 있다는 점을 배제할 수 없다는 견해[21]도 있다. 그리고 유물은 중심지역에서 주변지역까지 전파하는 과정이 일정한 시간 차가 존재하기 대문에 춘추 말기까지라는 견해는 타당하다고 생각한다.

(2) 오한기 수천고분군

수천고분군은 오한기 사가자진 수천촌의 서쪽에 위치한다. 1995년 내몽고

---

20) 中國科學院考古研究所, 1959,『洛陽中州路』, 科學出版社.
21) 趙賓福, 2005,『中國東北地區夏至戰國時期的考古學文化研究』, 吉林大學博士論文.

고고문물연구소는 110기의 무덤을 발굴하였는데 무덤 방향과 출토 유물의 변화 등의 요소에 따라 북구와 남구로 나누었다.

북구는 남구보다 이르다고 보고 있으며, 묘광은 깊고 매장시설은 목관을 위주로 하며 소수 대형 무덤에만 곽이 채용된다. 희생물은 소, 돼지, 개의 머리와 발 부위가 주로 출토되었고, 토기는 쌍이호, 단이호, 파수배 등이 주류를 이룬다. 발굴자는 북구의 연대를 춘추 전국의 교체기에서 전국 초기로 추정하였다[22].

남구는 무덤의 규모가 비교적 작고 묘광도 얕은 편이다. 매장시설이 채용된 무덤은 몇 기에 한정된다. 토기 중 귀가 달리는 것은 발견되지 않았고 이중구연고복관이 주 기종이다. 남구에서 출토된 비파형동검과 검병의 형태를 근거로 하여 그 연대를 전국 중만기로 추정한 바가 있다. 수천고분군은 아직 정식으로 보고가 이루어지지 않았다. 따라서 본고에서는 수천고분군의 목곽묘에 대한 유형 분석을 하지 못하였다.

(3) 오한기 오란보랍격고분군

오란보랍격고분군은 오한기 사가자진 사간합체행정촌에 위치한다. 1993년에 현지 문물국이 이 고분군을 조사한 바 있고 1995년에 다시 내몽고 문물고고연구소에 의해서 소규모 조사가 이루어졌다. 1995년의 조사 자료는 아직 보고된 바 없다. 1993년 조사 자료를 보면 3기의 무덤 중에서 ASWM2호에서만 목곽을 채용한 흔적이 발견되었다. 부장 토기는 관과 두를 위주로 하며, 목곽의 동북 모서리에 배치되어 있다. 1995년 조사된 무덤에서는 정鼎, 두豆, 반盤, 이匜

22) 郭治中, 2000, 앞 논문.

등의 연식 도례기陶禮器가 출토된 바 있다. 따라서 오란보랍격고분군은 비파형
동검과 동반하는 단계와 전국연식 도례기와 동반하는 단계로 나눌 수 있다.

　비파형동검과 공반하는 단계는 비파형 동검과 T자형 검병[23]의 형태 고찰에
따라 연대를 전국 초기로 추정할 수 있다. 배현준은 전국연식 도예기의 분석
을 통해서 95ASWM8호에 출토된 도관이 장가구 하화원 M2호[24]의 출토품과
유사하여 도이陶匜의 특징은 중산왕 M6[25]의 출토품과 유사하다고 보았다[26]. 이
상과 같이 전국연식 도예기와 동반하는 단계는 전국 중기로 판단된다.

(4) 조양 위영자서주묘

　위영자 서주묘는 조양시 위영자촌에 위치한다. 요령성 박물관, 조양박물관,
조양현문화관은 1971년, 1972년, 1976년에 이곳을 조사하였으며 모두 9기의
유곽무관식 목곽묘를 발굴하였다. 묘광과 목곽 사이에는 석회를 충전하였다.
7606호와 7101호에서는 차마구와 동포 등의 동기만 출토되었고 나머지 7기의
목곽묘에서는 부장품이 출토되지 않았다.

　위영자 서주묘가 보여주는 묘제와 부장품 형식은 전체적으로 장가원문화의
목곽묘와 가깝고 위영자 서주묘에서 출토된 축두車軎, 난령鑾鈴, 수면마면獸面馬
面, 동회銅盍, 동포銅泡 등 동기와 동일한 형식이 북경 백부白浮 M2, M3[27]에서도

---

23)　비파형 동검과 T자형 검병의 연대는 오강원의 「琵琶形銅劍~細形銅劍 T字形 靑銅製劍柄
　　의 型式과 時空間의 樣相」를 참고.
24)　陶宗治·賈瑞芳, 1988, 「張家口市下花園區發現的戰國墓」, 『考古』 12, pp.1138-1140.
25)　河北省文物研究所, 2005, 『戰國中山國靈壽城 : 1975~1993年考古發掘報告』, 文物出版社.
26)　裴炫俊, 2016, 『東周時期燕文化的擴張與東北地區燕文化的變遷』, 北京大學 博士學位論
　　文.
27)　北京市文物管理處, 1976, 「北京地區的又一重要考古收獲——昌平白浮西周木槨墓的新啓
　　示」, 『考古』 04, pp.246-258, 281-284.

발견된 바 있고 두 고분군의 매장 형태도 유사하기 때문에 두 고분군의 연대는 근접할 것으로 판단된다. 따라서 위영자 서주묘는 서주 중기로 추정할 수 있다고 본다.

(5) 객좌 화상구고분군

화상구고분군은 객좌현 대성자진 남쪽으로 15㎞정도 떨어져 있다. 1979년에 요령성 문물조사 훈련반은 A, B, C, D 4개의 지점에서 발굴 조사를 실시하였다. 4개 지점의 문화 속성에 대해서는 약보고에 따르면 A지점은 위영자문화에 속하지만 B, C, D지점은 다른 고고학 문화에 속한다고 보았다. 그러나 이후 A지점과 B, C, D지점은 같이 위영자문화에 속한다는 견해도 제시되었다. 요서지역에 대한 청동기시대 고고학 자료가 증가하면서 A지점과 B, C, D지점은 나누어 A지점은 위영자문화로, B, C, D지점은 능하문화로 구분하는 견해를 학계에서 널리 인정하게 된다.

A지점에서는 M1~M4호로 불리는 4기의 유곽무관식 목곽묘가 발굴되었는데 그중 M1호에서는 동호銅壺와 동유銅卣 등 상주 교체기의 청동기와 금동 팔걸이가 출토되었다. 따라서 A지점의 연대는 상주 교체기로 추정할 수 있다. B, C, D지점에서는 모두 17기의 목곽묘가 발굴되었다. 그 가운데 M10호와 M19호는 적석목곽묘[28]에 해당되고, 나머지 모두 A지점과 같은 유곽무관식 목곽묘이다. 그 중에서 M6, M13, M17호에서는 비파형동검이 출토되었고 부장된 토

---

28) 약보고에서는 화상구 M10호 목곽 사주의 적석 시설을 석곽으로 정의하였는데, 구조로 보면 목곽 밑에 석판 6개를 설치하고 목곽 사방과 상위에 석괴를 쌓는 것이 확인된다. 후대의 동대장자 고분군에서 발견되는 적석 시설과 유사해서 석곽의 기능이 없는 것으로 보인다. 그래서 본문에서 적석으로 정의하였다.

기는 발, 배, 완 등의 기종이 주를 이룬다. 출토된 비파형동검은 남산근M101[29]의 출토품과 유사하다. 남산근M101호의 연대는 서주 만기~춘추 조기로 추정되기에 B, C, D지점의 연대는 대략 그에 해당한다고 볼 수 있다.

(6) 조양 원대자고분군

원대자고분군은 조양 내 대릉하 우안에 위치한다. 1979년에 발굴된 원대자와 왕분산고분군의 162기의 무덤은 2010년에 정식 보고되었다. 보고서에서는 무덤을 총 11종(갑~계)으로 분류하였으며, 이 중 을, 경, 임, 계류를 제외한 나머지는 대부분 목곽묘이다. 본고에서는 원대자 목곽묘를 능하문화기, 연문화기, 한문화기로 나누어서 검토하고자 한다.

원대자고분군의 정식보고 후에 능하문화기와 연문화기 목곽묘의 연대에 대해 많은 논의가 있었다. 부임付林과 왕입신王立新은 원대자 주대의 6종류의 무덤에서 출토된 토기를 유형학적으로 분석한 후, 능하문화기 목곽묘의 연대는 춘추 중기부터 전국 중만기까지로 연문화기 목곽묘의 연대는 전국 중기부터 전국 만기까지로 제시하였다[30]. 그러나 이 연구에서는 토기의 형식학적 변천만 제시되어 있으며 연대 추정의 근거는 제시되어 있지 않기 때문에 연구 논리적으로 어느 정도 문제가 존재하며, 분기 결과를 다시 검증하기에 어려움이 있다. 반령潘玲은 보고서에서 분류한 갑류 목곽묘에서 출토된 동기와 골기 그리고 일부 특수 토기를 검토하여 그 연대를 춘추말기부터 전국시대 초중기까지라고 지적한 바 있다. 또 갑甲류 목곽묘에서 기북지역 옥황묘문화와 노로아호

---

29) 遼寧省昭烏達盟文物工作站 · 中國科學院考古硏究所東北工作隊, 1973, 「寧城縣南山根的石槨墓」, 『考古學報』 02, pp.27-39,148-159.
30) 付琳 · 王立新, 2012, 「朝陽袁台子周代墓葬的再分析」, 『北方文物』 03, pp.23-31.

그림 4-2 요서지역 주요 목곽묘 구조 사례
1. 周家地 M43 2. 烏蘭寶拉格 ASWM2 3. 東大杖子 M11 4. 魏營子西周墓 M7603 5. 袁臺子 M1

산 서쪽의 수천문화의 영향을 구분하고 있다[31]. 다음으로 한문화기 목곽묘의 분기는 능하문화기와 연문화기에 비해 거의 논의되지 않았다. 보고서에는 한 문화기 목곽묘를 4기로 구분하였지만 분기의 근거는 명확히 제시되어 있지 않 다. 본장에서는 원대자 목곽묘의 분기와 연대를 다음절에서 상세히 재검토하 고자 한다.

(7) 객좌 미안구고분군

미안구고분군은 객좌 대성자진大城子鎭에 위치한다. 1975년에 조양 박물관은 2기의 목곽묘를 발굴하였다. M2호는 발굴 시 곽의 일부만 남아 있었지만 M1 호는 비교적 유존상태가 양호하며 장축방향은 남북향이다. 부장품은 관곽 사 이의 북쪽에 배치되어 있다. 정, 두, 호, 판 등 토기와 소석판, 희생물 등이 발견 되었다. 이 무덤의 매장의례는 연나라 목곽묘와 유사하다. 출토된 환형 꼭지의 정, 북두형 꼭지의 호형두와 환형 꼭지의 호 등이 동반하는 것은 전국 중기에 유행하는 것이다.

(8) 건창 우도구고분군

우도구고분군에서는 1990년과 2004년에 요령성 문물고고연구소에 의해 11 기의 무덤이 발굴되었다. 이 중에서 04M1, 04M5, 04M6호는 유곽무관식 목곽 묘이다. 부장품은 동과, 대구 등 동기와 원북관, 쌍이관 등 토기가 있다. 중원 식 동관의 형태에 의거하여 연대는 전국 초기로 추정할 수 있다.

---

31) 潘玲·於子夏, 2013, 「朝陽袁台子甲類墓葬的年代和文化因素分析」, 『北方文物』 01, pp.43~48.

(9) 건창 동대장자고분군

동대장자고분군은 요령성 호로도葫蘆島 건창현建昌縣 동대장자촌東大杖子村에 위치한다. 1999년부터 2011년까지 요령성문물고고연구소를 중심으로 한 조사단은 47기의 무덤을 발굴하였다. 그러나 아직 전체 발굴자료가 보고되지 않았고 2014년과 2015년에 일부 자료만 약보고로 발표되었는데 그 가운데 목곽묘 14기가 포함되어 있다. 이외에도 약간의 자료를 근년 동대장자고분군의 발굴 조사에 참여했던 연구자의 석사논문에서 확인할 수 있다.

동대장자고분군에서 발견된 M40호 이중곽묘에서는 세트로 나온 청동예기, 비파형동검, 그리고 한반도 동과의 조형으로 인식하는 쌍호동과가 출토되어 한중학자의 주목을 받았다. 정식 보고서는 아직 출판되지 않았지만, 동대장자 고분군에 대한 연구는 이미 상당한 성과를 거두었다. 배현준은 출토된 청동예기를 통해 목곽묘의 연대를 검토하였고[32], 이후석은 대동장자고분군에 대한 계층분화와 세형동검과의 관계를 검토하였고[33] 또한 오강원은

그림 4-3 동대장자고분군 M40호(상), M47호(하) 발굴 사진

---

32) 배현준, 2015, 「동주시기 연나라와 동대장자 유적 청동예기 부장무덤의 연대」, 『白山學報』 103, pp.87-118; 裴炫俊, 2016, 앞 논문.
33) 이후석, 2016, 「동대장자유형의 계층 분화와 그 의미」, 『한국상고사학보』 94, pp.5-36.

동대장자고분군의 봉석묘를 '적석목관·곽묘'로 규정하였다. 특히 오강원은 이와 같은 고분 구조와 검병두, 검병 파부, 검병 심부를 조립하는 구조를 가진 검병이 동대장자에서 처음으로 확인될 뿐 아니라 한반도 서북한과 서남한 연해 지역의 적석목관묘, 위석목관묘와 함께 이와 같은 구조의 검병 등이 확인된다는 점에 주목하여 한반도의 적석목관묘의 최초 조형일 가능성에 대해 언급하였다[34]. 그리고 화옥빙華玉冰과 순건군孫建軍은 연과 토착문화의 교류에 대한 초보적인 설명을 하였다[35]. 동대장자고분군 목곽묘에 대한 분기는 다음 절에서 자세히 검토하고자 한다.

(10) 흥성 주가촌 목곽묘

주가촌 목곽묘는 2015년에 저수지를 건설시 목곽묘 1기가 발견됨에 따라, 호로도葫蘆島 박물관이 발굴 조사를 실시하였다. 이 목곽묘는 발견시 이미 파괴되었으며 잔존상태는 목곽이 길이 1.6m, 너비 0.8m이다. 목곽 내 목관이 확인되지 않아서 약보고에서 목관묘로 보고되었다. 출토유물은 단경식 비파형 동검과 세트로 구성되는 차마구와 동절약銅節約, 동환, 동대구 등의 청동기가 있다.

출토유물 가운데 단경식 비파형 동검과 세트로 구성되는 차마구는 심양 정가와자 고분군의 제1지점과 제3지점의 출토품이 유사하므로 정가와자유형으로 구분되었다[36]. 연대는 정가와자고분군의 연대와 비슷하고 춘추 만기로 추

---

34) 吳江原, 2006, 「요령성 建昌縣 東大杖子 積石木棺槨墓群 出土 琵琶形銅劍과 土器」, 『科技考古研究』 12, pp.5-20.

35) 華玉冰·孫建軍, 2016, 「遼寧建昌東大杖子墓地-燕與土著文化的交流」, 『大眾考古』 10, pp28-32.

36) 成璟瑭·徐韶鋼, 2019, 「鄭家窪子類型小考」, 『文物』 08, pp.60-67.

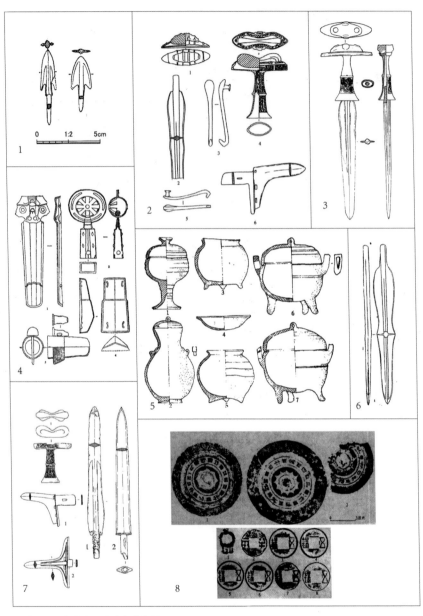

그림 4-4 요서 목곽묘 연대 추정 유물
1. 敖漢旗 周家地古墳群 2. 敖漢旗 水泉古墳群 3. 敖漢旗 烏蘭寶拉格古墳群 4. 朝陽 魏營子西周墓
5. 喀左 眉眼溝古墳群 6. 喀左 和尚溝古墳群 7. 建昌 於道溝古墳群 8. 錦州 積貝墓群

정되었다.

(11) 금주 적패묘군

금주 적패묘군은 소릉하의 북쪽에 있는 금주시에 위치한다. 1952년~1980년
에 도시 건설을 통해 금주시내에 총 59기 적패묘를 발견하였으며 32기가 발굴
되었다. 이 가운데 M8, M24, M9, M12, M26 등 5기의 목곽묘가 확인되었다.
목곽의 바닥은 조개껍질을 깔았다. M9, M12, M26호에는 단경호나 도정 1점만
머리부분에 부장되며 M8, M24는 평면형태가 방형이고 도정, 단경호, 발형토
기 등의 토기가 복수로 시신 한쪽에 부장되었다.

금주 적패묘군의 연대는 적패목곽묘의 출토품을 소구한묘燒溝漢墓[37]의 출토
품과 비교하여 추정하고자 한다. M9호와 M24호에 출토된 오수전은 소서한묘
의 출토품과 비교하여 서한 만기로 추정하였다. M8호와 26호에 출토된 도정은
서구한묘에서 출토된 도정과 유사하여 동한 초기로 추정하였다.

2) 遼東
(1) 심양 정가와자고분군

정가와자 고분군은 1958년, 1962년, 1965년에 3차례 거쳐 제1지점, 제2지점,
제3지점을 순차적으로 발굴하였다. 고분은 제3지점에 집중적으로 분포하고
있으며, 총 14기를 발굴하였는데 그중 6512호(그림 4-5)와 659호 2기의 대형 목
곽묘만 약보고로 발표하였다. 6512호는 목곽이 썩어서 구조를 확인하기 어렵
지만 목곽의 약간 북쪽에 내곽이 확인되었다. 이 내곽은 약보고에서 관으로

---

37)   洛陽區考古發掘隊, 1959,『洛陽燒溝漢墓』, 科學出版社.

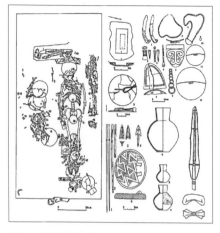

그림 4-5 瀋陽 鄭家窪子 6512호 목곽묘

보고되었으나 안에 동쪽에 표瓢형 호와 마구가 확인되는 것으로 보아 필자는 내곽으로 보는 것이 적당하 다고 본다.

정가와자고분군의 연대는 보고자 가 춘추 만기~전국 초기에 추정하 는데 6512호에 출토된 쌍환 재갈의 분석을 통해 춘추 만기로 추정하는 견해[38]도 있다. 다만 주가촌, 정가와 자에 출토된 단경식 비파형 동검의 유형학 분석을 통해 주가촌의 연대가 가장 이르고 정가와자유적이 그 다음이지만 연대적으로 비슷하고 대체적으로 춘추 만기~전국 초기이다[39].

(2) 요양 신성 전국묘

신성 전국묘는 1982년에 신성촌 공사중에 발견되어 요령성박물관이 발굴조 사하였다. 목곽묘는 2기가 발견되었으며, 구조가 유사한다. M2호는 보존 상태 가 비교적 좋고 이중곽 일중관의 구조이다. 외곽과 묘광 사이에는 자갈, 황토, 회청닐로 충전하였다. 머리부분의 관과 내곽 사이에 유물 상자를 안치하 였으며 호형토기와 단경호, 발 등의 토기와 칠종漆鍾, 이배耳杯등의 칠기, 동정, 동감銅鑑, 동등銅燈 등의 청동기, 그리고 목마, 목용, 목차 등의 목조품이 출토하 였다. 출토된 유물을 통해 신성 전국묘의 연대는 전국중만기로 추정하였다.

38) 邵會秋, 2004,「先秦時期北方地區金屬馬銜研究」,『邊疆考古研究』03, pp.96-114.
39) 成璟瑭·徐韶鋼, 2019,「鄭家窪子類型小考」,『文物』08, pp.60-67.

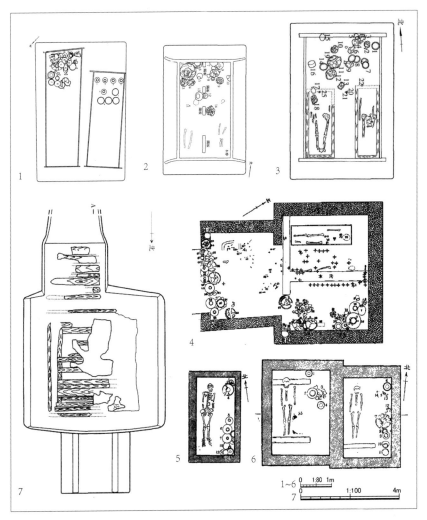

그림 4-6 요동지역 주요 목곽묘 구조 사례
1. 羊草庄 M47 2. 調軍台 M9 3. 苗圃 M33 4. 李家溝 M20 5. 營城子 M25 6. 營城子 M35 7. 姜屯 M41

(3) 요양 묘포고분군

묘포고분군은 요양시 주택 개발로 인해 요령성 고고문물연구소가 조사하였으며 총 100기를 발굴하였다. 이 가운데 목곽묘는 M33, M34, M50 3기만 있으

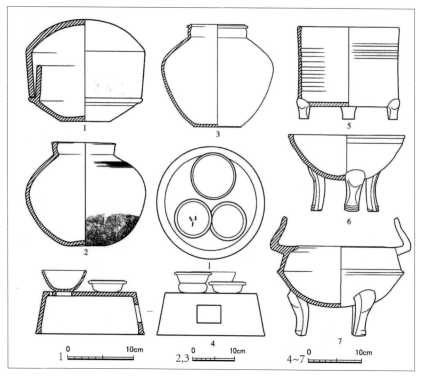

그림 4-7 묘포고분군 출토 토기 세트

며, 모두 이인이나 삼인 합장묘이다. 출토된 유물은 대부분 토기가 확인된다. 토기 조합은 옹, 관, 조, 정이며, 이러한 조합관계는 서한 만기~동한 초기에 유행한다.

(4) 안산 양초장고분군

양초장고분군은 안산시 지역 북부에 위치한다. 2013년 8월~10월 양초장 공사 범위 내에서 발견된 한대 무덤으로 요령성 고고문물연구소가 고고학적 발굴 조사를 실시했다. 발간된 보고서에 따르면 발굴된 78기의 한묘는 형식에 따라 목관·곽묘, 전곽묘, 석곽묘, 전실묘, 그리고 옹관묘등 6개의 형식으로 나눌 수 있다. 이 중 목관·곽묘는 30기를 발견하였는데, 그 중 목곽을 명확히 사용하는 무덤은 M9, M21, M29, M30, M33, M34, M36, M37, M38, M39, M40, M41, M42, M47, M57 등 15기만 있다. 부장된 토기들은 옹瓮, 관罐, 호壺, 정鼎, 준樽, 합盒, 투합套盒, 조灶, 정井으로 공반된다. 출토된 오수전과 토기의 교차편년를 통해서 보고서에서 목곽묘의 연대를 서한 만기~양한 교체기로 추정하였다.

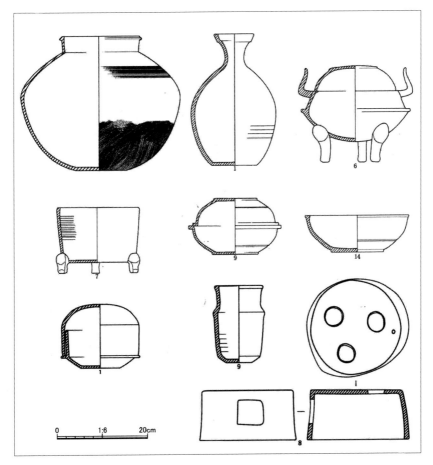

그림 4-8 양초장고분군 M36호 출토 토기 세트

(5) 안산 조군대고분군

조군대고분군은 2012년 안산시 산업단지 건설 도중 발견되었으며, 요령성박물관과 안산시박물관에서 발굴하였으며, 19기의 고분을 조사하였다. 이 가운데 목곽묘는 M8, M9, M10, M11 4기만 확인되며 모두 동혈합장묘이다. M8호와 M9호는 목곽 내 목관을 확인되지 않다. 출토유물은 옹, 관, 호, 합, 발 등의 일상용 토기가 대부분이며 양초장고분군에서 출토 토기조합과 비슷하다. 소수의 조灶, 정井 등의 명기도 출토되었다. 이러한 토기 조합은 서한만기에 가장 보편적이다.

(6) 영구 발어권 적패묘

영구營口 발어권 적패묘는 2008년 요령성문물연구소가 영구 발어권 구역에 위치한 시멘트 공장에서 긴급 발굴조사를 실시하였다. 총 38기가 발굴 조사하였으며 그 중 34기가 적패목곽묘이다. 그 구조는 금주 적패목곽묘와 유사하다. 이 34기의 적패목곽묘는 12기의 단장묘, 18기의 동혈합장묘, 4기의 이혈합장묘로 구성하였다. 토기조합은 관, 호, 발이 가장 보편적이다. M10호 이외 모두 서한만기의 오수전이 출토해서 영구 발어권 적패묘의 연대를 서한만기로 추정하였다.

(7) 강둔고분군

강둔고분군은 요동반도 서남해안지역의 보란점시에 위치하며 지금까지 요동반도 남부에서 유일하게 자료를 체계적으로 발표한 한대 고분군이다. 2011년 요령성고고문물연구소가 200여기의 무덤을 발굴하였으며, 2013년에 발간된 보고서는 보존상태가 좋은 무덤 154기 중심으로 발표하였다.

요동반도 서남해안지역는 지질환경이 목재 매장시설의 보존에 적합하지 않기 때문에, 강둔고분군에서는 대부분 목재 매장시설의 흔적이 확인하지 않는다. 조개의 잔존상태와 부장유물의 배치상태를 통해 목곽을 채용하는 무덤이 M22, M41, M55, M61, M178, M192 등의 6기만 확인된다. 이 가운데 M22호는 다장이고 나머지 모두 동혈합장묘이다. M41호와 M61호에서 유물부장용

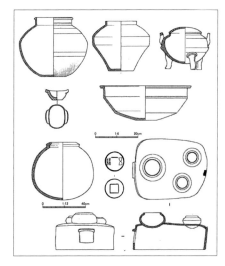

그림 4-9 姜屯古墳群 41호 출토 토기 세트

머리칸(발치칸)을 확인하였다. 이러한 구조는 한대 북경·하북성의 목곽묘의 영향을 받아들인 것으로 추정된다[40]. 이 목곽묘 6기는 다른 고분군보다 출토유물이 풍부하기 때문에 요동지역 위계가 가장 높은 무덤으로 판단할 수 있다. 목곽묘에 출토된 오수전과 토기의 교차편년을 통해 보고서에서 목곽묘의 연대를 신망 시기~동한 초기로 추정하였다.

(8) 영성자 패묘

1954년에 도로공사 도중 발견되어 여순박물관은 영성자구에서 한대 무덤 52기를 발굴조사하였다. 이 중 적패목곽묘는 31기를 확인되었으나 약보고서에서 대표 사례 소수만 보고하였다. 적패목곽묘는 단장묘, 이혈합장묘, 동혈합장

---

40)   孫丹玉·潘玲, 2019, 「姜屯墓地來自京津冀地區的文化因素分析」, 『江漢考古』 01, pp.91-98.

묘로 구분할 수 있으며, 단장묘인 25호묘에서 출토된 일광경과 반량전을 통해 단장목곽묘는 서한전기로 추정하였다. 이혈합장묘와 동혈합장묘에서 명확한 기년유물이 출토되지 않았지만 출토된 토기에서 조, 정 등의 명기를 부장하지 않은 점으로 보아 그의 하한 연대는 서한만기로 판단할 수 있다.

(9) 여순 이가구 패묘

1957년에 여순 이가거촌에서 적패묘 26기, 전실묘 4기가 발견하였는데 이중 6기의 적패묘를 발굴조사를 시행하였다. 그중 M20호만 약보고서에 보고되었다. M20호는 전실과 후실로 구성된 철凸자형 적패목곽묘이다. 출토된 토기는 영성자와 목양성의 출토품와 유사하여 보고자는 서한중기로 추정하였다.

(10) 대련 대반가촌 서한묘

여순박물관은 1992년에 대련시 대반가촌 북쪽에서 적패묘 2기가 발굴조사를 시행하였다. 2기의 적패묘(M2, M3)는 모두 단장 적패목곽묘이다. 토기조합은 단경호, 분盆, 발과 합盒이다. 보고자는 단장와 토기조합을 고려하여 연대를 서한초기로 추정하였다.

2. 木槨墓의 型式과 年代

1) 木槨墓의 構造的 特徵과 型式

중원 목곽묘의 형식 분류는 황효분의 안[41]이 가장 대표적이다. 황효분은 목

---

41) 黃曉芬, 2003, 『漢墓的考古學研究』, 嶽麓出版社.

곽묘를 상자형, 칸막이형, 제주형의 세 가지 유형으로 나누었다. 그러나 요서지역의 목곽묘는 모두 기본적으로 상자형이기 때문에 황효분의 분류안은 이 지역에서는 의미가 없다. 요서지역 목곽묘에 대한 기존 연구에서는 체계적인 형식분류가 거의 시도되지 않았으며, 단일 고분군 연구에서 동대장자고분군에 대한 분석에서는 목곽묘를 봉토묘와 봉석묘로 구분[42]하는 정도에 그쳤다. 이 분류안은 봉토의 구조를 기준으로 삼은 것인데 이 지역 목곽묘의 특성을 드러냈다는 점에서는 의미가 있지만 목곽의 기본구조를 파악하는데 있어서는 유효한 분류법이라 할 수 없고 다른 고분군의 목곽묘에는 적용하기가 어렵다.

『삼국지三國志』 위서魏書 동이전東夷傳의 부여[43], 고구려[44], 진·변한[45] 등 동북아시아 토착집단의 묘제에 대한 기록에는 유곽무관이라는 목곽묘에 관한 언급이 있다. 이러한 목곽묘는 고고학적 조사에서도 확인되었다. 비록 문헌 기록에서는 요서지역에 대한 언급이 없지만, 고고학적 조사를 통해서 요서지역에서도 유곽무관식 목곽묘가 다수 발견된 바 있다. 유곽무관식 목곽묘는 엄밀한 의미에서 목곽묘라 불릴 수 없다는 견해[46]도 있지만, 이러한 목곽묘는 중원지역 목곽묘가 주변지역으로 전해지는 과정에서 지역집단들이 토착의 전통에 따라 목곽묘를 수용한 결과라고 생각한다. 본고에서 정의된 목곽묘의 개념을 따라서 이러한 관을 사용되지 않는 구조도 목곽묘로 볼 수 있다.

본 논문에서는 문헌기록에 나오는 토착집단의 유곽무관식 목곽묘에 주목하

---

42) 於佳靈, 2018,『東大杖子墓地葬制初步考察』, 遼寧大學; 張依依, 2016,『東大杖子墓地研究』, 遼寧大學碩士論文; 趙鵬, 2017,『遼寧建昌東大杖子墓地研究』, 遼寧師範大學.
43) 『三國志』魏書 東夷傳 夫餘 : 其死, 夏月皆用氷, 殺人徇葬, 多者百數, 厚葬, 有槨無棺.
44) 『三國志』魏書 東夷傳 高句麗 : 其死葬有槨無棺, 停喪百日, 好厚葬, 積石爲封, 列種松柏.
45) 『三國志』魏書 東夷傳 韓 : 其葬有槨無棺, 不知乘牛馬, 牛馬盡於送死.
46) 辛勇旻, 2000,『漢代木槨墓研究』, 學研文化社.

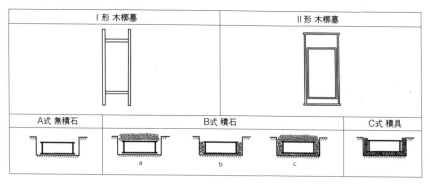

I 形 木槨墓		II 形 木槨墓	
A式 無積石	B式 積石		C式 積具
	a	b	c

그림 4-10 요령지역 목곽묘 형식분류 모식도

여, 관의 유무를 기준으로 요서지역 목곽묘를 크게 두가지 형식으로 분류하고
자 한다. 즉 유곽무관식 목곽묘를 I형으로, 유곽유관식 목곽묘를 II형으로
설정하자고 한다. 다음으로 오강원이 제시한 적석목관·곽묘47를 참고한다면
적석의 유무가 요서지역의 목곽묘에서는 가장 중요한 속성이므로 무적석류 목
곽묘를 A형으로, 유有적석류 목곽묘를 B형으로 설정하고자 한다. 그리고 적석
의 구조적 특징에 따라 곽 위에 적석한 a형, 목곽과 묘광 사이에 적석한 b형,
목곽의 위와 아래, 그리고 사주四周에 적석한 c형으로 세분할 수 있다. 또한 대
련지역과 환 발해지역에 집중 분포하고있는 적패목곽묘를 고려하면 적패목곽
묘는 C형으로 설정할 수 있다.

　이상과 같은 속성을 기준으로 요령지역 목곽묘에는 IA형 유곽무관식 목곽
묘, IBa, IBb, IBc형 유곽무관식 적석목곽묘, IIA형 유곽유관식 목곽묘,
IIBa, IIBb형 유곽유관식 적석목곽묘, IIC형 적패식 목곽묘 등으로 형식을
분류할 수 있다. 이외에도 요령지역의 목곽묘에서도 합장 목곽묘나 이중곽의
목곽묘 양식이 포함되어 있지만 그 수가 적기 때문에 여기서 따로 분류하지는

---

47) 吳江原, 2006, 「요령성 建昌縣 東大杖子 積石木棺槨墓群 出土 琵琶形銅劍과 土器」, 『科技
　　考古研究』12, pp.5-20.

않겠다. 유적별 목곽묘의 형식은 〈표 4-1〉과 같다.

표 4-1 형식별 목곽묘 일람표

유적	유형							
	I				II			
	IA	IBa	IBb	IBc	IIA	IIBa	IIBb	IIC
和尙溝	M1~M4, M6, M13, M15, M17			M10, M19				
魏營子	M7603							
周家地	M45, M43, M16							
袁台子	M121-M123, M125, M129, M39, M56, M63, M91, M20, M22, M43, XM5, M87, M45			XM7	M126, M2, M61, M7, M30, M77, M103, M29, M57, M67, M86, M88, M113, XM18, M18, M36, M50, M53, M68, M73, M85, M96, XM8, XM19, M12, M58, M64, M66, M82, M94, M105, M108, M1, M3, M4, M6, M31, M111, M8, M11, M37, M60, M76, XM25, M35, XM13, XM14, XM21, XM22, M14, M119, M27, M52, M98, M9, M46, M62, M81, M90, M93, M115, M116, M120, M127, M128, M32, M59, M70, M74, M34, M71, XM11		XM12	
烏蘭寶拉格					ASWM2			
眉眼溝					M1			
於道溝	2004M5-M6							
東大杖子	M35, M39, M41	M6, M23, M28-M38, M5, M11	M20, M8, M4, M7, M46	M24, M27	M47, M40, M3, M44	M45		
朱家村	M1							
鄭窪子	M6512, M659							
新城戰國墓					M1, M2			
苗圃					M33, M34, M50			
羊草莊					M9, M21, M29, M30, M33, M34, M36, M37, M38, M39, M40, M41, M42, M47, M57			
調軍台					M8, M9, M10, M11			
錦州積貝墓								M8, M24, M9, M12, M26
鮁魚圈								M1~M38
姜屯								M22, M41, M55, M61, M178, M192,
營城子								M6~M8, M12, M16~M39, M41~M44
李家溝								M20
大潘家村								M2, M3

2) 出土遺物의 分析과 年代

요서·요동지역 한대 이전의 대부분 목곽묘군에서 연대를 판정할 수 있는 유물 자료가 상대적으로 희소하며 대부분 중원지역과 관련된 청동기 또는 동과 등 무기 자료로 판단하고 있다. 한대 이후의 목곽묘에서 대수 반량전, 오수전 그리고 기년 동경 등의 유물을 부장하기 때문에 연대를 확인하기 쉽다. 요서·요동지역 목곽묘군의 연대문제에 대한 원대자유적은 정식 보고서가 발간되었지만 목곽묘의 분기에서 편년기준을 명확하게 제시하기 않아 편년을 재검토할 필요가 있다. 또한 동대장자고분군은 아직 정식 보고서를 발간하지 않지만 약보고와 발굴자의 석사논문에서 이미 수십 기의 목곽묘 자료가 보고되었다. 그리고 이미 많은 학자는 동대장자고분군의 분기를 검토한 바가 있지만 다수 연구성과는 개별 고분만 검토하였다. 따라서 선행연구의 성과를 종합하여 원대자고분군과 동대장자고분군에 대한 출토유물을 통해 상대 연대를 검토하고자 한다.

(1) 원대자고분군

가. 凌河文化期

능하문화기 목곽묘의 분기는 발생순서배열법을 참고하여 목곽묘에 있는 여러 속성들을 추출하고 각 속성의 발생순서에 근거하여 분기를 검토하고자 한다.

능하문화기 목곽묘에 나타난 중요한 속성들은 묘향, 부장품, 희생물 등으로 나눌 수 있다. 묘향은 동서향과 남북향으로 나눌 수 있으며, 부장품은 토기류, 동기류, 골기류, 그리고 소석판으로 구분할 수 있다. 이 중 토기류는 기형에 따라 심복관형토기, 심복발형토기, 관, 환형 단이관과 우각형 단이관으로 나눌 수 있다. 동기는 동패식, 동포, 동경, 대구 등으로 나눌 수 있다.

먼저 M121, M56 내에는 부장품이 없거나 전형적인 유물이 없기 때문에 검토할 목곽묘에서 제외하고자 한다. 나머지 목곽묘를 위에서 제시된 속성들을 기준으로 그 발생순서를 정리해 보면 〈표 4-2〉에서 보는 것과 같다. 이에 따라 능하문화기 목곽묘는 4기로 나눌 수 있다.

제1기는 M122, M123, M126, M129를 포함하며 묘향은 동서향이며, 목곽묘

그림 4-11 원대자고분군 분포도

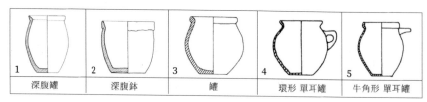

| 1 深腹罐 | 2 深腹鉢 | 3 罐 | 4 環形 單耳罐 | 5 牛角形 單耳罐 |

그림 4-12 능하문화기 토기 형식

표 4-2 능하문화기 목곽묘의 분기표

시기	무덤	유형	방향	토기류					동기류				골기류	소석판	희생
				심복관	심복발	관	원형단이관	우각형단이관	동패식	동포	동경	대구			
I기	M122	IA	동서							○			○		
	M123	IA	동서						○	○					
	M125	IA	동서										○		
	M126	IIA	동서										○		
	M129	IA	동서	○						○	○		○		
II기	M61	IIA	동서		○										
	M2	IIA	동서				○					○			○
	M39	IA	동서	○											○
III기	M103	IIA	남북	○											○
	XM18	IIA	남북	○								○			
	M7	IIA	남북			○									
	M30	IIA	남북			○		○							
	M67	IIA	남북			○	○								
	M85	IIA	남북				○					○			
	M77	IIA	남북				○								
IV기	M29	IIA	남북		○		○							○	
	M50	IIA	남북	○										○	
	M57	IIA	남북				○	○						○	
	M86	IIA	남북	○			○					○		○	
	M88	IIA	남북			○								○	
	M113	IIA	남북				○							○	

는 ⅠA형이다. 부장품은 동기류와 골기류를 위주로 하며, M129호에서만 심복
관형토기 1점이 발견되었다. 반령潘玲은 무덤에서 출토된 동패식의 연대검토에
따르면 제1기의 연대는 춘추 중기부터 춘추 만기까지로 추정할 수 있다.

제2기에 속하는 무덤은 M2, M39, M61등으로 묘향은 동서향이며, 목곽묘의
유형으로 ⅡA형이 나타나기 시작한다. 부장품으로는 1기의 골기류가 사라지고
동기류는 대구만 남아 있다. 토기는 심발형토기와 원형단이관이 나타난다. 희
생물은 개와 돼지의 머리이다. M2호에서 출토된 니질현문관과 대구에 근거하
여 보고서에서는 전국 초기로 추정하였다.

제3기는 M103, XM18, M7, M30, M67, M85, M77을 포함한다. 묘향은 남북향으로 변한다. 목곽묘 유형은 모두 ⅡA형으로 2기에 나타난 희생물은 M61호에 지속되고 있으며, 토기는 관과 우각형단이관이 나타난다.

제4기는 M29, M50, M57, M86, M88, M113을 포함하며, 묘향과 목곽묘 유형, 그리고 토기는 3기와 동일한 양상을 보인다. 제4기에는 연문화를 대표하는 소석판小石板이 일반적으로 부장된다. M50호에서 출토된 환수도는 춘추 중기부터 전국 만기의 환수도 편년안에서 전국 중·만기으로 편년할 수 있다. 앞서 살펴본 제3기에는 절대연대를 판정할 수 있는 유물이 없지만, 제2기와 4기가 연속성을 유지하고 있기에 연대는 전국 초기부터 전국 중기 사이로 추정할 수 있다.

나. 연문화기

연문화기 목곽묘의 분기는 주로 도예기가 출토된 목곽묘를 중심으로 한다. 연문화기 목곽묘는 모두 ⅡA형이고 묘향은 모두 남북향이다. 원대자 목곽묘에 출토된 도예기의 형태는 연하도의 출토품과 차이가 있으며 뚜렷한 재지적 특색이 있다. 그러나 개의 꼭지는 연하도의 출토품과 유사점 많기 때문에 연문화 목곽묘의 분기는 꼭지의 변화를 주요 근거로 하고자 한다.

연문화기 목곽묘에 출토된 유개 도예기는 정, 반형두, 호형두, 호 등 네 가지 종류가 있다. 꼭지의 형태는 다음과 같다. 정의 꼭지는 환형, 반원형, 세 개의 반원형, 조형, 세 개의 조형 등이 있다. 반형두의 꼭지는 조형鳥形, 세 개의 조형, 세 개의 입주형, 복두형, 복발형 등이 있다. 호형두의 꼭지는 조형, 반원형, 환형, 무뉴형 등이 있다. 호의 꼭지는 환형, 세 개의 환형, 세개의 입주형, 수형, 세 개의 수형, 무뉴형 등이 있다.

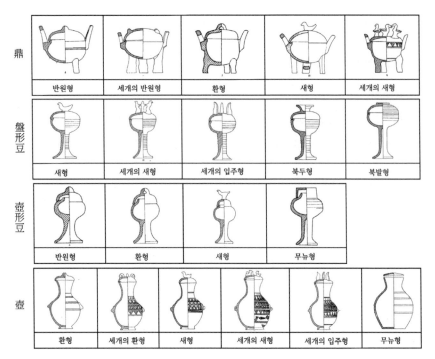

鼎	반원형	세개의 반원형	환형	새형	세개의 새형
盤形豆	새형	세개의 새형	세개의 입주형	북두형	북발형
壺形豆	반원형	환형	새형	무뉴형	
壺	환형	세개의 환형	새형	세개의 새형	세개의 입주형	무뉴형

그림 4-13 연문화기 유개 도례기의 형식

　배현준의 연산 이남 지역의 도예기 꼭지의 변화에 관한 연구[48]에 따르면 정의 꼭지는 환형에서 반원형으로 변화하고, 세 개의 반원형, 조형, 세 개의 조형의 꼭지는 토착 양식이다. 반형두의 꼭지는 복두형에서 세개의 입주형으로 변화하고 조형, 세 개의 조형, 복발형, 세 개의 수형 꼭지는 토착 양식이다. 호형두의 꼭지는 복발형에서 조형으로 변화하고 반원형과 환형 꼭지는 토착 양식에 속한다. 호의 꼭지는 환형에서 세 개의 환형, 세 개의 수형으로 변화하고 수형과 무뉴형 꼭지는 토착 양식이다. 각 형식 꼭지의 동반 관계는 〈표 4-3〉에서

---

48)　裴炫俊, 2016, 앞 논문.

표 4-3 연문화기 목곽묘의 분기표

시기	무덤	정					반형두					호형두				호					
		반원형	세개의반원형	환형	조형	세개의조형	조형	세개의조형	세개의입주형	복두형	복발형	조형	반원형	환형	북발형	세개의수형	수형	세개의입주형	환형	세개의환형	무뉴형
Ⅰ기	M11									○		○						○			
	M35		○							○									○		
	M37		○							○									○		
	M60		○							○									○		
	M76		○							○									○		
	M111		○							○									○		
	XM21	○								○					○						
	M8	○			○				○												
Ⅱ기	M3					○						○						○			
	M4					○						○						○			
	M31					○						○						○			
	XM14					○						○						○			
	XM25					○						○						○			
	M1					○						○				○					
	M6					○						○				○					
	XM22			○						○			○			○					
Ⅲ기	M14		○								○	○									○
	XM9										○		○								○

보이는 것과 같다.

이상과 같은 도예기의 형식 배열에 따라 연문화 목곽묘는 3기로 분류할 수 있다. 제1기는 M11, M35, M37, M60, M76, M111, XM21, M8호를 포함한다. 이 시기에 나타나는 환형, 세개의 환형 꼭지의 호와 반원형 꼭지의 정은 연산 이남 지역에서는 전국 초기에 유행하는 것이다. 그리고 소수 목곽묘에서는 능하 문화기 4기의 토기를 지속적으로 부장하고 있다. 예를 들어, M76호에서 출토된 원형단이호는 M86호의 출토품과 유사하다.

제2기는 M3, M4, M31, XM14, XM25, M1, M6, XM22호를 포함한다. 이 시기에 나타나는 세 개의 조형 꼭지의 정과 세 개의 입주형 꼭지의 호의 유행 연대는 전국 중만기이다. 제3기는 M14, XM9호를 포함한다. 이 시기에 나타나는 도예기의 형태는 비교적 늦은 전국 만기로 추정할 수 있다.

도예기가 출토된 목곽묘 이외에도 관이나 대구, 혹은 소석판만 부장하는 목곽묘가 있다. 목곽묘의 유형은 ⅡA형를 위주로 하고 소량의 ⅠA형이 있다. 이러한 목곽묘는 연문화 서민의 무덤이나 능하문화 유민의 무덤일 가능성이 있다. 연대는 전국 중기 혹은 더 늦은 시기에 속한다.

다. 한문화기

한문화기 목곽묘의 부장품은 대다수가 토기이다. 토기의 기종으로는 정, 두, 유대호, 호, 관, 발, 옹, 합, 분, 조 등이 있으며, 이 중 호과 관의 부장양이 가장 많다. 따라서 한문화기 목곽묘는 주로 토기와의 동반관계와 호, 관의 형식 변화에 따라 분기할 수 있다.

호는 형태에 따라 일차적으로 병형호, 장경호로 분류될 수 있다. 관은 그 형태에 따라 천복관, 원복관과 장복관으로 분류할 수 있다. 한문화기 목곽묘 부장품의 동반 관계는 〈표 4-4〉와 같다. 이에 따라 한문화기 목곽묘는 3기로 구분할 수 있다.

제1기는 M119, M27, M52, M98, XM5호를 포함한다. 목곽묘의 유형은 XM5호가 ⅠA형이외의 나머지는 모두 ⅡA형이다. 토기는 정, 두, 유대호, 호가 위주이고 전국 만기의 전통이 남아 있다. M119호에서 출토된 구연부가 마늘형인 병형호는 뚜렷한 진문화의 특색을 갖고 있기 때문에 제1기의 연대는 진한 교체기에서 서한 초기까지로 추정할 수 있다.

제2기는 M9, M45, M46, M81, M87, M90, M93, M115, M120, M128호를 포함한다. 목곽묘의 유형은 M45와 M81호가 ⅠA형이며 이외 나머지는 모두 ⅡA

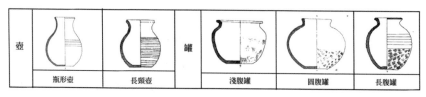

그림 4-14 한문화기 토기 형식

표 4-4 한문화기 목곽묘의 분기표

분기	무덤	유형	정	두	유대호	호			관			옹	발	합	분	조
						蒜頭壺	병형호	장경호	천북관	원복관	장북관					
I기	M119	IIA	○		○											
	M27	IIA		○												
	M52	IIA		○				○								
	M98	IIA			○											
	XM5	IA	○		○		○									
II기	M9	IIA												○		
	M45東	IA													○	
	M45西						○							○		
	M46	IIA							○						○	
	M81	IIA							○							
	M87	IA							○	○						
	M90	IIA							○				○			
	M93	IIA			○				○				○			
	M115	IIA						○						○		
	M120	IIA												○	○	
	M128	IIA							○	○						
III기	79徐M1	IIA								○				○		
	M74	IIA					○	○	○					○		
	M62	IIA					○					○				
	M32	IIA										○				
	XM7	IBb								○				○		
	XM11	IIA								○				○		
	M70	IIA								○	○		○			
	M34	IIA					○			○				○	○	
	XM12	IIBb														○

형이다. 이 시기부터 이혈합장묘가 나타나기 시작한다. 토기조합에서 정과 두가 소멸하고 병형호, 장경호와 천복관 등이 주류를 이루며 발과 합이 새로 나타난다. M128호에 출토된 반량전에 의거하여 제2기의 연대는 서한 초기부터 서한 중기까지로 추정할 수 있다.

제3기는 79서徐M1, M74, M62, M32, XM7, XM11, M70, M34, XM12, M71호를 포함한다. 이 시기는 동혈합장묘 위주이며, 목곽묘의 유형 중에 I A형이 소멸하고 XM7의 I Bb형와 XM12의 II Bb형이 등장한다. 토기는 원복관, 장복관, 옹, 분, 조 등의 기종이 나타난다. 79서徐M1, M32, XM7에서 오수전이 출토되었고 XM11호에서 왕망시기의 사유사리경四乳四螭鏡이 출토되었기 때문에 제3기의 연대는 서한 중기부터 왕망시기까지로 추정할 수 있다.

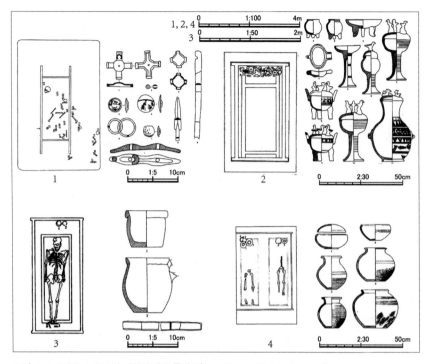

그림 4-15 袁台子古墳群 각 시기별 대표 목곽묘(1. M122 2. M29 3. M1 4. M34)

(2) 동대장자고분군

동대장자고분군은 분기에 대한 보고 자료가 적기 때문에 발표된 자료만을
검토해서는 동대장자고분군의 목곽묘 전모를 알 수 없다. 따라서 선행 연구에
제시된 편년안을 검토하여 합리적 편년안을 수용하고자 한다. 오강원은 건창
동대장자고분군의 조사 현황과 묘제, 청동기, 토기를 요동은 물론 나아가 서북
한 지역의 세형동검 병부 제작 및 조립 방식 등과 비교하여 그 문화적 연계성
과 연대 등에 대해 한국학계에서 처음으로 논의하였다[49]. 그 뒤 동대장자고분

---

49) 吳江原, 2006, 앞 논문.

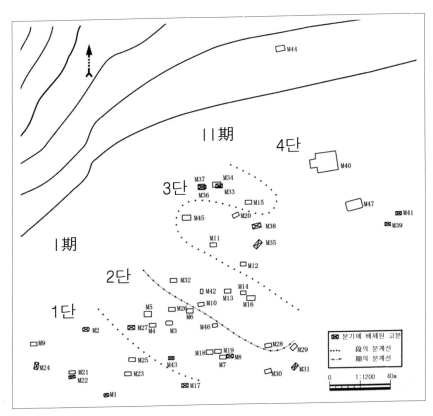

그림 4-16 동대장자고분군 분포도

군의 연대를 동검과 검병, 청동예기, 그리고 표형장경호와 고분군 조성 방향

및 공반 유물에 근거하여 다시 세부적인 편년을 진행하였다[50]. 그는 동대장자

고분군의 최초 조성 시점은 능하문화 남동구유형 후기부터이지만, 중심 연대

는 남동구유형과는 다른 별개의 유물유형, 즉 외래계 유물군의 중심이 후기

북방계 유물군에서 전국연계 유물으로 전환된 기원전 4~3세기 초엽이라는 견

해를 제시하였다. 일본학자 이시카와 타케히코石川岳彦는 연나라가 요서지역

---

50) 오강원, 2017, 「중국 동북 지역 瓢形 長頸壺의 부장 양상과 확산의 배경과 맥락」, 『嶺南考
古學』 78, pp.73~115.

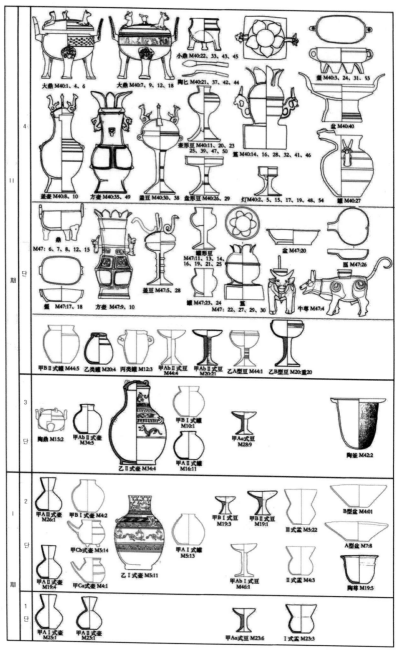

그림 4-17 동대장자고분군 출토 토기 편년(於佳靈 2018)

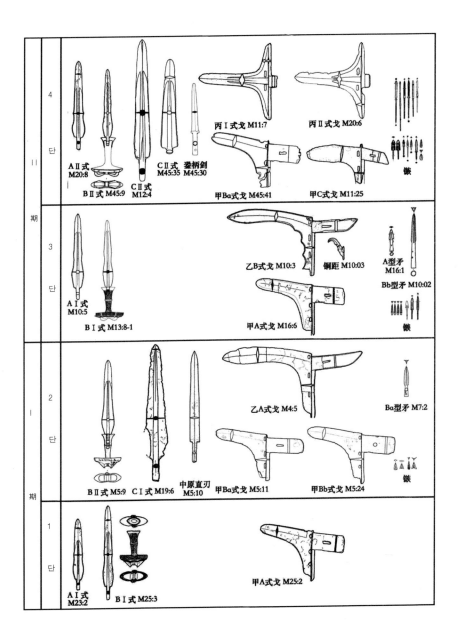

그림 4-18 동대장자고분군 출토 무기 편년(於佳靈 2018)

진출 양상을 검토하였을 때 동대장자 40호분의 연대를 검토[51]한 바 있다. 그는 동대장자 40호분에 출토된 토기 정과 호의 장식 문양이 그의 연나라 토기편년의 제4기 전반에 속하므로 4세기 후반으로 편년하였다.

이후 발굴 참여자 장의의張依依의 연구[52]에서는 M40호와 M47호를 배제하고 중소형 무덤을 중심으로 편년을 시도하였다. 표형장경호, 관, 盂 등 토기를 전형 기물로 선택하여 그 공반관계의 변화에 따라 분기를 나누었다. 동시에 비파형동검, 동과, 청동예기 등의 편년체계를 보완하여 검증하였다. 배현준은 연산 이남 연문화 고분군에서 도예기의 단계적 특징에 근거하여 동대장자고분군에서 청동예기와 도예기가 출토된 13기의 무덤의 편년을 하였다[53]. 연구대상이 적고 비교적 단편적이지만, 문양과 장식 스타일에 착안하여 편년을 시도하였다는 점에서 의의가 있으며, 연문화의 편년적 근거가 신뢰성이 있으므로 참고하고자 한다. 마지막으로 우가령于佳靈은 두 학자의 연구성과를 결합[54]하여 지금까지 동대장자고분군의 분기에 대한 가장 합리적인 결과를 도출하였다고 볼 수 있다. 본고에서는 우가령의 연구 성과를 참고하였으며 그의 동대장자고분군 목곽묘의 분기는 다음과 같다〈표 4-6〉.

동대장자고분군 목곽묘는 2개의 시기 4개의 단계로 나눌 수 있다. 제1기의 연대는 춘추 말부터 전국 초기까지로 제1단계와 제2단계를 포함한다. 제1단계는 ⅠBa형의 M23호와 ⅠBc형의 M24호가 있다. 부장품은 비파형동검과 차마구를 위주로 하며, 토기는 표형장경호만 있다. 제2단계는 M3, M5, M7, M8,

---

51) 石川嶽彦, 2017,『春秋戰國時代の燕國と遼寧地域に關する考古學的研究』, 雄山閣, p.203.
52) 張依依, 2016, 앞 논문.
53) 裴炫俊, 2016, 앞 논문.
54) 於佳靈, 2018, 앞 논문.

표 4-5 동대장자고분군 목곽묘 분기표

분기	형식	IA	IB			IIA	IIB		
			IBa	IBb	IBc		IIBa	IIBb	IIBc
I기	1단		M23		M24				
	2단		M5, M29, M30	M4, M7, M8, M46	M18, M27	M3			
II기	3단		M16, M28, M32, M34, M37						
	4단		M11	M20		M40, M44, M47	M45		

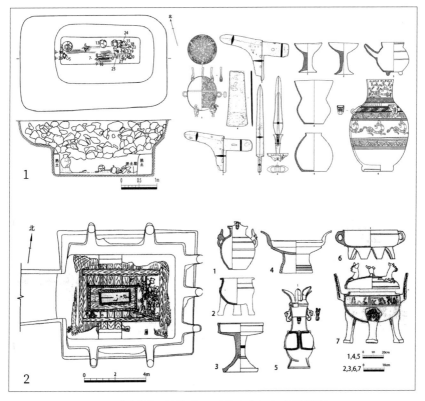

그림 4-19 東大杖子古墳群 시기별 대표 목곽묘(1. Ⅰ기의 M5호 2. Ⅱ기의 M40호)

M18, M27, M29, M30, M46호를 포함한다. 목곽묘의 유형은 ⅡA, ⅠBa, ⅠBb, ⅠBc형 등이 있다. 부장품은 두, 호 등 토기와 둔, 두 등 청동예기가 있다. 도예

기는 호만 있다.

제2기의 연대는 전국 중기부터 전국 중만기까지이며, 제3단계와 제4단계를 포함한다. 제3단계에는 M16, M28, M32, M34, M37호 등이 포함된다. 목곽묘의 유형으로는 ⅠBa형만 있다. 부장품 중에서 토기는 두와 관만 있고 청동기의 수량이 많아지고 정, 두, 호, 둔 등 용기가 주류를 점한다. 이 시기 동안 무기와 차마구의 수가 현저히 증가한다. 제4단계는 M11, M20, M40, M44, M45, M47호를 포함한다. 목곽묘의 유형은 ⅡA, ⅡBa, ⅠBa, ⅠBb형이 있다. 부장품 중에서 토기는 두, 관, 호 등이 있다. 방동도예기는 여전히 청동예기를 대체하고 있으며 정, 두, 호가 위주이다.

3. 木槨墓의 段階的 變遷

요서지역 목곽묘 고분군의 분포 및 연대에 관한 검토를 통해, 북부지역은 목곽묘의 자료가 적고 연대도 연속성이 부족한 반면 남부지방은 상대적으로 자료가 풍부하고 초기부터 늦은 시기까지 계기적 발전을 보인다는 특징을 확인하였다. 그러나 이 두 지역의 목곽묘 유형 변화에는 일정한 공통성이 있다. 그리고 요동지역 목곽묘는 주로 한대 이후에 보급되는 것이다. 따라서 목곽묘의 유형 변화와 부장품의 문화적 속성의 변화에 따라 요령지역 목곽묘 전체를 5단계로 나누어 그 변천을 살펴보고자 한다.

제1단계는 화상구 A지점과 조양 위영자서주묘를 대표로 하며, 연대는 상주 교체기부터 서주 말기까지이다. 이 단계는 요서 지역에서 목곽묘가 등장한 가장 이른 시기이다. 목곽 구조는 ⅠA형으로 목곽 안에 관이 없는 것과 장축의 방향이 두드러진 것이 특징으로 중원지역 목곽묘와는 뚜렷한 차이가 있다. 조양위영자 서주묘에서 출토된 축두, 난령, 수면마면 등의 마구류는 창평 백부촌 목곽묘에서 출토된 것관 강한 연계성을 보인다. 오강원은 연사이남의 장가원 문화과 교류하는 결과로 파악하였다[55].

제2단계는 북부의 오한기 주가지, 남부의 화상구 B, C, D지점과 원대자 능하문화 1기를 대표로 하며, 연대는 춘추 초기부터 춘추 말기까지이다. 주가지 고분군에서는 목곽묘의 구조가 ⅠA형과 약간의 차이가 있고, 장축의 한쪽 끝이 돌출되어 있음이 확인된다. 화상구 B, C, D 지점의 목곽구조는 ⅠA형을 중

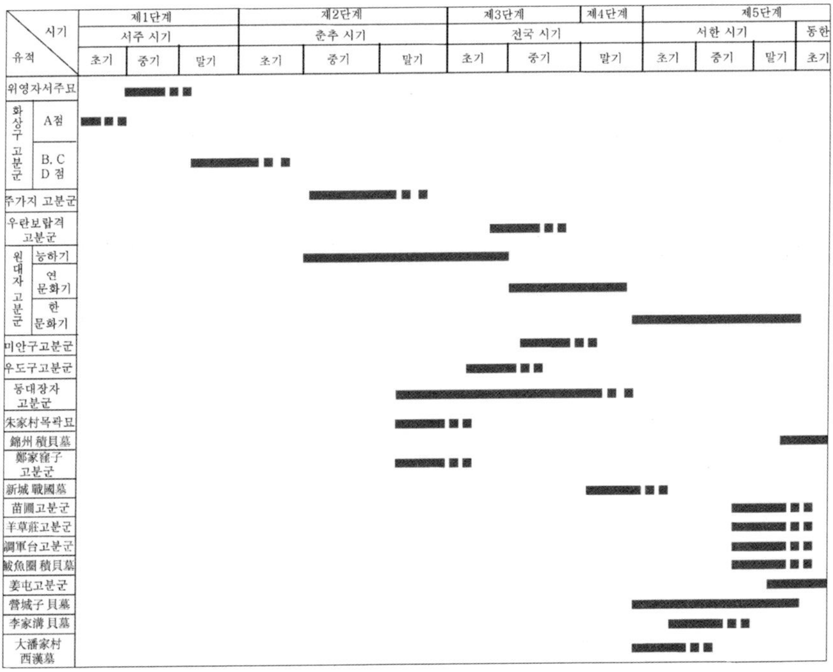

시기 / 유적	제1단계 서주 시기			제2단계 춘추 시기			제3단계 전국 시기			제4단계	제5단계 서한 시기			동한
	초기	중기	말기	초기	중기	말기	초기	중기	말기		초기	중기	말기	초기
위영자서주묘														
화상구 고분군 A점														
화상구 고분군 B, C, D 점														
주가지 고분군														
우란보탑격 고분군														
원대자 고분군 능하기														
원대자 고분군 연문화기														
원대자 고분군 한문화기														
미안구고분군														
우도구고분군														
등대장자 고분군														
朱家村목곽묘														
錦州 積貝墓														
鄭家窪子 고분군														
新城 戰國墓														
苗圃고분군														
羊草莊고분군														
澗軍台고분군														
魰魚圈 積貝墓														
姜屯고분군														
營城子 貝墓														
李家溝 貝墓														
大潘家村 西漢墓														

그림 4-20 요령 목곽묘 유적 연대표

---

55) 오강원, 2011, 「商末周初 大凌河 流域과 그 周邊 地域의 文化 動向과 大凌河 流域의 靑銅 禮器 埋納遺構」, 『韓國上古史學報』 74, pp.5~44.

심으로 나타나며, Ibc형도 확인된다. 이 단계에는 목곽 머리 한쪽에 호나 관 등의 토기 한 점을 부장하는 것과 희생물을 배치하는 것이 하나의 특징이다. 각 지역마다 희생물의 종류에는 일정한 차이가 있으며, 주가지고분군에서는 개의 머리, 소, 말머리, 말발굽 등이 주로 사용되고, 화상구에서는 소, 양을 사 용하고 원대자는 개의 머리를 위주로 한다. 이 밖에 주가지 M16과 원대자 M122에서는 무덤을 불로 태워 파괴하는 현상이 발견되었으며, 이에 대해서는 비자연적인 사망자 처리 방법으로 해석하는 의견[56]이 있다.

주가지 목곽묘의 묘향은 토착집단이 보편적으로 사용하는 동서방향과는 다른 남북방향으로 나타나고 있다는 점에서 주목할 필요가 있다. 그리고 주가 지고분군은 그동안 하가점 상층문화 말기의 고분군으로 여겨졌으나, 묘향, 목 재 매장시설 사용과 희생물의 종류에서는 하가점상층문화 묘장과는 차이가 있다. 북방이나 장성지대의 다른 문화의 영향을 받아 만들어진 일종의 매장의 례로 보는 학자[57]도 있지만 구체적인 기원지는 알려지지 않았다. 필자는 주개 구문화와 연관성이 있다고 판단하며, 후술에서 자세한 검토하고자 한다.

화상구 B, C, D지점의 I A형 목곽묘는 A지점에 조성한 선행 화상구 집단의 문화적 지속이라는 점을 선행연구[58]에서 이미 제시하였다. 화상구에 나타난 Ibc형 적석목곽묘에 대해서는 하가점상층문화의 확장과 관련이 있을 수 있 다. 화상구 B, C, D의 존속기간은 하가점상층문화의 전성기에 있으며 비교적 강한 외향적 확장 태세를 갖추고 있다. 남부의 능하문화에 나타난 석곽묘는

56) 木易, 1991,「東北先秦火葬習俗試析」,『北方文物』01, pp.17-21.
57) 王立新, 2004, 앞 논문; 趙賓福, 2005, 앞 논문.
58) 오강원, 2006, 앞 책.

표 4-6 요령지역 목곽묘 편년표

시기		유적
제1단계	상말주초 ~서주만기	和尙溝 M1~M4, 魏營子 東周墓
제2단계	춘추초기 ~춘추만기	周家地 M16, M43, M45, 袁台子 M39, M56, M61, 121, M122, M123, M125, M126, M129, 東大杖子 M23, M24 興城 朱家村 목곽묘, 鄭家窪子 M6512, M659
제3단계	전국초기 ~전국중기	袁台子 M2, M7, M30, M77, M103, M29, M57, M67, M86, M88, M13, XM18, 於道溝 2004M1, 2004M5, 東大杖子 M29, M30, M3, M5, M4, M7, M8, M46M18, M27 烏蘭寶拉格 M2
제4단계	전국중기 ~전국만기	眉眼溝 M1, 東大杖子 M16, M28, M32, M34, M37, M11, M20, M40, M44, M47, M45 袁台子 M18, M36, M50, M53, M63, M68, M73, M85, M91, M96, XM8, XM19, M1, M3, M4, M6, M31, M111, M8, M11, M37, M60, M76, XM25, M35, XM13, XM14, XM21, XM22, M14, 遼陽 新城 戰國墓
제5단계	진한교체기 ~왕망시기	袁台子M119, M27, M52, M98, XM5, M9, M45, M46, M81, M87, M90, M93, M115, M120, M128, 79徐M1, M74, M62, M32, XM7, XM11, M70, M34, XM12 苗圃 M33, M34, M50 羊草莊 M9, M21, M29, M30, M33, M34, M36, M37, M38, M39, M40, M41, M42, M47, M57 調軍台 M8, M9, M10, M11 鮁魚圈 M1~M38, 姜屯 M22, M41, M55, M61, M178, M192, 营城子 M6~M8, M12, M16~M39, M41~M44李家溝 M20, 大潘家村 M2, M3

하가점상층문화와의 연관성[59]이 뚜렷하고, 화상구에 나타나는 Ibc형 적석목
곽묘는 적석구조가 석곽묘와 유사한 것으로 보이며, IA형 목곽묘가 석곽묘의
구조 특징을 융합한 것으로 생각한다.

원대자 능하문화 제1기에 있는 IA형 목곽묘는 이전 단계인 위영자서주묘의
구조를 계승했을 가능성이 있지만, M123, M126, M129호에서 출토된 기북 옥
황묘문화의 특징이 있는 동패식과 동포를 보면 하북성 북부에서 요서 지역으

---

59) 趙少軍, 2017, 「試論凌河類型的石構墓葬」, 『北方文物』 01, pp.35-43; 鄭大寧, 2002, 『中國東
北地區靑銅時代石棺墓遺存的考古學研究』, 中國社會科學院研究生院.

로 파급된 '후기 북방계 유물군'의 영향으로[60] 기북에 있는 옥황묘문화의 목곽묘 구조[61]를 받아들였을 가능성도 있다. 이 시기에는 홍성 주가촌유적에 형성된 정가와자유형은 요동 북부까지 확산되고 정가와자 6512호의 이중곽이 등장하였다.

제3단계는 오란보랍격고분군, 원대자 능하문화 제2, 3기, 우도구고분군, 동대장자고분군 1기를 대표로 하며, 연대는 전국 초기부터 전국 중기까지이다. 목곽묘에서는 연문화적인 요소를 나타나는 것이 특징이다. 오란보랍격고분군과 원대자 능하문화 목곽묘에는 남북향과 동서향이 교차하는 특징이 있으며, 이전에는 토착집단과 이주집단의 무덤 방향에 대한 인식에서 동서향이 일반적으로 토착집단의 특징이며 남북방향이 중원문화의 특징으로 보는 것이 일반적이었다. 원대자 능하문화 ⅡA형목곽묘는 2기에서 연속하고 3기에서 주류로 변한다. 연나라 유민이 이주해 온 결과로 볼 수 있으며 반령潘玲[62]은 요서지역의 토기 문화에 대한 분석을 통해서 기북 연민일 가능성이 있다는 견해를 제시하였다. 우도구고분군과 동대장자고분군 1기에서 나타나는 연문화적 요소는 연식유물이며 중원식동검과 정, 두, 둔 등의 청동예기를 위주로 한다. 목곽은 구조적으로 ⅠBa형이 위주며 ⅠA, ⅡA, ⅠBb, ⅠBc 등 다양한 유형이 함께 존재한다. 동대장자고분군에 나타난 ⅠBa형 목곽묘는 요서지역의 다른 고분군에서는 발견되지 않았으며 이 지역 특유의 형식이다. ⅠBa형의 출현기에 ⅠBc형과 공존하며, ⅠBc형에 의해 간소하게 발전한 것으로 생각하고 있다.

제4단계는 미안구고분군, 원대자 능하문화 4기, 연문화기와 동대장자고분군

60) 오강원, 2006, 앞 책.
61) 北京市文物硏究所, 2007,『軍都山墓地』, 文物出版社.
62) 潘玲, 2018,「燕置郡前遼西戰國遺存考察」,『新果集(二)』, 科學出版社, pp.305-327.

2기를 대표로 하며, 연대는 전국 중기부터 전국 만기까지이다. 이 단계에는 연문화가 점차 주도적인 문화요소가 된다. 원대사 능하문화 4기에서는 연문화를 대표하는 소석판이 보편적으로 부장된 목곽묘는 도예기가 출토되는 연문화 1기 목곽묘와 교차 분포한다. 이후 능하문화적 요소는 원대자고분군에서 거의 사라졌다. 미안구 M1호는 원대자연문화 2기에 부장된 도예기와 비슷하지만

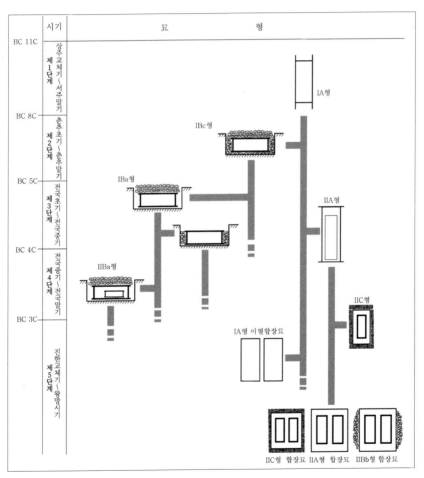

그림 4-21 요령지역 목곽묘 구조 변천 모식도

양을 희생한 것이 포함되어 있다. 이러한 현상에 대해서는 출토된 삼족관의 형태에 따라 정군뢰는 하가점상층문화의 후속하는 문화요소로 보았으며[63], 왕립신은 삼족관을 기북산지의 옥황묘 문화요소로 본 바 있다. 희생물이 옥황묘문화 무덤에서는 중요한 전통이기에 미안구에서 발견된 희생물은 옥황묘문화의 영향을 받은 것으로 보고 있다[64].

동대장자 2기 목곽묘에서는 목곽 유형이 이전 단계보다 ⅡA, ⅡBa, ⅠBa형로 축소되었으나, ⅠBa형은 여전히 주요 형식이다. 원대자 연문화기 목곽묘처럼 목곽 유형에서 부장품까지 전면적으로 바뀌는 현상은 보이지 않는다. 목곽묘는 원래의 특색이 그대로 남아 있고, 부장품에 있어서는 현지 특색인 표형장경호 등의 토기가 거의 사라지고 차마구와 무기의 양도 축소되었다.

제5단계는 원대자 한문화기 목곽묘와 요동지역의 다수 목곽묘유적를 대표로 하며, 연대는 진한교체기부터 서한말까지이다. 요동지역의 강둔고분군의 소수 목곽묘가 동한초기까지 지속된다. 적패목곽묘는 대련지역 선사시대 적석분구묘에서 발전한 것으로 파악한 견해[65]가 있으며 한 초기에 요동반도 남부인 대련지역에서 등장 이후 서한 만기까지 발해 해안선을 따라 요서의 금주까지 확산된다. 그리고 서한만기 목곽묘가 소멸되지만 적패의 특징은 전실묘에 지속된다.

이 단계 목곽묘의 변화의 가장 큰 특징은 단장에서 합장으로의 전환이다. 부장품도 연문화기의 의례화 경향에서 생활화로 변한다. 이러한 변화는 한대

---

63) 鄭君雷, 2005,「戰國燕墓的非燕文化因素及其曆史背景」,『文物』03, pp.69-75.
64) 王立新, 2004, 앞 논문.
65) 白雲翔, 1998,「漢代積貝墓研究」,『劉敦願先生紀念文集』, 山東大學出版社, p.416.

매장의례 전환의 큰 흐름[66]과 같다. 그리고 유물 부장위치도 연문화의 관 상부에 부장하는 것에서 관의 옆으로 부장하는 것으로 변하였다. 서한 말기에 전실묘와 석실묘가 등장하였고 이후 목곽묘를 대체하는 경향을 보인다.

4. 遼寧地域 木槨墓의 受容과 意義

앞서 요서·요동지역 목곽묘의 발전 단계의 정리를 통해 목곽묘의 수용에는 세 가지 중요한 시점이 있음을 알 수 있었다. 첫 번째 시점은 유곽무관식 목곽묘가 요서지역으로 들어오는 상말주초이며, 두 번째 시점은 전국 중만기에 유곽유관식 목곽묘가 요서지역에 보급되는 시점이다. 세 번째 시점은 서한 초기에 요동지역 목곽묘의 확산와 보급되는 시점이다.

상말주초는 중원문화가 주변 지역으로 침투하는 시기이다. 요서지역 위영자 문화인 객좌 화상구 A 지점에서 출토된 두 점의 청동예기 외에도 객좌 지역에서는 매납유구에서 상말주초의 청동예기가 대량 발견되었다. 예를 들어, 구로구咕嚕溝[67], 마창구馬廠溝[68], 북동北洞[69], 산만자山灣子[70], 소파태구小波汰溝[71] 등의 매납유구이 있다. 매납유구에서 발견된 청동예기는 주로 중원식 유물로,

---

66) 韓國河, 1999, 『秦漢魏晉喪葬制度研究』, 陝西人民出版社.

67) 陳夢家, 1955, 「西周銅器斷代(二)」, 『考古學報』 10, p.101.

68) 熱河省博物館籌備處, 1955, 「熱河凌源縣海島營子村發現的古代青銅器」, 『文物參考資料』 8.

69) 遼寧省博物館 · 朝陽地區博物館, 1973, 「遼寧喀左縣北洞村發現殷代青銅器」, 『考古』 04, pp.225-226, 257, 270-271; 遼寧省博物館 · 朝陽地區博物館 · 喀左縣文化館, 1974, 「遼寧喀左縣北洞村出土的殷周青銅器」, 『考古』 06, pp.364-372, 414-415.

70) 喀左縣博物館 · 朝陽地區博物館 · 遼寧省博物館, 1977, 「遼寧省喀左縣山灣子出土殷周青銅器」, 『文物』 12, pp.23-27, 97-100.

71) 文物編輯委員會, 1979, 『文物考古三十年』, 文物出版社.

그 중 일부는 현지에서 모방 제작된 중원식 청동기이다. 이러한 중원식 청동기 가운데 가장 중요한 것은 명문이 있는 것이다. 북동에서 발견된 "기후箕侯" 명문이 있는 정은 은허 부근의 준현 신촌 등지에서도 발견되었다. 소파태구고분군에서 발견된 "어圍" 궤簋와 산만자山灣子고분군에서 발견된 "백구伯矩" 언甗과 같이 유리하琉璃河 연나라 무덤에서도 같은 명문이 있는 청동기가 발견되었는데, 이를 근거로 몇몇 학자들은 주초에 연나라를 봉하였을 때 연나라 세력이 이미 요서지역까지 확장되었다는 주장[72]을 하기도 한다. 하지만, 객좌에서 발견된 청동기와 공반된 토기의 양상과 유리하 연나라 무덤 중 청동기가 출토된 무덤에서 공반된 토기의 양상을 비교한 연구에 의하면 두 지역의 청동기와 그와 공반된 재지문화의 관계는 확연히 다르며, 당시의 사회구조도 연나라와는 큰 차이가 있다고 한다[73]. 오강원은 객좌일대 매납유구의 청동예기는 위영자문화의 중심집단이 하북성 북부의 여러 집단과 다양한 문화적 접촉과 경제적인 교류관계 속에서 교환·교역·제공된 것이 객좌일대 위영자문화 집단의 특수 활동과 연관되어 매납된 것으로 주장한다[74]. 필자는 객좌에서 발견된 청동기와 공반된 토기의 양상이 장가원문화의 양상과 비슷하다는 점을 고려한다면 오강원의 주장이 가장 합리적 논의로 판단된다. 따라서 요서지역 목곽묘의 출현은 중원문화와 직접 교류하는 결과가 아닌 하북성 북부의 여러 집단이 중원문화와 교류한 뒤 위영자문화 집단이 하북성 북부의 여러집단과 교류하는 결과이다. 그리고 당시 목곽묘는 엘리트층에 한정되었고 일반 집단민들

---

72) 晏琬, 1975, 「北京, 遼寧出土銅器與周初的燕」, 『考古』05, pp.274-279,270; 郭大順·張星德, 2005, 『東北文化與幽燕文明』, 江蘇敎育出版社, pp.430-432.

73) 楊建華, 2002, 「燕山南北商周之際靑銅器遺存的分群硏究」, 『考古學報』2, pp.157-174.

74) 오강원, 2011, 「商末周初 大凌河 流域과 그 周邊 地域의 文化 動向과 大凌河 流域의 靑銅 禮器 埋納遺構」, 『韓國上古史學報』74, pp.5~44.

은 여전히 토착 묘제인 석축묘를 채용하였다.

또한 여기서 유곽무관식 목곽묘의 등장에 대한 간단한 검토가 필요하다고 생각한다. 현재까지 발굴자료에 따르면 위영자서주묘과 비슷한 구조의 유곽무관식 목곽묘는 기원전 2300년의 용산문화 말기에 해당하는 주개구 1기 고분[75]에서 처음 등장하였다. 기원전1900년~전1500년의 주개구 3기, 4기에도 지속적으로 보급되었다. 그러나 당시 목곽에 부장품이 없거나 부장된 토기들을 묘광 한쪽의 감실에 배치한다. 이중 부장품이 없는 것이 다수이고 부장토기들을 묘

〈그림 1〉 大凌河 상류역 喀左 일대 청동예기 매납유구의 분포(작도)
*1. 喀左 小城子咄嚕溝, 2. 喀左 小波汰溝, 3. 喀左 北洞, 4. 喀左 山灣子, 5. 喀左 海島營子(舊 馬廠溝)
그림 4-22 大凌河 상류역 喀左일대 청동예기 매납유구의 분포(오강원 2011)

75) 內蒙古自治去文物考古研究所・鄂爾多斯博物館, 2000, 『朱開溝-靑銅時代早期遺址發掘報告』, 文物出版社.

광 한쪽의 감실에 배치하는 점은 하가점하층문화의 고분에 보이는 토기들이 이층대에 배치되는 것과 유사하다. 이성주는 이러한 점에 대해 중원 목곽묘의 음식봉헌을 모방한 것으로 설명한다[76]. 따라서 주개구유적에 등장하는 유곽 무관식 고분은 아직 본격적으로 목곽묘의 매장의례를 수용하지 않고 모방하는 단계로 파악된다.

이러한 구조의 고분에 목곽묘 매장의례를 본격적으로 수용하는 것은 상말 주초에 연산이남에 분포하고 있는 장가원문화에서 확인된다. 현재 보존상태가 가장 완전한 백부촌 목곽묘 M2, M3호에는 북방계 청동기 유물군과 중원식 청동예기를 동반한다. 초기 연구[77]에서는 주초 연이 설치하는 거점으로 주장하였지만, 이후 연구[78]에서는 연문화의 영향을 받은 장가원문화 고분으로 주장하였다. 백부촌 목곽묘에서는 중원 목곽묘의 음식봉헌 의례를 받아들였지만, 중원계 목곽묘의 관을 갖춘 형태를 수용하지 않고 본래 채용하였던 목재 매장 시설만을 확대한 것이다.

따라서 요서지역 최초의 목곽묘 수용은 중원지역에서 직접적으로 수용한 것이 아니라 연산이남 장가원문화의 영향을 받은 결과이다.

주개구 유적에서 나타나는 "U"자형 목곽 구조는 주가지고분군의 목곽 구조

---

76) 李盛周, 2014, 「貯藏祭祀와 盛饌祭祀 : 목곽묘의 토기부장을 통해 본 음식물 봉헌과 그 의미」, 『嶺南考古學』 70, pp.106-141.

77) 北京市文物管理處, 1976, 「北京地區的又一重要考古收獲──昌平白浮西周木槨墓的新啟示」, 『考古』 04, pp.246-258, 281-284; 郭大順・張星德, 2005, 『東北文化與幽燕文明』, 江蘇教育出版社, p.445.

78) 오강원, 2011, 「기원전 3세기 연나라 유물 공반 유적의 제 유형과 연문화와의 관계」, 『韓國上古史學報』 71, pp.5~32; 申紅寶, 2019, 「略論北京昌平區白浮墓的族屬問題」, 『北方文物』 02, pp.26-29, 91; 張禮艷・胡保華, 2017, 「北京昌平白浮西周墓族屬及相關問題辨析」, 『邊疆考古研究』 02, pp.177-190.

와 유사하다. 필자는 이러한 구조가 주개구 유적에서 등장한 후에 북방 초원 지역에 분포하는 한 집단이 이를 계승한 것으로 생각된다. 이후 장기간의 발전 과정에서 단수 토기와 북방계 청동유물군을 부장하는 북방 목곽묘 매장의례 를 형성한 것으로 추정하고 있다. 하가점상층문화의 쇠퇴기에 오한기 주가지 지역으로 진입한다고 생각된다.

전국 중만기에 들어서, 연나라가 요서지역에 군현과 거점을 설립하면서, 연 문화가 전면적으로 요서지역에 확산되었다. 그리고 이 과정에서 유곽유관의 연식 목곽묘도 요서지역에 전면적으로 보급된다. 전국 중기부터 유곽유관식 목곽묘가 이미 요서지역에 등장하지만 이는 원대자고분군에만 국한된다. 전 국 중만기에 이르러 유곽유관 목곽묘가 동대장자, 미안구 등 고분군에서 등장 하였으며, 분포범위가 요서 남부의 전역으로 확대되었다. 그러나 북부지역의 경우 자료가 부족하기 때문에 아직은 확인하지 못하였다. 다만 우란보락격고 분군의 95년 발굴자료에서 연식 도예기가 확인되었다. 연식 도예기는 동대장 자고분군 이 외의 고분군에서는 일반적으로 유곽유관식 목곽묘에서 많이 출 토되며 이를 바탕으로 전국 중만기에 북부지역에도 유곽유관식 목곽묘가 보 급되는 것으로 추정할 수 있다. 동대장자고분군에서는 연 대부급 관곽제도[79] 에 채용되는 이중곽묘가 등장하였다. 주의할 점은 엘리트 층은 보편적으로 연 식 유곽유관 목곽묘를 채용하며, 일반민들에서는 유곽무관식 목곽묘가 이어 지는 현상이 존재하지만, 이전 시기보다는 부장품에서 비교적 큰 차이가 있으 며, 토착토기가 기본적으로 사라지고, 대신 연식 도예기, 혹은 작은 석판 등 연나라 특징이 있는 유물들이 많이 부장되고 있다.

---

79) 仲蕾潔, 2016, 『東大杖子M40初步研究』, 遼寧大學 碩士論文.

전국 중후반에는 연나라가 요서·요동 지역을 영역화하고 연장성의 거점을 설정함에 따라 연문화권은 요서 요동지역까지 확장되었고 주변 사가가, 임가보, 유가촌등 소규모 토착집단과 상호작용망을 형성하였다[80]. 주변 토착집단의 물질문화는 요서·요동의 연문화와의 교류과정에서 물질문화의 변화가 발생되었다. 이성주는 가장 확실한 변화로 전국 만기 중원식 토기 제작기술과 철기 생산체계가 주변 토착집단으로 확산되었다고 보았으며 이것은 토착집단의 자체 생산체계 설립과 정치체 형성의 중요한 전제이다[81]. 결국 토착집단은 서한 때 한군현 주변에 있는 부여, 오환 등 정치체로 성장하였다. 부여를 대표하는 유수榆樹 노하심老河深[82], 모아산帽兒山[83]과 오환을 대표하는 서차구西岔溝 고분군[84] 중에서 그 수장묘는 모두 목곽묘를 채용하였다. 이는 한문화와의 장기 접촉과 토착집단 내부 성장으로 계층화된 결과이다.

한무제시기에는 한군현이 한반도 서북지역에 설치되면서 중원문화권이 한반도 서북지역까지 확장되었다. 한반도 서북부 지역 목곽묘에 대한 연구에서 초기 단계인 목곽묘의 계보는 요서·요동 지역의 목곽묘에서 찾을 수 있음[85]이 지적되기도 하였다. 한반도 남부지역은 서북지역 낙랑군과의 물질문화 교

80) 吳江原, 2018, 「기원전 3~1세기 中國東北과 西北韓地域의 物質文化와 燕·秦·漢」, 『원사시대의 사회문화 변동』, 진인진, pp.69~148.

81) 李盛周, 1996, 「靑銅器時代 東아시아 世界體系와 한반도의 文化變動」, 『韓國上古史學報』 23;, 2012, 「靑銅器時代東亞細亞世界體系和韓半島的文化變動」, 『南方文物』 4, pp.151-180.

82) 吉林省考古研究所, 1987, 『榆樹老河深』, 文物出版社.

83) 吉林市博物館, 1988, 「吉林帽兒山漢代木槨墓」, 『遼海文物』 2, pp.1324-1326; 劉景文, 1991, 「吉林市帽兒山古墓群」, 『中國考古學年鑑』, 文物出版社; 2008, 「帽兒山墓群」, 『田野考古集粹：吉林省文物考古研究所成立二十五周年紀念』, 文物出版社.

84) 孫守道, 1960, 「"匈奴西岔溝文化"古墓群的發現」, 『文物』 Z1, pp.25-36.

85) 高久健二, 1995, 『樂浪古墳文化研究』, 學硏文化社, pp.175-190; 王培新, 2007, 『樂浪文化-以墓葬爲中心的考古學考察』, 科學出版社, pp.105-110.

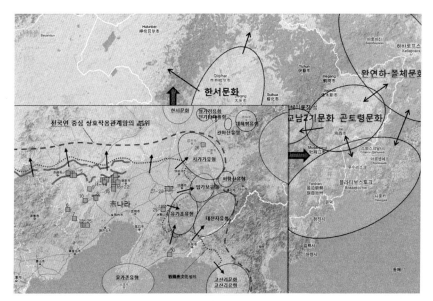

그림 4-23 기원전 3세기 동북아시아의 전국연문화 중심 상호 작용 관계망(오강원 2018)

류과정에서 목곽묘가 기원후 2세기경 남부지역에 등장하였으며 급속 보급되어 주요 묘제가 되었다. 주목할 만할 것은 연·진·한 군현 주변에 있는 토착집단은 목곽묘 수용할 때 주로 유곽무관식 목곽묘를 채용하였다는 것이다.

V장
樂浪西北韓 木槨墓 棺槨制度의 變遷과 系譜

낙랑군은 중국 서한의 무제가 위만조선의 통치 질서를 와해시킨 뒤 기원전 108년을 전후하여 설치했다고 하는 군현중 하나이다. 낙랑군 이외의 임둔, 현토, 대방 3군은 현지 주민의 저항 등으로 경영이 곤란하여 폐지 혹은 이치되지만, 낙랑군은 고구려 미천왕에 의해 축출되는 기원후 313년까지 약 420여년 간 존속한 것으로 알려져 있다. 낙랑군과 나머지 군현의 설치 의미는 공격을 가한 한왕조의 입장에서 본다면 동방의 고조선이 북방의 흉노와 연결되면서 성장하는 것을 차단하는 것이었는데 정치뿐만 아니라 중원 내지의 선진적인 생산기술과 사회 제도가 강한 영향이 미치게 되었으며, 대량의 이민과 중원 내지 간의 밀접한 인문 배경이 더해짐으로써, 낙랑군지역이 한문화의 분포 범위가 되었다.

낙랑 목곽묘에 대한 연구는 이제까지 주로 목곽묘의 분류, 편년 및 변천 과정 그리고 문화적 본질에 대한 논의를 주로 하고 있다. 그러나 낙랑 목곽묘의 사용 제도, 즉 관곽의 중첩에 관한 제도화의 연구는 아직 이루어진 바 없다. 목곽묘의 관곽제도는 한나라 매장제도의 중요한 구성 요소이기 때문에 자세히 검토할 필요가 있다고 생각한다.

한나라 강역 범위 내에서의 문화 전통과 자연환경의 차이로 인해서 각 지역의 한문화 모습은 다르다. 한묘의 구성 요인은 상당히 복잡하다. 특히 서한시기 한문화는 이전 문화요소의 영향을 받거나 현지 전통문화와 융합하여 일부 지역에서 특색이 있는 문화를 형성하게 된다. 하지만 총체적으로 보면 한 문화는 전반적으로 유사한 발전 과정을 거치며, 이와 같은 큰 범주에서 한 문화의 지역 양식 발생하는 것이라 할 수 있다. 따라서 필자는 낙랑고분이 한식 문화와 이 지역 전통문화가 융합하여 형성된 것이라는 관점에서 출발하였다. 중원 문화의 비중은 시간이 흐름에 따라 높아지는 모습을 보이기 때문에 한묘로 정의하는 데 문제가 없다.

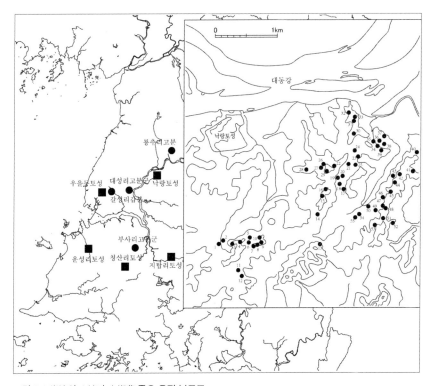

그림 5-1 樂浪의 土城과 木槨墓 주요 유적 분포도

1.석암리 219호 2. 석암리 215호 3.석암리 212호 4.석암리 9호 5. 석암리 257호 6. 석암리 205호 7. 석암리 201호 8. 석암리 200호 9. 낙랑리 85호 10. 석암리 194호 11. 석암리 119호 12. 남정리 116호 13. 남사리 1호 14. 석암리 52호 15. 석암리 6호 16. 석암리 20호 17. 정백리 19호 18. 정백리 17호 19. 정백리 13호 20.정백동 7호 21. 정백동 9호 22. 정백동 8호 23. 정백동 6호 24. 정백동 5호 25. 정백동 8호 26. 정백리 2호 27. 정백리4호 28. 토성동 4호 29. 정백동 3호 30. 정백동 4호 31. 오야리 20호 32. 오야리 18호 33. 오야리 19호 34. 정백동 11호 35.정백동 1호 36. 정백동 2호 37. 정백동 10호 38. 정백동 12호 39.정백동 3호 40. 정오동 12호 41. 장진리 30호 42. 정오동 4호 43.동오동 3호 44. 정오동 6호 45. 정오동 10호 46. 정오동 11호 47. 정오동 2호 48. 정오동 1호 49. 정오동 5호 50.정백리 59호 51. 정오동 8호 52. 정오동 7호 53. 정오동 9호 54. 정백리 122호 55. 정백리 127호

관곽제도는 묘주 신분의 차이에 따라 관곽의 중첩수를 달리하는 제도이다. 관곽제도는 목곽의 사용과 함께 등장하고, 한나라 묘장 제도의 중요한 구성 요소이다. 목곽묘의 관곽제도에 대해 검토하려면 두 가지 조건이 필요하다. 첫째는 분묘들 사이에 위계 차이가 분명해야 한다. 특히 일정한 수준의 높은 위계의 묘장이 있어야 한다. 둘째는 목관의 보존이 좋아야 하고 나쁘더라도 흔적이 있어야 한다. 낙랑지역 목곽묘는 이 두 가지 조건을 잘 갖추고 있는데, 본장에서는 낙랑지역의 목곽묘 자료 및 선행 연구성과를 바탕으로 낙랑지역 목곽묘의 관곽제도에 대해 검토한다.

또한, 낙랑 목곽묘의 계보 문제에 대한 하북, 요동 일대, 산동, 강소 등 지역 목곽묘와의 관련성이 제기되었다. 현재 산동, 요서요동 등 지역의 목곽묘 자료가 증가하여 낙랑 목곽묘의 계보 문제는 재검토가 가능하게 되었다.

1. 樂浪 木槨墓 棺槨 重疊數의 檢討

낙랑지역의 목곽묘는 평양시, 평안남도, 남포시, 황해남도, 황해북도 등에 분포한다. 평양시 대동강 남안 낙랑토성 유적의 남부지역과 황해남도 운성리토성 주변 지역은 목곽묘 집중 분포구역이며 주요 발굴 자료도 이 지역에 집중된다. 이에 따라서 본 연구의 대상은 낙랑토성 남부지역의 정오동, 정백동, 토성동, 석암리, 남정리 등의 발굴 자료와 운성리토성 주변의 목곽묘 발굴 자료로 한다.

낙랑 목곽묘는 단장묘와 합장묘로 나뉜다. 단장묘는 관이 하나이므로 관곽 중첩수가 있는 대로 간단하게 계산할 수 있다. 그러나 합장묘의 경우 관 개수가 2개 또는 3개가 되기도 한다. 따라서 관의 중첩수를 계산할 때 관의 최대 중첩수에 따라 계산한다. 낙랑 목곽묘의 관곽 중첩수 양식은 4중 곽 1중 관 5중 관곽 양식, 3중 곽 1중 관 4중 관곽 양식, 2중 곽 1중 관이나 1중 곽 2중 관 3중 관곽 양식, 1중 곽 1중 관 2중 관곽 양식으로 나눌 수 있다.

4중 곽 1중 관 5중 관곽의 무덤으로는 석암리 6호묘[1]가 있다. 석암리 6호묘는 직경 19m, 높이 3m의 방대형 봉토가 남아 있었다. 구릉에 묘광을 굴착하고 묘광 안에 3개의 굄목을 먼저 깔아 놓은 다음 굄목에 전곽을 구축하였다. 다음에 전곽 안에 외곽과 중곽을 설치하였다. 중곽 안에 다시 격벽을 설치하여 내곽을 배치한 주곽과 부장품을 배치한 옆칸으로 구분하였다. 마지막으로 내곽 안에 피장자의 관 2개를 배치하였다. 목재 관곽은 3중 곽 1중 관의 구조지만 목곽 밖에 전곽을 구축하였으므로 그 관곽 중첩수는 4중 곽과 1중 관 5중 관곽으로 분류된다. 목곽의 면적은 20㎡에 달한다. 출토품에는 운뢰연호문경雲雷連弧紋鏡과 사신규구경四神規矩鏡, 이배耳杯, 칠판漆盤 등의 칠기, 단경호, 은반지 등이 있다.

3중 곽 1중 관 4중 관곽의 무덤 중에서 대표적인 무덤으로는 정백리 127호 왕광묘[2]와 남정리 116호묘[3]가 있다. 정백리 127호묘는 묘광에 붙여 2중 외곽을 설치하였다. 곽 내에 기둥을 설치하여 내곽을 놓는 주실과 배장품을 배치하는 옆칸으로 나누었다. 주실은 목곽의 동남쪽에 위치하고 2개의 관이 내곽에 배치되었다. 부장품의 배치된 옆칸은 ㄱ자형으로 되어 내곽을 둘러싸고 있다. 출토된 부장품으로는 방격규구경方格規矩鏡과 이체자명대경異體字銘帶鏡, 동환, 마면 등의 차마구, 칠안, 칠판 등의 칠기, 화분형토기와 호 등의 토기가 있다.

---

1) 關野貞 외, 1927, 『樂浪郡時代/遺跡』.
2) 榧本龜次郎·小場恒吉, 1935, 『樂浪王光墓』, 朝鮮古跡研究會.
3) 小泉顯夫, 1934, 『樂浪彩篋塚』, 朝鮮古跡研究會.

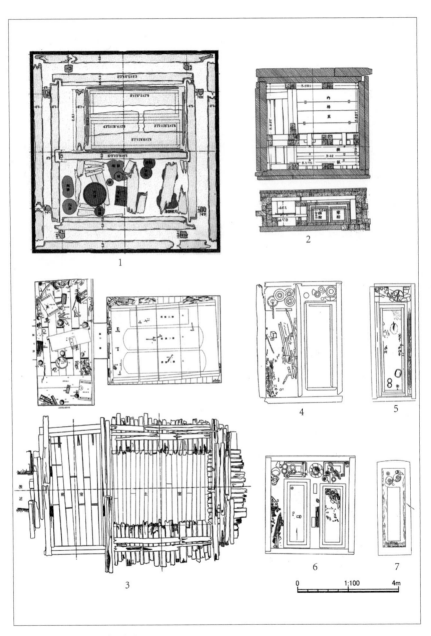

그림 5-2 낙랑 목곽묘 대표사례

1. 석암 6호 2. 정백리 127호 3. 남정리 116호 4. 정백동 37호 남곽 5. 정오동 6호 6. 정백동 2호 7. 정백동 49호

남정리 116호묘[4]는 묘실이 횡장방형인 전실과 종장방형의 후실로 이루어져 평면이 철凸자형을 띤다. 전실의 네 벽을 두 겹의 각재로 쌓았고, 후실 앞 벽은 전실과 함께 사용하였다. 후실의 나머지 3면의 묘실벽은 길이 약 1.2m의 각재를 종횡으로 교차하여 쌓아 제주題奏형 구조를 만들었다. 묘실의 천정부는 각재를 교차하여 3층으로 덮은 평천정이며, 묘실 주위를 점토로 덮었다. 전실은 북벽의 중앙에 묘문을 만들고 절반으로 나누어지는 문짝을 설치하였다. 후실에는 하나의 외관 안에 3기의 관을 매납하였으며, 전실에는 부장품을 배치하였다.

타카쿠 켄지高久健二는 이 무덤의 합장 과정에 대한 연구하였다[5](그림 5-3). 전실의 서반부 벽면에는 벽화가 그려져 있는데, 내용은 모호하고 분명치 않다. 발굴보고서에는 출행도일 것으로 추측하였다. 남정리 116호묘에서 사용한 제주형 구조는 각재를 쌓아 만든 것일 뿐 한나라 제후왕이 채용하는 황장제주黃腸題

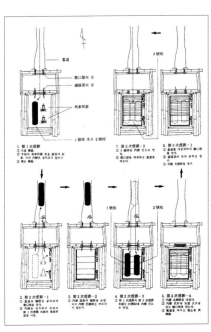

그림 5-3 南井里 116의 埋葬 프로세스高久健二 2000)

4) 남정리116호묘는 횡혈식 구조인데, 중국 학계에서 관곽제도를 연구하는 사례를 참조하면 횡혈식이나 수혈식은 관곽제도를 분석할 때 고려하지 않은 요소이다(張聞捷 2015; 袁勝文 2014; 趙化成 1998).

5) 高久健二, 2000, 「樂浪 채협총南井里116호墳의 埋葬 프로세스에 관한 연구」, 『동아대학교 박물관 고고역사학지』 16, pp.97-130.

秦 제도와 차이가 크다. 출토된 유물로는 오수전, 상방육유금수경尙方六乳禽獸鏡, 각종 칠기와 차마구가 있다.

1중 곽 2중 관 3중 관곽의 무덤은 정백동37호묘[6]의 남곽과 북곽이 대표적이다. 남곽의 구조는 묘광에 외곽을 축조한 다음 외곽 내에 내곽을 설치하였다. 부장품은 내곽과 외곽의 사이에 배치되어 있다. 출토품에는 화분형토기, 소명경昭明鏡, 단경호, 각종 칠기와 각종 차마구가 있다. 북곽의 구조는 남곽과 같지 않다. 북곽은 외곽 내에 격벽을 설치하여 곽내 공간을 남북의 두 부분으로 나누었다. 남쪽에는 내곽을 설치하며, 부장품은 북부와 남부 밑 공간에 배치하였다. 출토품은 남곽과 비슷하다.

1중 곽 2중 관의 3중 관곽 양식은 정백동 6호묘[7]을 대표로 한다. 그 구조를 보면 묘광에 외곽을 설치하고, 외곽 내에 4개의 기둥을 이용해 내곽이 설치된 주곽과 배장품이 안치된 옆칸으로 공간을 나누었다. 2개의 관은 내곽에 안치하고, 부장품은 내곽 상부와 옆칸에 배치되어 있다. 출토된 부장품으로는 사신규구경四神規矩鏡과 각종 칠기, 호, 옹기 등 토기가 있다.

1중 곽 1중 관 2중 관곽의 무덤 구조는 거의 같다. 모두 곽 안에 단 중의 관을 배치하는 것이며, 부장품이 보통 관의 윗부분에 배치된다. 혹은 관곽의 사이에 부장품이 배치되거나 양관 사이에 배치되는 경우도 있다. 장식에 따라 단장식과 합장식으로 나뉜다. 단장식을 대표하는 무덤이 정백동 49호[8]이며, 합

---

6) 사회과학원고고학연구소전야공작대, 1978, 「나무곽무덤」, 『낙랑구역 정백동 무덤떼 발굴보고-고고학자료집 제5집』, 과학·백과사전출판사.
7) 사회과학원고고학연구소, 1983, 『락랑구역일대의 고분발굴보고-고고학자료집 제6집』, 과학·백과사전출판사.
8) 사회과학원고고학연구소전야공작대, 1978, 「나무곽무덤」, 『낙랑구역 정백동 무덤떼 발굴보고-고고학자료집 제5집』, 과학·백과사전출판사.

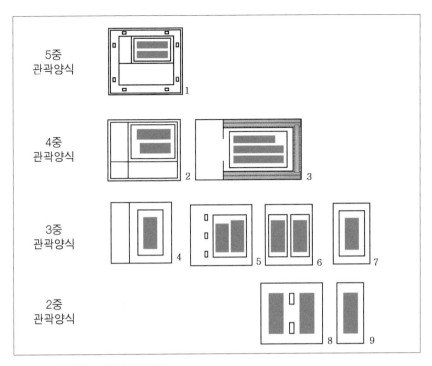

그림 5-4 낙랑 목곽묘 관곽양식 모식도
1.석암리6호 2.정백동127호 3.남정리116호 4.정백동37호 북곽 5.정백동6호 6.석암리219호 7.정백동 37호 남곽 8.정백동2호 9.정백동49호

장식을 대표하는 무덤은 정백동 2호묘[9]이다.

2. 漢 棺槨制度의 成立과 展開

1) 기왕의 연구성과

관곽제도는 관곽의 중첩수를 통해 묘주의 신분 차이를 보여주는 제도다. 이

---

9) 사회과학원고고학연구소전야공작대, 1978, 앞 보고서.

는 중국 고대 사회의 예제와 사회 복잡화의 중요한 내용 중의 하나로, 문헌 기록에 나타날 뿐만 아니라 대량의 분묘 자료에 의해 입증되었다.

란봉실欒丰實[10]은 선사시대의 관곽제도의 기원과 발전에 대해 연구하였는데, 그는 선사시대의 관곽제도가 산동 해대지역의 선사 문화에 기원하고 상주시기 관곽제도의 기초가 된다고 하였다. 조화성趙化成[11]은 문헌 자료와 수많은 고분 자료를 통해 서주~춘추 조기는 주나라 관곽제도의 발생기, 춘추 중기~전국 조기는 주나라 관곽제도의 형성기, 전국 중후반은 주나라 관곽제도의 참월僭越과 파괴기, 서한 시기는 주나라 관곽제도의 손익과 쇠망기였다고 논증한다.

이옥결李玉潔[12]은 문헌에 기재된 관곽제도가 서주 초년에 형성된 것이 아니라 전국 만기에 나타나며, 서한 때 형성된다고 생각하고 있다. 장문첩張聞捷[13]은 최신 고고 자료와 문헌 자료를 결합하여 조화성의 관점이 주로 중원 지역의 변화와 잘 맞아 떨어진다고 보았다. 또 남방 초나라 지역의 관곽제도는 전국 중후반에도 여전히 엄격하게 실행되며, 한나라 관곽제도의 기초가 되었다고 하였다.

원승문袁勝文[14]은 관곽제도의 생성과 변천에 대한 연구 중 한대의 관곽제도가 전국의 관곽제도를 계승한 동시에 춘추 전국 시기에 출현한 황장제주黃腸題湊와 외장곽外藏槨 등이 더해져 곽제의 전성기로 발전한 형태라고 주장하였다.

10) 欒丰實, 2006, 「史前棺槨的產生, 發展和棺槨制度的形成」, 『文物』 06, pp.49-55.
11) 趙化成, 1998, 「周代棺槨多重制度研究」, 『國學研究(第五卷)』, 北京大學出版社.
12) 李玉潔, 1990, 「試論我國古代棺槨制度」, 『中原文物』 02, pp.83-86.
13) 張聞捷, 2015, 「從墓葬考古看楚漢文化的傳承」, 『廈門大學學報哲學社會科學版』 02, pp.146-156.
14) 袁勝文, 2014, 「棺槨制度的產生和演變述論」, 『南開學報哲學社會科學版』 03, pp.94-101.

조윤재[15]는 신석기만기에 관·곽의 발생하여 제도화되었고, 상대 관곽제도의 형성기 춘추시기에 성행기, 전국이후에 쇠퇴기으로 주장하였다.

통시적으로 논정하는 연구 이외 근년에 지역에 따라 연구하는 사례도 있다. 송령평宋玲平은 진계晉系 목곽묘의 관곽제도를 검토[16]하였으며 상여춘尙如春과 등명여滕銘予는 초계 목곽묘의 관곽제도를 검토하였다[17]. 이러한 지역 연구를 통해 관곽제도는 각 지역마다 형성와 쇠퇴 시기가 다르다. 따라서 한 이전의 관곽제도 연구는 지역별로 연구해야 할 필요성을 제시하였다.

2) 漢의 棺槨制度

한나라의 관곽제도에 대한 문헌자료는 부족해서 자세히 알 수 없다. 최근 호북湖北 운몽雲夢 수호지睡虎地 M77호묘[18]에서 발견된 한나라 조기의 장률葬律 간독簡牘에는 열후 등급의 관곽제도가 기재되어 있다. "2중 곽을 사용할 수 있고 그 중 하나의 두께는 1척8촌이며, 외장곽 하나를 사용할 수 있고 두께는 5척이며 목탄을 사용할 수 있다[19]." 즉 곽 중첩수는 2중을 사용할 수 있지만, 관 중첩수에 대한 기록이 없거나 간독이 불완전하다. 이 간독 내용을 통해서 한대 열후는 2중 곽을 사용할 수 있다는 것을 알 수 있다.

또 한대는 춘추 말기 전국시대에 형성된 관곽제도를 계승하는 것을 바탕으

---

15) 趙胤宰, 2013, 「漢晉 喪葬儀禮의 形成과 棺槨制度의 變容」, 『고고학』 3, pp.253-290.
16) 宋玲平, 2008, 「晉系墓葬棺槨多重制度的考察」, 『考古與文物』 03, pp.53-57.
17) 尚如春·滕銘予, 2018, 「試論楚墓棺槨制度」, 『江漢考古』 04, pp.83-92.
18) 湖北省文物考古研究所·雲夢縣博物館, 2008, 「湖北雲夢睡虎地M77發掘簡報」, 『江漢考古』 4, pp.31-37.
19) 彭浩, 2009, 「讀雲夢睡虎地M77漢簡《葬律》」, 『江漢考古』 4, pp.130-134. "槨二, 其一厚尺一八寸, 藏槨一, 厚五尺, 得用炭."

로 춘추전국 때 출현한 "황장제주"와 "외장곽"의 곽제를 전성기로 발전시켰다. 황장제주의 묘제는 명당明堂, 후침後寢, 편방便房, 재궁梓宮, 황장제주를 포함한 정장正藏과 외장곽을 사용한다[20]. 이 제도는 식읍食邑이 있는 제후왕과 열후 등 고급 작위와 황제만 사용할 수 있고, 다른 등급은 사용할 수 없다[21].

현재의 고고 자료에 따르면, 한대의 관곽제도는 2중 곽 3중 관이나 3중 곽 2중 관이나 1중 곽 4중 관의 5중 관곽, 2중 곽 2중 관의 4중 관곽, 1중 곽 2중 관의 3중 관곽, 1중 곽 1중 관의 2중 관곽 4개 등급으로 나뉜다[22].

5중 관곽을 사용하는 묘장은 대부분 제후왕급 대형 무덤이다, 예를 들면 장사長沙 상비취象鼻嘴 오성吳姓 장사왕묘長沙王墓[23], 산동山東 장청長青 쌍유산雙乳山 M1 제북왕묘濟北王墓[24], 북경北京 대보대한묘大葆台漢墓[25] 등이 있다. 이 제후왕묘는 2중 곽 3중 관이나 3중 곽 2중 관의 5중 관곽을 사용하며 거의 모두 황장제주를 묘제로 사용한다. 제후왕묘 이외에 5중 관곽을 사용한 무덤은 호남湖南 마왕퇴馬王堆 1호묘[26]의 사례가 있으며, 묘주는 열후의 부인이지만 5중 관곽을 사용하였다. 이러한 경우는 마왕퇴 1호묘 주인이 황제의 은상恩賞을 받아 이런 제후왕급의 관곽제도를 사용할 수 있었다는 견해[27]가 있다.

2중 곽 2중 관 4중 관곽을 사용하는 신분은 제후왕 부인, 열후나 품질品秩

20) 李如森, 2003, 『漢代喪葬礼俗』, 沈陽出版社, pp.75-81.

21) 俞偉超, 1985, 「漢代諸侯王与列侯墓葬的形制分析」, 『先秦兩漢考古學論集』, 文物出版社.

22) 張聞捷, 2015, 「從墓葬考古看楚漢文化的傳承」, 『廈門大學學報哲學社會科學版』 2, pp.146-156; 袁勝文, 2014, 「棺槨制度的産生和演變述論」, 『南開學報哲學社會科學版』 3, pp.94-101; 趙化成, 1998, 「周代棺槨多重制度研究」, 『國學研究(第五卷)』, 北京大學出版社.

23) 湖南省博物館, 1981, 「長沙象鼻嘴一号西漢墓」, 『考古學報』 1, pp.111-130.

24) 山東大學考古系, 1997, 「山東長清縣雙乳山一號漢墓發掘簡報」, 『考古』 3, pp.1-9.

25) 大葆台漢墓發掘組, 1989, 『北京大葆台漢墓』, 文物出版社.

26) 湖南省博物館, 1973, 『長沙馬王堆一號漢墓』, 文物出版社.

27) 李玉潔, 1990, 「試論我國古代棺槨制度」, 『中原文物』 02, pp.83-86.

2000석의 관리이다. 그리고 정치적 사건으로 인해 신분이 낮아진 제후왕도 2중 곽 2중 관 4중 관곽의 관곽 중첩수로 관곽을 둘 수 있었다. 대표적인 분묘는 호남湖南 망성파望城坡 어양漁陽 왕후묘王後墓[28], 남창南昌 해혼후海昏侯 유하묘劉賀墓[29], 호남湖南 망성望城 풍봉령風篷嶺 오성吳姓 장사왕후長沙王後[30], 안휘安徽 육안六安 쌍둔雙墩 1호[31], 장사長沙 함가호鹹家湖 유성劉姓 장사왕후長沙王後[32] 등이 있다. 그중에 육안공왕 유경묘는 정치적 이유로 2중 곽 2중 관을 사용하였다. 해혼후 류하는 27일 동안 황제였지만 죽었을 때 신분이 열후이므로 열후의 관곽제도를 사용하였다. 여기서 한나라 관곽제도의 엄격함을 볼 수 있다.

1중 곽 2중 관을 사용하는 무덤은 주로 열후부터 오대부五大夫나 품질 600석 이상의 관리의 것이다. 예를 들면 호남湖南 원릉沅陵 호계산虎溪山 M1호묘[33], 강릉江陵 봉황산鳳凰山 M168호묘 강릉현령江陵縣令 오대부五大夫[34], 장사長沙 마왕퇴馬王堆 M2호묘 대후軑侯[35], 안휘安徽 소호巢湖 북두산北頭山 1호묘[36]이다. 오대부보다 낮은 사람은 1중 곽 1중 관 또는 1중 관을 사용한다.

서한 중기 이후 각종 횡혈식 무덤이 성행하는데 특히 전실묘 석실묘는 그 자체가 곽의 역할을 하고 묘실 내에 있는 매장시설은 일반적으로 유관무곽으로

28) 長沙市考古文物研究所, 2010, 「湖南長沙望城坡西漢漁陽墓發掘簡報」, 『文物』 4, pp.4-35.

29) 江西省文物考古研究所 · 南昌市博物館, 2016, 「南昌市西漢海昏侯墓」, 『考古』 7, pp.45-62.

30) 長沙市考古文物研究所, 2007, 「湖南望城風篷岭漢墓發掘簡報」, 『文物』 12, pp21-41.

31) 安徽省文物考古研究所, 2007, 「安徽六安雙墩一號漢墓發掘簡報」 『文物研究第17辑』.

32) 肖湘 · 黃綱正, 1979, 「長沙咸家湖西漢曹㜮墓」, 『文物』 3, pp.1-16.

33) 湖南省文物考古研究所, 2003, 「沅陵虎溪山一號漢墓發掘簡報」, 『文物』 1, pp.36-55.

34) 紀南城鳳凰山一六八号漢墓發掘整理組, 1975, 「湖北江陵鳳凰山一六八號漢墓發掘簡報」, 『文物』 9, pp.1-7.

35) 湖南省文物考古研究所湖南省博物館, 2004, 『長沙馬王堆二, 三號漢墓 : 田野考古發掘報告. 第1卷』, 文物出版社.

36) 安徽省文物考古研究所, 2007, 『巢湖漢墓』, 文物出版社.

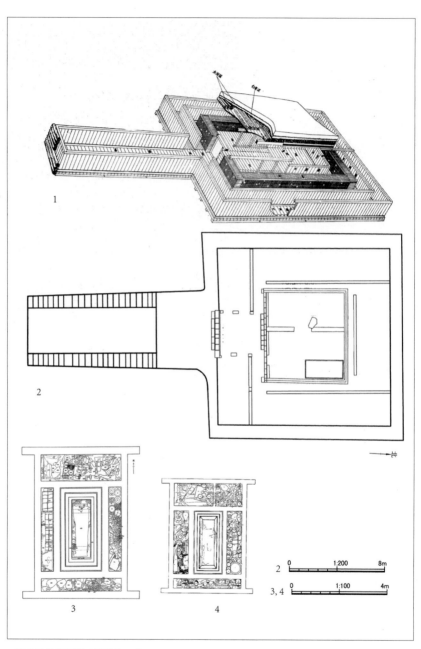

그림 5-5 한대 목곽묘 관곽제도 대표
1. 大葆台漢墓 2. 南昌 海昏侯墓 3. 馬王堆 1호 4. 馬王堆 2호

서 별도의 곽이 설치되지 않았다. 전실묘, 석실묘에는 감실, 측실, 후실 등이 설치되어 목곽묘의 곽실의 역할을 대체하였고 이로써 춘추 이래 형성된 관곽 제도는 종언을 맞이하게 된다.

동한 시대의 매장제도는 관의 재질, 무늬만 규정되어 있고, 곽의 중첩수, 재질, 무늬 등에 대해서는 언급되어 있지 않다[37]. 따라서 동한 때의 목곽은 이른바 위세적인 성격을 상실하였다는 것을 알 수 있다.

한나라 이후 관곽제도는 소멸하게 된다. 높은 등급의 전실묘, 석실묘에 일부 석재로 만든 곽처럼 생긴 매장시설이 있지만, 이러한 매장시설이 모든 시대에 있는 것이 아니며, 형태도 시기별로 다르다. 매장시설의 사용에서도 신분에 따른 제약이나 규범은 없었다.

3. 樂浪 木槨墓 棺槨制度의 考察

중국 중원지역 관곽제도의 기원과 발전, 소멸 과정를 정리함으로써 낙랑 목곽묘의 관곽제도는 중원 지역과 차이가 있다는 것을 알아보았다. 낙랑 목곽묘 관곽제도의 구체적인 내용을 설명하기 위하여 이 장에서는 낙랑군의 지배조직과 목곽묘의 분기 편년을 바탕으로 낙랑 목곽묘관곽제도의 설립과 전개과정을 고찰하고, 시기별 다중관곽 양식을 대표하는 위계를 살펴보자고 한다.

---

37) 『後漢書』卷九十六「禮儀下」: 諸侯王, 列侯, 始封貴人, 公主薨, 皆令贈印璽, 玉柙銀縷, 大貴人, 長公主銅縷, 諸侯王, 貴人, 公主, 公, 將軍, 特進皆則器, 官中二十四物, 使者治喪, 穿作, 柏槨, 百官會送, 如故事, 諸侯王, 公主, 貴人皆樟棺, 洞朱, 雲氣畫, 公, 特進樟棺黑漆, 中二千石以下坎侯漆.

1) 樂浪郡의 支配 組織

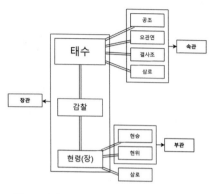

그림 5-6 낙랑군의 사회 조직

낙랑군에 대한 한의 지배는 군현제를 근간으로 했기 때문에 통치 단위는 군과 현으로 이루어졌다. 군과 현의 장관인 태수와 현령(장)과 부관인 승丞, 위尉가 중앙에서 파견되었다. 이와 대별되는 직위로는 지방 현지에서 임용된 속관이 있다. 이러한 통치방식은 중원 지역에서 광범위하게 시행된 군현제와 크게 다르지 않다[38].

군현의 장관과 부관들은 원칙적으로 다른 군 출신자를 중앙에서 임명하여 파견하는 회피제回避制가 지켜졌다. 그리고 이들은 일정 기간 해당 직임을 수행한 뒤 다시 중원으로 복귀했으며, 모두 귀장제歸葬制를 지켰다. 그래서 낙랑지역에서 중국 관리의 무덤은 발견된 적이 없다. 속관은 원칙적으로 해당 지역에서 선발해야 했으나, 낙랑군 설치 초에는 그러한 원칙이 지켜지기 어려웠다. 당시에 낙랑군의 원주민들은 대부분 토착민이었기 때문이다. 그래서 낙랑군 설치 후에는 요동군에서 속관을 데리고 와서 군을 운영하였다는 기록이 있다.[39]

군의 태수는 진나라 시대에는 군수라고 하였지만 한경제漢景帝 원년(서기전 156년)에 태수로 바꾸었다. 품질品秩은 2000석이고 중앙에서 직접 임명하였다. 태수부는 제조諸曹로 나누어져 있었는데, 인사를 담당하는 공조功曹, 제사를

---

38) 苗威, 2016, 『樂浪硏究』, 高等敎育出版社.
39) 『漢書』 卷28 地理志 : 郡初取吏于遼東.

담당하는 오관연, 사법을 담당하는 결조사, 교육을 담당하는 삼로 등이 있었다. 제조는 연掾, 사史, 서좌書佐로 나누어져 있었다.

현의 장관은 현의 규모에 따라 명칭이 다르다. 호구가 만호를 넘으면 현령이라고 불렀고 만호를 넘지 않으면 현장이라고 불렀다. 현의 부관은 현승과 현위가 있다. 현승은 현의 문서와 감옥을 담당하였으며, 현위는 현의 군사를 담당하였다. 현에서도 교육을 담당하는 삼로가 있었다.

서한 시기에 중앙은 한반도 토착민의 수령에게 분봉제를 시행하였다. 토착민 수장의 봉호는 왕이 아니고 군君이다. 군은 현의 장관인 현령(장)과 같이 현을 관리하였으며, 토착민 사무事務를 관리하였고 지위는 현의 장관에 해당하였다.

2) 樂浪 木槨墓의 分期와 棺槨制度의 考察

낙랑목곽묘에서는 칠기와 동경 등 제작 연대가 확실한 유물들이 많이 출토되고 있어 대략적인 편년틀을 세울 수 있다. 또한 한국식동검과 동모, 동부, 화분형토기 등 유물에 대한 형식학적 연구도 활발히 이루어져 목곽묘의 각 형식이 존재했던 시기를 파악하는 데에도 유용하다. 이러한 자료를 바탕으로 낙랑목곽묘를 편년한 신용민[40], 이영훈[41], 타카쿠 켄지[42], 왕배신[43] 등 학자들의 연구성과가 있다. 이 가운데 타카쿠 켄지의 편년안이 가장 체계화 되어 있다. 본고에서는 타카쿠 켄지의 편년안을 참고하여 낙랑 목곽묘의 편년을 알아 보고자 한다.

---

40) 辛勇旻, 1990,『西北地方 木槨墓에 관한 研究』, 東東亞大學校大學院 碩士論文.
41) 이영훈, 1987,『樂浪木槨墳의 一考察』, 서울대학교대학원 석사논문.
42) 高久健二, 1995, 앞 책, pp.33-90.
43) 王培新, 2007, 앞 책, pp.81-93.

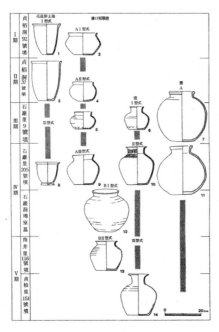

그림 5-7 낙랑고분 출토 토기의 편년도
(高久健二 1995)

타카쿠 켄지의 편년안을 구체적으로 살펴보면 낙랑 목곽묘에 있어서 가장 일반적으로 볼수 있는 화분형토기, 단경호, 옹 등 토기의 형식학적 변천을 도출한 다음에 한식동경을 사용하여 편년하였는데, 단장 목곽묘와 성문경으로 대표되는 제1기를 낙랑군 설치년의 상한으로 보았다. 단장 목곽묘와 병혈합장 목곽묘를 위주로 하며 이체자명대경으로 대표되는 제2기는 기원전 1세기 후반으로 설정된다. 동혈합장묘가 중심이고 방격규구경과 내행화문경이 등장하는 제3기는 기원 1세기가 된다. 동혈합장묘가 중심이지만 전실묘도 등장하는 제4기는 기원 1세기가 상한이고 기원 2세기가 하한이 된다.

타카쿠 켄지의 편년 성과를 목곽묘 다중 관곽 분류를 대응시킬 때 각 시기에 나타나는 다중 관곽 양식은 다음과 같다.

제1기의 다중 관곽 양식은 1중 곽 1중 관 2중 관곽 양식만 있다.

제2기의 다중 관곽 양식은 명확한 등급화, 다양화를 보인다. 2중 곽 1관, 1중 곽 2중 관 3중 관곽 양식과 1중 곽 1중 관 2중 관곽 양식이 있다.

제3기의 다중 관곽 양식은 제2기의 관곽 양식을 바탕으로 발전한 것이다. 제2기보다 더욱 복잡한 다중 관곽 양식을 나타낸다. 제3기에 4중 곽 1중 관의

표 5-1 낙랑 목곽묘 관곽 충첩수 편년표

관곽 충첩수 시기	2중 관곽 양식	3중 관곽 양식	4중 관곽 양식	5중 관곽 양식
I 기	정백동90호, 정백동92호, 토성동4호, 토성동486호, 운성리2호, 운성리3호			
II 기	정백동94호, 정백동88호, 석암리52호, 운성리4호, 운성리9호, 통일동35호, 통일동56호, 통일동60호, 통일동41호, 관문동5호, 통일동42호	정백리17호, 석암리257호, 정백동37호, 오야리20호, 석암리219호		
III 기	정백동49호, 정백동84호, 정오동6호, 정오동9호, 정오동12호, 석암리9호, 석암리200호, 통일동47호, 통일동49호, 통일동51호, 통일동52호, 통일동54호, 통일동39호, 통일동58호	정백동67호, 정백리2호, 정오동5호, 정오동7호, 정오동10호, 정오동11호, 석암리194호, 석암리201호, 석암리212호, 통일동34호, 정오동1호	정백리127호	석암리6호
IV 기	정백동7호, 정백동11호, 정백동46호, 정백리4호, 정백리8호, 정오동2호, 석암리20호, 통일동36호, 통일동43호, 통일동55호	정백동6호, 정백리3호, 정백리13호, 정백리59호, 정오동4호, 정오동8호, 락랑리85호, 장진리30호, 석암리205호	남정리116호, 오야리19호	

5중 관곽 양식과 3중 곽 1중 관의 4중 관곽 양식과 2중 곽 1중 관의 3중 관곽 양식과 1중 곽 1중 관의 2중 관곽 양식이 있다.

제4기의 다중 관곽 양식은 제3기의 4중 곽 1중 관의 5중 관곽 양식이 보이지 않고 제주형을 모방한 관곽양식이 나타난다. 이 시기에 3중 곽 1중 관의 4중 관곽 양식과 1중 곽 2중 관의 3중 관곽 양식, 1중 곽 1중 관의 2중 관곽 양식이 있다.

이상 각 시기별로 다중 관곽 양식의 구성을 살펴보았다. 다음으로 이러한 관곽 양식의 차이가 중원지역의 관곽 양식처럼 위계가 있는지에 대해서 목곽묘의 부장유물을 통해 검증하고자 한다.

(1) 제1기 : 낙랑군 설치 전후

제1기는 낙랑군이 막 설치되고 그 사회조직과 정치제도가 제대로 갖춰지지 않은 시기로 토착 지배 세력이 여전히 강력한 권력을 유지하고 있었다. 목곽묘 내에 부장된 유물들은 여러 한국식 청동 무기와 차마구 등을 위주로 하고 있으며, 한식 유물의 부장량은 현저히 적었다. 목곽묘 사용자의 신분은 무덤 안에 부장된 신분차를 나타낼 수 있는 특정 유물을 통해 판단할 수 있다.

표 5-2 제1기 특정 유물 동반 관계

	철제 장검	차마구	칠기	동경
A	○	○	○	○
B	○	○		○
		○	○	
C	○			

이 시기의 신분차를 나타낼 수 있는 특정 유물은 선행 연구를 근거로 할 때 철제 장검, 차마구라고 볼 수 있다[44]. 동경과 칠기는 이 시기에 속하는 목곽묘에서 출토량이 적기 때문에 고위 신분이 사용하였을 가능성이 크다. 따라서 동경과 칠기도 더불어 검토하고자 한다. 이상 선정된 특정 유물의 공반관계에 근거하여 3등급으로 나눌 수 있다. 위계 설정에서 A위계 무덤에 부장된 유물은 철제 장검, 차마구, 칠기, 동경이다. B위계 무덤에 부장된 유물은 철제 장검, 차마구, 동경이며 C위계 무덤에는 철제 장검만 부장된다.

부장유물로 볼 때 이 시기 목곽묘의 사용자 사이에는 위계차가 있지만 크지 않은 편이다. 모두 신분이 비교적 높은 인물이 목곽묘를 사용하고 있으며 묘주는 당시 토착 민족의 수장층일 가능성이 크다.

(2) 제2기 : 서기전 1세기 말~서기 1세기 초

제2기에 신분차를 나타낼 수 있는 유물은 철제 장검, 마면, 노기, 칠기 등이

---

44) 고고학연구소사회과학원, 1976, 『고조선문제연구론문집』, 사회과학원출판사, pp.93-94; 高久健二, 1995, 『樂浪古墳文化研究』, 學研文化社, p.98; 王培新, 2007, 『樂浪文化 : 以墓葬爲中心的考古學研究』, 科學出版社, p.95.

표 5-3 제1기의 목곽묘 위계별 부장품 차이

무덤	등급	무기					차마구						장신구		칠기	청동용기	동경	목곽면적
		청동단검	철제장검	철도	노기	철모	재갈	마면	궁개모	차축도	을자형동기	원통형통기	대구	반지				
정백동92호	A		○				○		○	○			○		○		○	1.35
토성동4호	B	○	○								○	○	○			○	○	3.72
토성동486호			○	○		○										○	○	2.1
정백동90호	C									○					○			2.85

있다. 철제 장검은 제1기에 이미 신분차를 나타낼 수 있는 유물이며, 제2기에서도 그러하다. 마면은 청동이나 금동으로 만들고 보통 화려한 무늬를 가지고 있다. 따라서 부장된 차마구에 마면이 있으면 신분이 더 높을 가능성이 있다. 노기는 한식 무기이고 신분차를 나타낼 수 있는 유물이라는 것은 선행 연구들에서 이미 제시한 바 있다. 칠기의 경우 제2기부터 부장된 수량과 종류가 증가한다. 일반적인 칠기로는 안, 판, 이배 등이 있다. 동경은 제2기부터 일반적인 부장품이 되기 때문에 신분차를 나타낼 수 있는 유물이라고 할 수 없다.

제2기 목곽묘에서 출토된 특정 유물의 공반관계에 따라서 위계를 설정하면 A위계 무덤에 부장된 특정 유물은 철제 장검, 노기, 마면, 칠기이고, 마면이 빠진 경우도 있다. B위계 무덤에 부장된 특정 유물은 A위계에 나타나는 유물 바탕으로 칠기나 마면이 빠진다. C위계 무덤에서 부장된 특정 유물은 철제 장검, 노기만 있다.

제2기에 속하는 목곽묘는 위계 고찰을 통해서 볼 때 2중 곽 1중 관이나 1중 곽 2중 관의 3중 관곽 양식이 A위계를 차지하고 있다. 1중 곽 1중 관 2중 관곽 양식이 대부분 B나 C위계를 차지하고 있다. 1중 곽

표 5-4 제2기 특정 유물 동반 관계

	철제장검	노기	마면	칠기		
				안	반	이배
A	○	○	○			
	○	○		○	○	○
B	○			○	○	○
	○	○	○			
C	○	○				
	○					

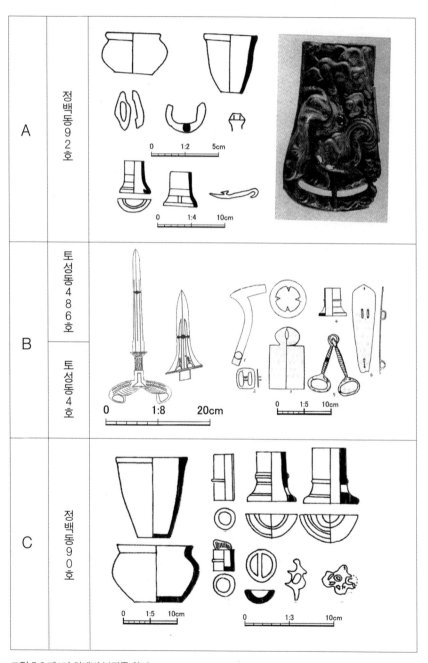

A	정백동9 2호	
B	토성동4 8 6호 토성동4호	
C	정백동9 0호	

그림 5-8 제1기 위계별 부장품 차이

1중 관 2중 관곽 양식 중에서 정백동 1호묘과 정백동 2호묘가 A위계와 B위계를 차지하고 있다. 따라서 이 2기의 고분에 대해서 살펴볼 필요가 있다.

정백동 1호묘[45]는 발굴되었을 때 이미 관곽은 썩어 없어졌으며, 내부 바닥에서 일부 확인된 각재로 미루어 볼 때 단장 목곽묘로 추정된다. 목곽묘의 전체 규모는 파괴가 심하여 확인할 수 없으나 출토유물이 풍부했다. 특히 정백동 1호묘에서는 부조예군이라는 은인이 출토되어 부조예군묘로도 불린다. 서한 시기 중앙정부는 동북 토착 민족에 대한 책봉제를 시행하였고, 요동지역에는 부여와 고구려의 세력이 자리잡고 있었다. 『삼국지三國志』고구려전高句麗傳에 따르면 부여는 건국 이전의 수장층이 예왕으로 책봉된 바 있다고 전한다. 한반도 군현 내의 재지 세력 수장의 봉호는 왕이 아닌 군으로서 정백동 1호묘에서 출토된 부조예군의 명칭으로 보면 묘주는 부조예족의 수장일 가능성이 있다.

정백동 2호묘[46]은 동혈 합장묘이며, 길이 2.8m, 너비 2.5m이다. 출토 유물로는 칠기, 토기, 동경, 마구, 세형동검 외에 '고상현인高常賢印'이라는 은인과 '부조장인夫租長印'이라는 동인이 같이 출토되었다. 여기서 부조장은 부조현의 현장을 지칭하는 것으로 추정된다. 서한 시기 낙랑지역에서는 군현제를 시행한 뒤에 큰 힘을 들여 사회조직과 정치제도를 한화하였다. 한에서는 군의 태수 및 현에 있는 장관과 차관은 모두 해당 관할지에서 선임할 수 없었으며 죽은 관원 및 귀족은 보통 고향으로 돌아가 매장되는 귀장의 원칙을 지켰다[47]. 따라서 고상현은 부조현의 현장으로 죽은 후 낙랑군의 치소인 조선현에 귀장된 관리

---

45) 백련행, 1962, 「부조예군 도장에 대하여」, 『문화유산』 4.
46) 사회과학원 고고학연구소, 1983, 『락랑구역일대의 고분발굴보고-고고학자료집 제6집』, 과학·백과사전출판사.
47) 苗威, 2016, 『乐浪硏究』, 高等教育出版社, pp.234-241.

표 5-5 제2기의 목곽묘 위계별 부장품 차이

무덤	등급	관곽 층수		무기					차마구						장신구		칠기			동경	목곽면적
		관	곽	청동단검	철제장검	철도	노기	철모	재갈	마면	궁개모	차축도	을자형동기	원통형동기	대구	반지	안	반	이배		
정백동37호	A	1	2		○	○	○		○	○	○				○	○	○	○	○	○	9.9
석암리219호		2	1		○	○			○	○	○	○			○	○	○	○	○		11.1
정백동2호		1	1	○	○	○			○	○	○	·		○	○	○	○	○	○		7
석암리257호	B	1	2		○				○		○				○		○	○	○		10.2
정백리17호		1	2		○						○					○	○	○	○		14.2
정백동1호		1	1	○	○	○	○	○	○	○	○	○									?
석암리52호	C	1	1		○		○		○						○	○					15.7
정백동62호		1	1		○	○			○		○	○									?
정백동36호		1	1		○															○	2.6
정백동58호		1	1			○				○				○							5.4
정백동62호		1	1		○	○			○		○	○									?
통일동56호		1	1					○													3.6
통일동60호		1	1			○	○								○	○					1.6
통일동41호		1	1																○		5

라고 판단된다.

『한서漢書』 백관공경표상百官公卿表上에 따르면 "호구 만호가 되면 현령이고 품질이 600석이다. 호구가 만호를 넘지 않는 경우 현장이고 품질이 300석~400석이다[48]"라고 기록되어 있다. 이에 따르면 고상현은 부조현 현장이며 품질은 300석~400석이어야 한다. 부조예군은 부조현에 고상현과 같은 위계를 가지고 토착 민족을 관리하였기 때문에 품질은 고상현과 같다고 생각한다. 이렇게 볼 때 품질은 500석을 넘지 않으며, 중국 내에서 500석 이하의 관리가 사용하는 1중 곽 1중 관 2중 관곽양식의 관곽제도와 일치하는 것을 볼 수 있다.

3중 관곽 양식의 사용자는 품질을 확인할 수 없지만 1중 곽 2중 관 3중 관곽 양식인 석암리 219호묘에는 '왕근신인王根信印'이라는 동인이 출토되었다. 왕씨 도장은 낙랑고분에서 가장 많이 출토되었으며 왕씨는 낙랑지역에서 확인되는 토착 한인 중에서 가장 큰 비중을 차지하는 것으로 볼 수 있다. 출토된 인

---

48) 『漢書』百官公卿表上: 萬戶以上爲令, 秩千石至六百石, 減萬戶爲長, 秩五百石至三百石.

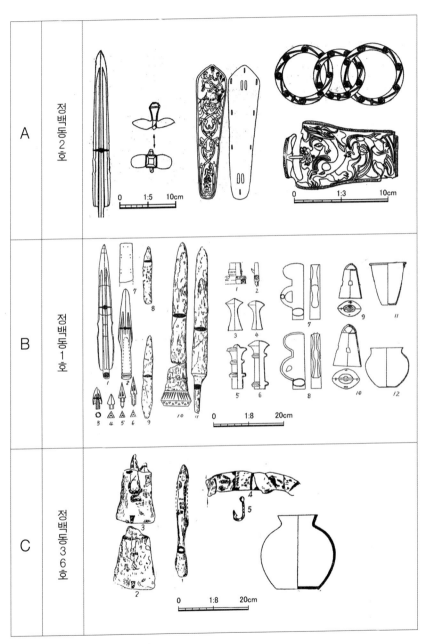

그림 5-9 제2기 위계별 부장품 차이

장 중에서 직위를 표시한 인장으로는 '오관연왕우인五官掾王盱印'과 '낙랑태수연
왕광지인樂浪太守掾王光之印'이 있다. 이를 참고하여 석암리 219호묘의 피장자인
왕근은 왕우 및 왕광의 직위와 같은 군의 속관일 가능성이 있다.

이상 고찰로 볼 때 제2기의 2중 곽 1중 관이나 1중 곽 2중 관 등 3중 관곽
양식의 사용자는 군의 속관일 가능성이 있고 1중 곽 1중 관의 2중 관곽 양식
의 사용자는 품질 500석 이하의 관리일 가능성이 있다. 3중 관곽 양식의 사용
자는 2중 관곽 양식의 사용자보다 위계가 높다. 이러한 점에서 낙랑의 다중
관곽 양식은 한 중원지역의 관곽제도와 일치한다.

(3) 제3기 : 대략 서기 1세기

제3기에 신분차를 나타낼 수 있는 유물은 철제 장검, 마면, 칠기, 장옥, 청동
용기 등이 있다. 철제 장검, 마면과 칠기는 제2기의 무덤 위계를 판정하는데 유
효한 것이므로 제3기의 무덤에 대해서도 신분차를 나타내는 기준이 될 수 있
다고 생각된다. 장옥은 전국시대 이후 시신의 눈, 귀, 코 등을 옥기로 막은 것
이다. 한나라 이후 점차 옥구규새玉九竅塞와 옥악玉握으로 발전했다. 낙랑 목곽
묘에서 장옥이 부장되는 것은 한나라 장제가 도입되었기 때문이며, 그 사용자
는 위계적 차이를 지닐 수 있다고 생각된다. 청동용기는 1기에 이미 나타나며
3기 배장의 수가 많아져서 같은 묘제임에도 여러 청동용기가 함께 부장되는
현상이 보인다. 무덤에 청동용기를 부장하는 것도 중원 장제이기 때문에 청동
기 유무는 신분차를 나타낼 수 있는 가능성이 크다.

제3기에 신분차를 나타낼 수 있는 부장 유물의 공반관계를 정리해보면 A위
계 무덤에 부장된 유물은 철제 장검, 마면, 칠기, 장옥, 청동용기가 있는데 장
옥이 빠진 경우가 있다. B위계 무덤에 부장된 유물은 A위계 무덤에 부장된 유

물을 바탕으로 마면, 장옥이 없고 청동 용기를 부장하는 경우도 적다. C위계 무덤에서 부장된 유물은 철제 장검밖에 없다.

제3기에 속하는 무덤은 위계 고찰을 통해 보면 A위계에는 3중 곽

표 5-6 제3기 특정 유물 동반 관계

	철제 장검	마면	칠기			장옥	청동 용기
			안	반	이배		
A	○	○	○	○	○	○	○
	○	○	○	○	○		○
		○		○	○		○
B	○			○	○		
				○	○		
C	○						

1중 관 4중 관곽양식과 2중 곽 1중 관 3중 관곽양식 2가지만 확인된다. B위계에는 석암리 6호묘 외에 모두 2중 곽 1중 관 3중 관곽양식이다. C위계에는 모두 1중 곽 1중 관 2중 관곽양식이다.

A위계에 속한 3중 곽 1중 관의 4중 관곽 양식인 정백리 127호묘는 '낙랑태수연왕광'이라는 은인이 출토되었다. 여기서 연은 오관연이라는 관직이다. 이 은인을 통해 정백리 127호묘의 묘주는 낙랑 태수 오관연 왕광이라는 것을 알 수 있다. 제2기로 설정한 낙랑 속관의 분묘인 석암리 219호묘와 비교해 보면, 제3기 낙랑 속관묘의 관곽 중첩수가 3중 곽 1중 관 4중 관곽양식으로 격상된 것을 알 수 있다. 한나라 중원지역에서 4중 관곽양식을 사용할 수 있는 신분은 제후왕 부인, 열후나 품질 2000석 이상의 관리인데 오관연은 분명히 2000석에 미치지 못한다. 이로 볼 때 낙랑 목곽묘의 관곽제도는 한나라의 관곽제도에 비해서 품질이 모자라더라도 묘주 신분 이상의 관곽을 사용할 수 있었던 것으로 보인다. 하지만 그 차이는 한 단계 정도에 그칠 뿐, 한나라 관곽제도의 범위에서 크게 벗어나지 않은 것으로 보인다.

석암리 9호묘에 부장된 유물은 정백리 127호묘보다 더 많은데 묘장 보존 상태가 불량한 관계로 목곽 내부 구조를 알 수 없다. 보고서에서는 외곽만 확인된다고 기재되어 있는데, 부장유물의 배치 양상을 참고할 때 내곽이 있을 가

표 5-7 제3기의 목곽묘 위계별 부장품 차이

무덤	등급	관곽층수		무기				차마구						장신구			칠기					청동용기	목곽면적
		관	곽	철장검	철도	노기	철모	재갈	마면	궁개모	차축도	을자형동기	원통형통기	대구	반지	장옥	안	반	이배	盒	杯		
석암리9호	A	1	2	○	○	○		○	○	○	○			○	○	○	○	○				○	11
정백리127호	A	1	3	○	○	○		○	○	○	○			○	○	○	○	○		○		○	10
정오동5호	A	1	2			○								○	○	○	○	○		○		○	20
석암리194호	B	1	2	○	○			○	○	○				○	○		○	○				○	12
정오동1호		1	2														○	○	○	○	○	○	9
정오동9호		1	2					○							○		○	○	○	○	○	○	10
정오동10호		1	2			○		○									○	○	○	○	○	○	8.2
정오동11호	B	1	2					○						○			○						9
석암리201호		1	2								○			○	○		○	○		○	○	○	17
석암리200호		1	2								○						○		○		○	○	24
통일동34호		1	2	○	○	○	○	○	○	○				○	○								15
정백리2호		1	2														○	○	○	○	○	○	11
석암리6호		1	4											○	○	○	○	○					20
정백동49		1	1				○																2.7
정백동67호	C	1	1	○	○			○															7.8
통일동54호		1	1		○		○																2.3

능성이 있다고 판단된다. 또한 석암리 9호묘는 외곽 밖에 적석이 있다. 중원지역 적석목곽묘에서 보이는 것처럼 적석이 사용된 대형분은 일반적으로 관곽 중첩수가 적은 편이므로 석암리 9호묘는 3중 곽 1관의 4중 관곽 양식에 해당하는 등급일 가능성이 크다.

B위계에 속하는 석암리 6호묘는 4중 곽 1중 관을 사용하였지만, 신분차를 나타낼 수 있는 특정 유물로 보면 위계가 높지 않다. 다만 석암리 6호묘에 부장된 유물은 제3기에 일반적으로 부장되는 무기류와 마구류가 보이지 않고 제4기의 부장 양상과 유사하다. 따라서 석암리 6호묘는 일찍이 제4기의 부장 양식을 수용한 묘장일 가능성이 있기 때문에 제4기에서 검토하고자 한다.

제3기에 낙랑에 시행된 관곽제도는 한나라 관곽제도를 참월한다. 하지만 앞서 살펴보았듯이, 참월하더라도 어느 정도 규칙성이 있는 참월 현상을 보이고 있는데, 중원에서의 관곽제도의 위계에 따른 관곽 사용보다 딱 한 위계 높은 것을 사용한다는 점이 바로 그것이다. 이러한 현상이 나타나는 이유는 다음과 같다. 왕망시기에는 주변 토착 민족에 대해 강한 정책을 시행하였고 고구려

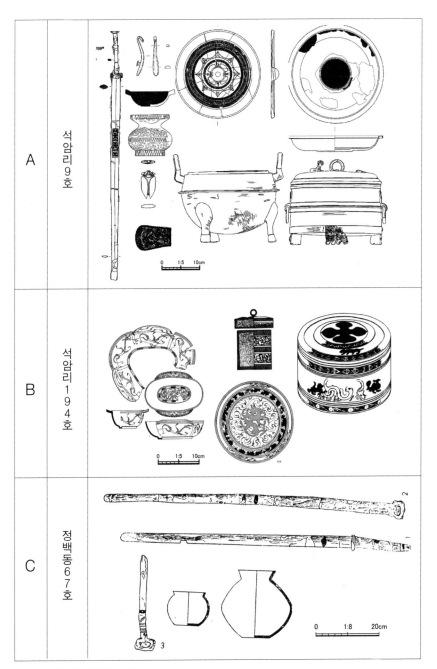

A	석암리 9호
B	석암리 194호
C	정백동 67호

그림 5-10 제3기 위계별 부장품 차이

는 국내성으로 천도한 후 주변 지역으로 영토 확장을 진행하였다. 그리고 낙랑군에서도 서기 25년에 '왕조지란王調之亂[49]'이라는 정치적 사건이 발생하였다. 이러한 역사적 배경 아래 한 제국의 한반도에 대한 통치력이 저하되었기 때문으로 보인다.

특히 낙랑지역 목곽묘 계보와 관련이 있는 광릉국지역의 목곽묘와 비교해 보면, 광릉국지역의 목곽묘는 낙랑지역 목곽묘 제2기에 해당하는 시기에 곽내에 장식문, 창문 등 시설이 나타나지만, 낙랑지역의 경우에는 제3기까지도 나타나지 않는다. 이러한 현상에 대해 필자는 역사적 맥락을 고려하여 낙랑지역과 한 문화의 교류는 제3기에 일시적으로 정체·정지된 것으로 추정하고자 한다. 또 낙랑지역의 목곽묘는 한나라 중기에 낙랑지역으로 유입된 것이기 때문에 목곽묘 전통의 유지력이 떨어지고 제3기 목곽묘의 발전 역시 단순히 외곽수가 증가하는 점을 제외하면 큰 변화가 없다.

제3기에 중원지역에서는 목곽묘가 거의 소멸되고 전실묘가 유행하기 시작하는데 낙랑지역에서는 목곽묘가 지속적으로 조영된다. 그 원인은 당시 낙랑군이 상대적으로 독립적이고 자치적인 상태였으므로 통치자들이 목곽묘가 서한 시기의 고위계 매장의례를 계승한 것이라고 보았기 때문이다. 그리고 제3기에 관곽제도에서의 참월 현상도 한 위계만 올라가는 현상이 있는데 후술하는 제4기와 비교했을 때 통치자는 아직 어느 정도는 한나라의 영향력 아래에 있었기 때문으로 추정된다.

---

49) 『後漢書』王景列傳 : 土人王調殺郡守, 劉憲自稱大將軍, 樂浪太守, 建武六年, 光武遣太守王
    遵將兵擊之.

(4) 제4기 : 서기 1세기 말~ 서기 2세기

제4기에 속하는 분묘에서는 제3기 분묘에 일반적으로 부장되는 무기류와 마구류가 확인되지 않는다. 그러므로 제4기의 신분차를 살펴 볼 수 있는 유물은 칠기밖에 없다. 이 시기에 칠기의 부장 종류가 많아져서 제3기에 고찰된 반盤, 안案, 이배耳杯 이외에도 갑匣, 렴奩, 표杓, 호壺 등을 함께 고려할 필요가 있다.

표 5-8 제4기 특정 유물 공반 관계

	안	반	이배	갑	렴	표	호
A	○	○	○	○	○	○	○
B	○	○	○	○	○		○
B	○	○	○	○	○		
B	○	○	○		○		
B	○	○	○				
C	○	○	○				
C		○					

이상 선정된 칠기 종류의 공반 관계를 근거하여 위계를 설정하면 A위계는 반, 안, 이배, 갑, 렴, 표, 호가 모두 부장된다. B위계는 반, 안, 이배가 부장되지만 갑, 렴, 표, 호를 갖춘 완전한 세트는 확인되지 않는다. C위계는 기본적인 반, 안, 이배만 부장되고 역시 완전한 세트를 구성하고 있지 않다.

제4기에 속하는 무덤의 위계 고찰을 통해 보면 A위계에는 3중 곽 1중 관의 4중 관곽 양식과 2중 곽 1중 관의 3중 관곽 양식, B위계에는 3중 곽 1중 관의 4중 관곽 양식, 2중 곽 1중 관의 3중 관곽 양식 그리고 1중 곽 1중 관의 2중 관

표 5-9 제4기의 목곽묘 위계별 부장품 차이

무덤	등급	관곽총수 관	곽	무기 철장검	철도	노기	철모	차마구 재갈	미면	궁개모	차축도	을자형동기	원통형동기	장신구 대구	반지	장옥	칠기 안	반	이배	갑	렴	표	호	목곽면적
남정리116호	A	1	3						○		○			○	○		○	○	○	○	○	○	○	25
석암리205호	A	1	2												○		○	○	○	○	○	○	○	7
정백리13호	B	1	2	○													○	○	○	○	○		○	9,3
정오동8호	B	1	2											○	○		○	○	○	○	○			9,9
오야리19호	B	1	3												○		○	○	○		○			10
장진리30호	B	1	2											○	○		○	○	○					10
정오동4호	B	1	2												○		○	○	○		○			9
정백동6호	B	1	2												○		○	○	○					9
정백동7호	B	1	1												○		○	○	○					7
정오동2호	B	1	1											○	○		○	○						6
락랑리85호	B	1	2			○									○		○	○						8,2
정백리3호	C	1	2	○													○	○						15
정백리4호	C	1	1											○			○	○						6

곽 양식, C위계에는 2중 곽 1중 관의 3중 관곽 양식과 1중 곽 1중 관의 2중 관곽 양식이 있다. 석암리 6호묘는 제4기 B위계에 해당한다. 제4기의 관곽 사용은 앞의 제3기처럼 규칙성을 보이지 않고 혼재하는 양상이 특징이다.

제4기에서 관곽 사용은 정형성이 보이지 않을 뿐만 아니라 참월 현상이 더욱 심각하다. A위계에 속하는 남정리 116호묘에서 사용한 제주식 곽은 중원지역 제후왕과 황제 전용 곽 구조이다. 남정리 116호묘이 사용된 제주식은 중원지역 제후왕이 사용하는 것보다 위계성은 낮을지라도 보통의 관리가 사용하기에는 지나친 곽 구조로 참월 현상에 해당한다.

남정리 116묘에는 3명이 매장되었고 주칠목관의 사용자는 남자 묘주인데, 출토 칠반과 관에 왕王자가 조각되었으므로 묘주는 왕씨일 수도 있다. 무덤에서 출토된 목찰 명문으로 볼 때 전굉田肱은 조선 현승으로, 남자 묘주의 부하이다. 남정리 116호묘 묘주는 왕씨이며 관직은 현령이나 군수의 속관일 가능성이 있다. 분명한 점은 어떻게 봐도 남정리 116호묘의 묘주는 제주식을 사용할 수 있는 직위가 아니라는 것이다.

또 석암리 6호묘에 적용된 4중 곽 1중 관 5중 관곽 양식은 제후왕만 사용할 수 있는 관곽양식임에도 출토품으로 통해 보면 낙랑지역에서 중상위의 지위를 차지고 있을 뿐이다. 이러한 양상은 제3기처럼 한 위계를 올려 관곽을 사용한 참월 현상보다 더욱 심각하다. 전체적으로 보면 제4기에 낙랑지역의 관곽 사용은 규칙성을 잃었으며, 관곽 중첩수는 신분을 나타내는 역할을 상실하였다.

제4기에 들어 낙랑군의 관곽제도는 혼란스러워지며 곽의 구조상도 신분적인 질서에 구애받지 않고 축조되는 현상이 나타난다. 이처럼 낙랑군의 관곽제도가 붕괴되는 이유는 동한 초, 중기에 한 제국이 다시 낙랑지역에 대한 통치를 회복하였고 이 시기에는 중국 전역에서 목곽묘가 소멸되며 목곽묘 전통이

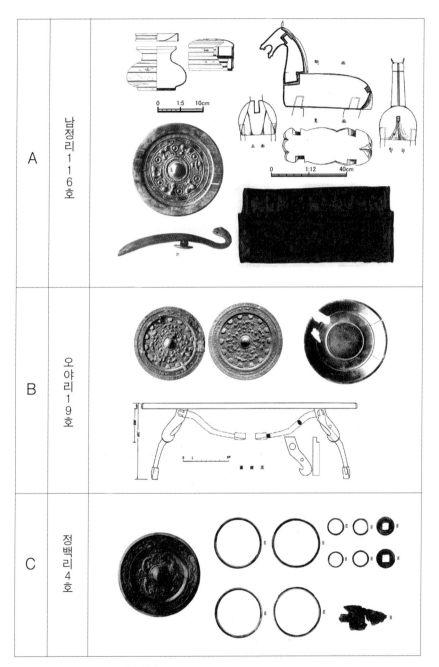

그림 5-11 제4기 위계별 부장품 차이

강했던 광릉국 역시 이 시기부터 전실묘로 대체되었다. 『후한서後漢書』 기록을 보면 동한 시기에는 신분에 따라 관곽을 사용하는 관곽제도가 없었다. 낙랑지역에서 제3기를 지나 다시 한 문화와 교류를 회복하자마자 낙랑군의 낙후한 한문화에 혁신이 일어났다. 한식 유물도 전 시기보다 더욱 많이 수입하고 전시기의 부장 풍습도 한식화된다.

다시 정리하면 낙랑 목곽묘 관곽제도의 변천 과정은 제1기 수용기 → 제2기 발전기 → 제3기 참월기 → 제4기 혼란기로 구분할 수 있다. 낙랑 전실묘가 제4기 혼란기에 등장하였던 점은 이러한 변천이 동북아시아의 정치 상황의 변동과 그에 따르는 한문화의 수입 및 그 요건 등과 큰 관련이 있었기 때문이라 판단된다.

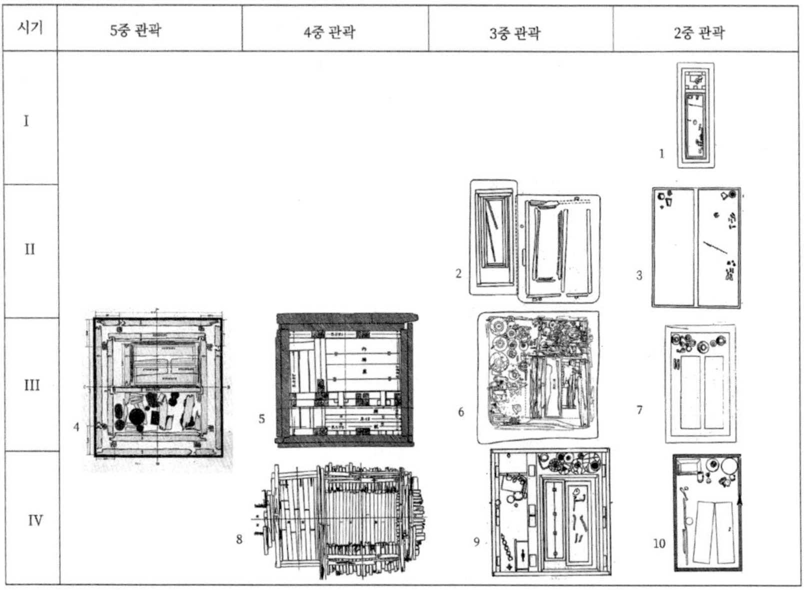

그림 5-12 낙랑 목곽묘 관곽제도 변천도
1. 정백동92호 2. 정백동37호 3. 정백동94호 4. 석암리6호 5. 정백리127호 6. 석암리194호 7. 정백동84호 8. 남정리116호 9.정백동6호 10. 석암리20호

또한 낙랑 목곽묘는 3기부터 관곽제도를 참월했을 뿐 아니라 관곽 중첩수도 중원지역과 차이가 있었다. 중원지역의 관곽 양식에서는 곽의 중수가 보통 2중을 넘지 않고 낙랑지역의 관곽 양식은 3기부터 4중 곽까지 나타났으며 이는 중원지역에서 보이지 않는다. 관의 사용상 낙랑지역도 중원지역과 달리 낙랑지역은 많더라도 2중 관이 사용하는데 반해 중원지역의 높은 등급인 묘장은 2중 관이 많다. 이러한 제3기에 등장하는 낙랑 목곽묘의 독창성은 제4기 목곽묘가 소멸했을 때까지 계속 유지되었다.

4. 樂浪 木槨墓의 系譜에 대한 재검토

1) 樂浪 木槨墓의 構造 特徵

낙랑 목곽묘의 구조를 대상으로 타카쿠 켄지와 왕배신에 의해 분류안이 제시되었다. 타카쿠 켄지는 목관의 배치에 따라 목관을 목곽의 중축선을 중심으로 배치하는 A류 목곽묘와 목관을 목곽의 한쪽에 치우쳐서 배치하는 B류 목곽묘로 분류하고 목곽의 형태, 단장와 합장의 차이 등의 속성에 따라 몇 개 형식으로 세분하였다[50]. 왕배신은 목곽의 머리쪽에 부장칸을 만든 A형, 목관이 목곽의 한쪽 모서리에 치우진 B형, 목곽 내부를 좌우 두 공간으로 구분하여 부장칸과 주검칸을 만든 C형, 평면 철凸자형의 D형 등의 네 형식으로 세분하였다[51]. 필자는 낙랑의 목곽묘 계보 검토에서 관의 배치와 목곽의 공간 구분보다는 목곽 공간 구분의 방식이 더욱 중요하다고 생각한다. 따라서 이 절에서 낙랑 목곽묘 공간 구분의 방식을 따라 낙랑 목곽묘를 재분류하고자 한다.

---

50) 高久健二, 1995, 『樂浪古墳文化研究』, 學研文化社, pp.149-150.
51) 王培新, 2007, 『樂浪文化-以墓葬爲中心的考古學考察』, 科學出版社, pp.20-28.

낙랑 목곽묘의 공간 구분 방식은 크게 무시설로 공간 구분, 격판으로 공간 구분, 기둥으로 공간 구분, 유물곽의 설치로 공간 구분 등의 네 가지 방식으로 구분할 수 있다. 그리고 목곽묘의 매장방식과 평면 형태를 함께 고려해 보면

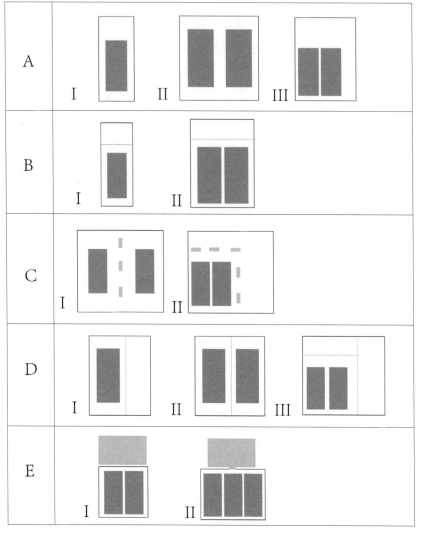

그림 5-13 낙랑 목곽묘 구조 분류 모식도

낙랑 목곽묘의 구조 분류는 다음과 같다.

A형은 목곽내 여러 시설로 칸을 만들지 않고 부장품은 목곽의 머리 부분과 옆부분에 놓았다. 목곽의 매장방식과 평면 형태에 따라 3식으로 나눌 수 있다. AI식는 목곽형태가 세장방형의 단장묘이며, 정백동10호과 정백동37호 남곽이 해당하는 것이다. AII식은 장방형 목곽의 합장묘이다. 목관은 목곽 중축선에 따라 배치한다. 정백동84호와 석암리20호는 전형적인 사례이다. AIII형은 방형 목곽의 합장묘이다. 목곽의 한쪽에 목관을 배치하고 부장 공간은 'ㄱ'자형이며 목관 밖에 내곽을 설치하는 예도 있다. 전형적인 것으로는 정백동4호와 정오동7호 등이 있다.

B형은 목곽의 머리쪽에 격판을 세워 부장칸을 만든다. 부장품은 머리쪽 공간에 놓았다. 매장방식에 따라 2식으로 나눌 수 있다. BI식은 세장방형의 단장묘이다. 정백동92호와 운성리 9호는 전형적인 사례이다. BII식은 장방형의 합장묘이다. 운성리 6호, 7호에 해당된다.

C형은 목곽의 평면 형태가 방형에 가까운 합장묘이다. 목곽내 나무 입주立柱로 공간을 구분한다. 목곽의 배치 상태에 따라 2식으로 나눌 수 있다. CI식은 두 목관 사이는 나무 기둥으로 구분된다. 정백동2호는 해당하는 것이다. CII식은 목관이 목곽의 한쪽으로 치우쳐있으며, 기둥은 목관을 따라 설치하고 매장 공간과 부장 공간으로 구분된다. 정백동5호와 정백리127호는 전형적인 것이다.

D형은 목곽 내에 종방향으로 격판을 세워 좌우 두 공간으로 분리한다. 목곽의 평면 형태와 매장방식에 따라 3식으로 나눌 수 있다. DI식은 장방형의 단장묘이다. 목곽 내에 격판을 세워 매장공간과 부장공간을 만들었다. 정백동37호 북곽은 전형적인 사례이다. DII식은 장방형의 합장묘이고 두 목관 사이를 격판으로 구분하였으며 정백동 88호가 대표적이다. DIII식은 DI식의 합장

표 5-10 낙랑 목곽묘 각 형식 통계표

유형		무덤
A	I	정백동1호, 정백동3호, 정백동10호, 정백동36호, 정백동37호 남곽, 정백동49호, 정백동53호, 정백동58호, 정백동63호, 정백동737호, 오야리20호, 토성동4호, 마장리목곽묘, 롱추동목곽묘, 통일동35호
	II	정백동7호, 정백동11호, 정백동84호, 정백리4호, 석암리20호, 석암리52호
	III	정백동4호, 정백동12호, 정백동67호, 오야리19호, 정오동3호, 정오동7호, 정오동8호, 정오동9호, 정오동10호, 정오동11호, 정백리3호, 정백리8호, 정백리13호, 남사리1호, 석암리9호, 석암리219호, 석암리257호, 통일동34호
B	I	정백동81호, 정백동90호, 정백동92호, 운성리2호, 운성리3호, 운성리5호, 운성리9호, 통일동42호, 통일동47호, 통일동50호, 통일동51호
	II	운성리6호, 운성리7호, 운성리8호, 석암리205호
C	I	정백동2호
	II	정백동5호,정백동6호, 정백리127호, 석암리201호
D	I	정백동37호 북곽, 토성동486호, 석암리6호, 석암리212호
	II	정백동88호,정백리17호,
	III	정오동4호, 정오동5호, 정오동6호, 정백리2호, 정백리19호, 석암리194호, 석암리200호, 장진리30호
E	I	정오동1호
	II	남정리116호

식이며, 매장칸 위쪽을 구분하여 머리쪽 부장칸도 만들었다. 정오동 5호, 석암리 6호가 이에 해당된다.

E형은 목곽의 평면 형태가 철凸자형이고 부곽과 주곽으로 이루어져 있다. 부곽에는 부장품을 안치하였고, 주곽에는 목관을 놓았다. 주·부곽이 연통되는지에 따라 2식으로 나눌 수 있다. EI식은 주·부곽이 연통되지 않으며, 정오동1호가 대표적인 사례이다. EII식은 주·부곽을 연통이 되고 전실과 후실로 형성되었으며 남정리116호가 전형적이다.

2) 各 型式의 系譜 檢討

선행 연구에서 낙랑 목곽묘의 계보는 중원에 있지 않았고 서한 시기의 요녕,

경진기(북경·천진·하북), 산동과 강소와 관련이 있다고 주장하였다[52]. 그래서 이상 관련 지역에서 낙랑 목곽묘와 비슷한 시기의 자료를 검토할 필요가 있다.

먼저 경진기 지역과 요령 지역에서 서한시기는 목관묘와 목곽묘가 주를 이루었고 서한 만기에 전실묘가 출현하였으며, 동한에서는 전실묘가 주요한 묘제가 되었다[53]. 북경·천진·하북지역에서 발견된 목곽묘 유적은 북경北京 창평昌平 사가교한묘史家橋漢墓[54], 북경北京 회유懷柔 성북고분군城北古墳群[55], 연하도 유적 내 한대묘장[56], 북경北京 장구한묘長溝漢墓[57] 등이 있다. 이외 하북성 석가장石家莊 소연촌小沿村 서한묘[58], 북경北京 대보태한묘大葆台漢墓[59], 하북河北 록천鹿泉 고장한묘高莊漢墓[60] 등 유적에서 황장제주식 대형 왕묘도 확인되었다. 낙랑군에서 대형 왕묘는 확인되지 않아서 경진기 지역에서 확인된 왕묘는 여기서 검토하지 않는다. 경진기 지역에서 확인된 중소형 목곽묘는 서한 중기에 집중되어 있고 그의 구조적 특징은 크게 세 가지로 정리할 수 있다. 첫 번째는 목곽이 세장방형이고 목곽 내에 격판을 세워 유물 공간과 매장 공간을 나눴다. 북경 사가교 M39, 40호, 회유성북 M63호, 연하도 D6T31②M14, M15호, 장구

---

52) 王培新, 2007, 『樂浪文化-以墓葬爲中心的考古學考察』, 科學出版社, pp.105-110.

53) 姜佰國, 2007, 「京津冀地區漢代墓葬硏究」, 『邊疆考古硏究』 6, pp.227-273; 孫丹玉, 2019, 『遼海地區漢墓硏究』, 吉林大學 博士論文.

54) 北京市文物工作隊, 1963, 「北京昌平史家橋漢墓發掘」, 『考古』 03, pp.122-129.

55) 北京市文物工作隊, 1962, 「北京懷柔城北東周兩漢墓葬」, 『考古』 5, pp.219-239.

56) 河北省文物硏究所, 2002, 「燕下都遺址內兩漢墓葬」, 『河北省考古文集二』, pp.67-140.

57) 北京市文物硏究所, 2019, 『長溝漢墓』, 科學出版社.

58) 石家莊市圖書館文物考古小組, 1980, 「河北石家莊市北郊西漢墓發掘簡報」, 『考古』 01, pp.52-55.

59) 大葆台漢墓發掘組, 1989, 『北京大葆台漢墓』, 文物出版社.

60) 石家莊市圖書館文物考古小組, 1980, 「河北石家莊市北郊西漢墓發掘簡報」, 『考古』 01, pp.52-55.

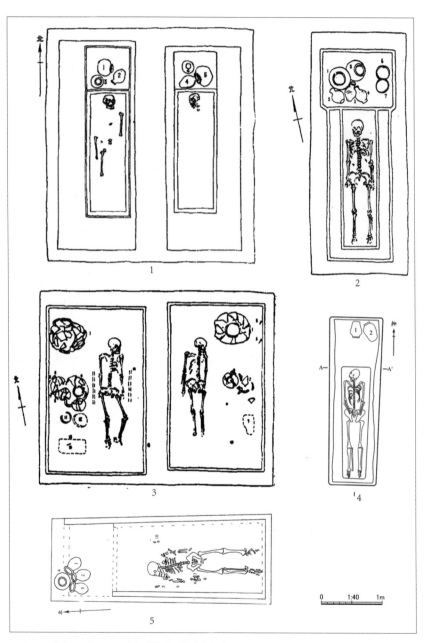

그림 5-14 北京·天津·河北지역 서한 초·중기의 목곽묘

M18호 등은 전형적인 것이며 낙랑 목곽묘의 BI형과 유사하다. 두 번째는 목곽 밖에 유물곽을 배치하는 것이다. 장구 한묘에 발굴된 100여기 목곽묘는 대부분 이러한 구조이다. 낙랑 목곽묘에 정오동1호(EI식)와 유사하지만 규모가 그렇게 크지 않다. 오히려 한반도 호서지역의 공주 하봉리 11호[61]를 비롯한 분리형 목곽묘와 유사하다. 세 번째는 목곽 내에서 시설을 통해서 공간을 구분하지 않고 유물은 목곽의 머리부분에 배치한다. 연하도 D6T31②M8, 장구 M3호 등이 있다. 낙랑 목곽묘의 AI식과 비슷하다. 이외 유물은 목곽의 옆부분에 배치하는 사례도 있지만 회유성북 M61, 62호에서만 확인된다.

요서·요동지역에서 확인된 한대 목곽묘는 원대자유적 한대 목곽묘, 금주 한대 패묘, 조군태유적, 강둔한묘, 양초장한묘, 묘포한묘 등 유적이 있다. 요서 요동의 단장 목곽묘 구조는 경진기 지역에서 확인된 구조와 비슷하다. 합장묘의 구조는 네 가지로 정리할 수 있다. 첫 번째는 목곽의 평면 형태가 장방형이나 방형에 가깝다. 목관은 목곽의 한쪽에 배치하고 부장품은 목곽의 상부 혹은 측면에 배치하였다. 낙랑 목곽묘의 AIII식과 유사하다. 두 번째는 목곽 내 격벽을 통해 공간 구분하지 않고 2개의 관은 곽의 하부에 배치하고 부장품은 관의 위에 놓았다. 낙랑 목곽묘의 AII식과 유사하다. 세 번째는 목곽의 종방향의 기둥(목주)이나 격판으로 구분하고 관이 서로 배치한다. 기둥로 구분한 것은 서한 중기로 편년된 조군대 M9호를 대표하고 낙랑 목곽묘의 CI식과 유사하다. 격판으로 구분한 것은 서한 만기의 양초장 M33호를 대표하고 낙랑 목곽묘의 DII식과 비슷하다. 네 번째는 목곽의 평면 형태가 "철凸"자형이고 전실과 후실로 구분된다. 동한 초기의 강둔 M41호와 이가구 M20호는 전형적인

---

61) 국립공주박물관, 1995, 『하봉리』.

것이다. 낙랑 목곽묘의 EⅡ식과 유사하다.

산동지역은 크게 산동 북부, 산동 중남부와 교동으로 구분할 수 있다. 산동 북부지역은 석곽묘가 주류를 이루며 목곽묘는 산동 중남부와 교동에 분포하고 있다. 현재까지 확인된 목곽묘유적은 래서萊西 대야岱野 목곽묘[62], 림기臨沂 금작산金雀山 유적[63], 은작산銀雀山 유적[64], 기수沂水 용천참龍泉站 서한묘[65], 청도靑島 토산둔土山屯 유적[66], 수광壽光 삼원순三元孫 유적[67], 태안泰安 서대오西大吳 고분군[68] 등이 있다. 목곽묘의 구조는 목곽 내에서 격판으로 여러 공간을 구분하는 것이 큰 특징이다. 낙랑 목곽묘의 DⅠ식과 유사한 측면 유물 부장칸과 관의 매장칸으로 구분하는 금작산 M28, M32호, 은작산 M3호, DⅡ식과 유사한 서대오 M8호, 은작산 M5호, 토산둔 M6호, DⅢ식과 유사한 대야 M1호와 토산둔 M8호 등이 있다. 그러나 이러한 구조는 산동지역에서 단장묘만 확인된다. AⅢ식과 유사한 서대오 M9호이 있다. 한편 관이 목곽을 중간에 배치하고 좌우 격판으로 유물 부장칸을 만든 문등文登 석평촌石平村 목곽묘와 대야 M2호의 사례도 있는데, 이는 낙랑목곽묘에 확인되지 않는다.

---

62) 煙台地區文物管理組・王明芳, 1980, 「山東萊西縣岱墅西漢木槨墓」, 『文物』 12, pp.7-16, 98.

63) 臨沂市博物館, 1989, 「山東臨沂金雀山九座漢代墓葬」, 『文物』 01, pp.21-47, 101-102.

64) 銀雀山考古發掘隊, 1999, 「山東臨沂市銀雀山的七座西漢墓」, 『考古』 05, pp.28-35, 100-103.

65) 山東省文物考古研究所・沂水县博物馆, 1999, 「山东沂水縣龍泉站西汉墓」, 『考古』 08, pp.47-52.

66) 青島市文物保護研究所・青島市黄島區博物館, 2018, 『琅琊墩式封土墓』, 科學出版社.

67) 山東省文物考古研究所, 1996, 「山東壽光縣三元孫墓地發掘報告」, 『華夏考古』 02, pp.29-54.

68) 山東省文物考古研究院・泰安市文物局 외, 2017, 「泰安西大吳墓地發掘報告」, 『京滬高速鐵路山東段考古報告集』, 文物出版社, pp.410-433.

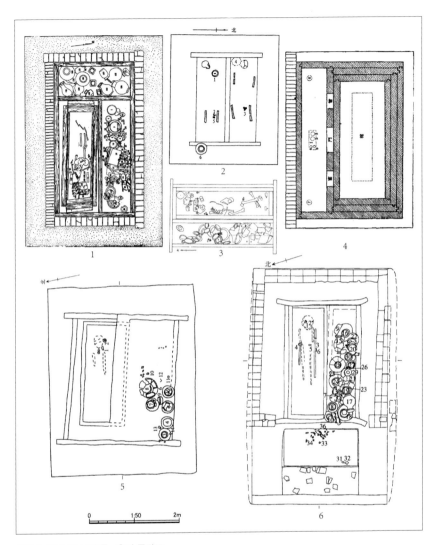

그림 5-15 山東 서한 중·후기 목곽묘

또한 산동지역에는 목곽 밖에 전곽을 설치하는 것이 유행한다. 대야M1호, 문등 석평촌 목곽묘, 토산둔유적에서 확인된다. 이러한 구조는 낙랑 목곽묘 정백동 46호, 정오동2호, 석암리6호, 남정리116호에서도 확인된다.

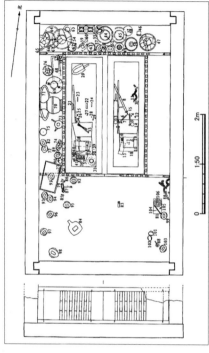

그림 5-16 姚莊 102호

강소지역의 목곽묘유적은 주로 회하와 장강의 중하류역에 분포하고 있는데 양주지역인 광릉국에서 집중 분포한다. 양주揚州 농과소한묘군農科所漢墓群[69], 양주揚州 교외郊外 호양한묘군胡楊漢墓群[70], 양주揚州 동풍東風 전와창한묘군磚瓦廠漢墓群[71] 등이 있다. 비교적 먼 지역의 의정儀征 및 고유高郵 등지에서도 일정한 수의 한묘군이 발견되었다. 예를 들어 의정儀征 반고산한묘군盤古山漢墓群[72], 의정儀征 연대산한묘군烟袋山漢墓群[73] 등이 있다. 양주지역의 목곽묘 구조는 산동 남부와 교동지역의 목곽묘와 비슷하다. 산동 남부와 교동의 목곽묘는 강소지역에 영향을 받은 것은 선행 연구[74]에서 이미 지적하였다. 다만 이러한 유사성은 목곽 구조에 한정된다. 산동지역에서 확인된 전곽 목곽묘는 강소지역에 발견되지 않는다. 또한

69) 揚州市博物館, 1985, 「揚州地區農科所漢代墓群清理簡報」, 『文物資料叢刊9』.

70) 邗江縣文化館揚州博物館, 1980, 「揚州邗江縣胡場漢墓」, 『文物』03; 揚州博物館, 1982, 「揚州東風磚瓦廠八, 九號漢墓清理簡報」, 『考古』03.

71) 揚州博物館, 1980, 「揚州東風磚瓦厂漢代木椁墓群」, 『考古』05.

72) 揚州博物館, 1985, 「江蘇儀征盤古山發現漢墓」, 『東南文化』1.

73) 南京博物院, 1987, 「江蘇儀征烟袋山漢墓」, 『考古學報』04.

74) 刘剑, 2012, 『山东地区汉代墓葬的考古学研究』, 山东大学 博士论文, pp.147-165.

강소지역의 목곽묘는 서한 만기부터 목곽 내의 공간 구분은 단순한 격판으로 하지 않고 격판에 문비시설과 창문시설를 장식한다. 그리고 울타리로 격판을 대신하는데 요장姚庄 102호(그림 5-16), 전와창磚瓦廠 M9호 등에서 확인된다. 이러한 구조 시설은 낙랑 목곽묘에서 확인되지 않는다.

강소지역에서 낙랑 목곽묘의 E I식과 비슷한 구조인 연대산한묘, A III식과 유사한 의정 서포胥浦 101호가 확인된다. 다만 이러한 구조는 극소수만 확인된다.

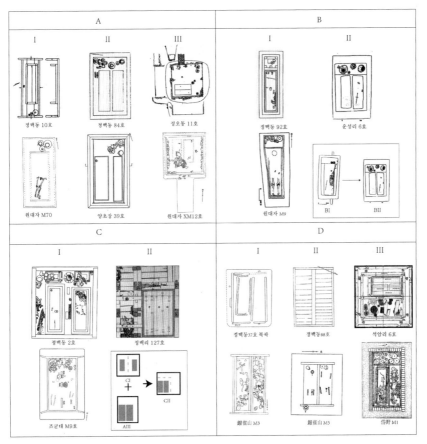

그림 5-17 낙랑 목곽묘와 주변 지역 목곽묘의 비교

그리고 강소지역의 목곽묘는 소형 목곽묘 이외 대부분 공간 구분에서 발치부분도 유물 부장공간을 설치한다. 이는 산동과 낙랑 목곽묘에 확인되지 않는다.

이상 낙랑 목곽묘와 관련 지역의 목곽묘 특징을 정리하였으며 낙랑 목곽묘 각 형식의 계보를 다음과 같이 정리할 수 있다.

먼저 AI식은 요서 원대자유적과 요동 양초장한묘에서 확인할 수 있으며, AII식은 요동 양초장한묘에서 확인할 수 있다. AIII식은 요서에 요서 원대자유적 서한 만기의 목곽묘와 양주지역에서 확인할 수 있는데 양주지역에 AIII식은 의정 서포 101호만 확인된다. 의정 서포 101호는 평면형태가 장방형이나 낙랑 목곽묘에서 방형으로 구축된다. 그리고 낙랑 목곽묘의 AIII식에 정오동10호와 정오동11호는 적석시설을 설치한다. 이는 요서 원대자유적의 XM12호와 XM7호에서만 확인된다. 그래서 AIII식은 요서 원대자유적과 관련이 있다. 따라서 A형의 계보는 요서요동의 목곽묘와 관련성이 있다고 생각한다.

BI식은 경진기 지역 목곽묘의 전형적인 특징인데 요서·요동에도 확인되었다. 전국시대부터 경진기 지역에서 요서·요동으로 묘제를 전파하는 추세이므로 BI식은 경진기 지역에서 요서·요동을 거쳐 낙랑으로 전입되는 경로를 추정할 수 있다. BII식은 양주 동풍전와장 M1에서 확인되지만 이러한 구조는 양주지역의 소형 묘에서만 채용되는 형식이다. 그래서 양주지역에서 전입하는 것보다 BI식의 동혈합장양식으로 이해하는 것이 타당하다.

CI식은 요동 조군대 M9호에서 확인된다. CII식은 주변지역에서 확인된 것이 없는데 AIII식과 CI식의 융합하여 형성하는 것으로 추정한다.

DI식은 산동 남부와 양주지역에서 확인되는데, 양주지역에서 산동 중남부를 거쳐 낙랑에 전입되는 것으로 추정된다. DII식은 요동 양초장한묘와 산동 남부의 은작산, 토산둔유적에서 확인된다. DIII식은 산동 남부지역에 확인되는

데, 양주지역에도 확인된 것이 있지
만, 양주지역은 대부분 발치칸이 있
어서 양주지역으로 전입하는 가능
성이 없다고 생각한다. 전체적으로
고려하면 D형은 산동 남부지역에
전입의 가능성이 높다.

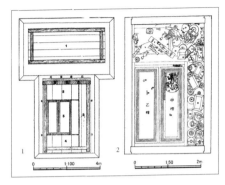

EI식은 정오동1호만 있는데 부장

그림 5-18 煙袋山漢墓(1)와 儀征 胥浦101호(2)

곽과 매장곽을 분리하는 형식은 장
구한묘와 의정 연대산한묘에 확인되는데 의정 연대산한묘의 규모와 구조는 정
오동 1호와 가장 유사하다. 현재 자료를 통해 EI식의 계보는 양주지역를 비롯
한 회하와 장강 중하류역에 찾을 수 있다. 그러나 의정 연대산한묘의 매장곽의
구조는 정오동1호의 매장곽과 차이가 있다. 정오동1호의 매장곽 구조는 DII식
을 채용하는데 상동 중남부지역의 구조와 비슷하다. 산동 남부와 강소지역 목
곽묘의 관련성을 고려하면 EI식은 산동 남부지역에도 존재하다는 생각한다.

EII식은 남정리 116호만 있는데 강둔한묘 41호와 이가구 M20호가 비슷한
구조이다. 그러나 내부 구조는 차이가 있다. 남정리 116호는 외곽 내에 전곽과
문비시설이 설치되었다. 전곽은 산동 남부 목곽묘의 특징이고 문비시설은 전
국중·만기부터 초계 목곽묘에 등장한다[75]. 이러한 문비시설은 서한 만기의
동풍 전와창 M3에도 확인된다. 외곽 밖에 황장제주라는 구조가 있다. 황장제
주는 서한 초기의 왕묘에 채용된 구조이다. 이러한 구조를 채용하는 것은 복
고復古 풍조로 생각된다. 강둔 41호에 중자형 묘도와 혁관革棺이라는 가족으로

---

75) 黃曉芬, 2003, 앞책, pp.61-69.

제작된 관을 채용하는 것도 복고 풍조로 이해된다. 따라서 남정리 116호는 강둔한묘와 이가구 목곽묘의 구조를 바탕으로 산동지역의 전곽과 양주지역의 문비시설을 융합한 것으로 이해된다.

이상 각 형식의 관련 지역 검토를 통해 낙랑 목곽묘는 주로 요서·요동과 산동 남부지역의 영향을 많이 받아들인다. 각 형식의 등장과 유행 시기를 대입하면 AI식은 제2기~제3기, AII식과 AIII식은 제3기~제4기, BI식은 제1기~제3기, BII식은 제3기~제4기, CI식은 제2기와 제4기, CII식은 제3기~제4기, DI식은 제2기~제3기, DII식은 제2기, DIII식은 제3기~제4기, EI식은 제3기, EII식은 제4기에 유행한다. 이러한 각 형식이 유행한 시기를 참고하여 낙랑 목곽묘 제1기와 제2기에는 요서·요동의 영향을 받아들이고 문헌에 '낙랑군은 처음에 관리를 요동군에서 데려 왔다'라는 기록과 부합한다. 요서·요동의 영향은 제3기까지 지속된다. 산동지역의 영향은 제2기부터 시작하는데 제3기에 폭발적으로 늘어나고 전실묘단계까지 지속된다. 낙랑 목곽묘는 요서·요동과 산동 남부지역 목곽묘의 영향을 받아들이지만 BII식과 CII식을 비롯한 독자적인 구조도 있다.

VI장
西南韓 墳丘墓 木槨의 變遷과 墳丘의 展開

동아시아 지역의 분구묘는 "선분구, 후매장"이 구조적인 특징으로, "선매장, 후봉분"의 봉토묘와는 다르다[1]. 중국에서 분구묘는 중원지역에서 기원한 것이 아니라, 주변 지역에 나타난 비중원식 장제이다. 중국에서 분구묘는 동북지역의 홍산문화의 적석분구묘를 비롯하여, 장강 중하류역의 신석기시대 제단식 분구묘, 강회지역의 토돈묘 등이 분포하고 있다[2]. 한반도 중부 이남지역 분구묘의 전통은 그 초기 형태가 명확하지 않은데 주구묘를 그 시작으로 본다면 그 상한 시기는 기원전 2세기까지 거슬러 올라갈 수 있지만, 현재의 자료만으로는 기원후 3세기부터 분구묘의 전통이 중남부 서해안지역에서 확립되었다.

분구묘에 관한 연구는 2000년대에 폭발적으로 증가한 자료를 바탕으로, 최근까지 학계에서 다양한 주제로 활발하게 연구가 진행되었다. 이 가운데 주요 주제로 분구묘의 양상, 전개 과정, 편년, 사회 변천 등 다양한 측면이 검토된 바 있다. 다만 매장주체부의 연구는 옹관에

1. 김포 양촌유적
2. 김포 운양동유적
3. 인천 연희동유적
4. 인천 구월동유적
5. 인천 당하동유적
6. 용인 마북리 백제 토광묘
7. 서산 예천동유적
8. 서산 여미리 방죽골 분묘군
9. 서산 부장리유적
10. 헤미 기지리유적
11. 완주 상운리유적
12. 전주 장동유적
13. 성남리Ⅲ
14. 고창 만동유적
15. 고창 선동유적
16. 장성 환교유적
17. 함평 만가촌유적
18. 무안 인평유적
19. 영암 신연리9호분
20. 영암 만수리4호분
21. 나주 용호고분군

그림 6-1 목곽이 확인된 분구묘 분포도

1) 李盛周, 2000, 「墳丘墓의 認識」, 『韓國上古史學報』 20, pp.75-109.
2) 俞伟超, 1996, 「方形周沟墓」, 『季刊考古学』 54.

한정되었다고 할 수 있다. 관, 곽에 관한 연구는 거의 이루어지지 않았는데 임영진3과 박형열4이 영산강 유역 분구묘에 대해서만 언급한 바 있다. 분구묘는 후대 삭평으로 인해 매장주체부가 유실된 경우가 많다. 또 분구묘 내 관·곽의 크기 차이가 명확하지 않고 연구자에 따라 적용하는 개념에서도 차이가 있다고 할 수 있다. 그럼에도 불구하고 목곽에 대한 체계적 논의는 이루어진 바 없다.

따라서 본장에서는 먼저 관·곽의 개념을 정리하면서 김포, 인천, 서산, 완주, 고창, 영암, 나주 등에 있는 21개소의 유적5, 250여 기의 목곽 자료를 추출한 후 목곽 내 부장유물의 분석을 통해서 연대와 단계를 설정하고자 한다. 이러한 작업을 토대로 분구묘 내 목곽의 시기적인 변천을 살펴보는 것이 이 연구의 첫 번째 목적이다. 둘째로는 분구의 전개 과정과 결합하여 목곽은 분구 내 배치되는 양상의 변천과 그 지역적 특정을 검토하고자 한다.

1. 木槨의 構造와 分類

분구묘의 매장시설에 관한 연구는 토기가 매장시설 안에 부장되더라도 그 매장시설이 작고 협소할 때는 관으로 부르는 경우가 종종 있다. 목곽 안에 목관이 설치된 경우에도 목곽이 작고 세장한 경우 그것을 관으로 해야 할지, 곽으로 해야 할지 모호할 수 있다. 분구묘는 보통 매장시설에 용기류 토기를 부

---

3) 임영진, 2002, 「영산강유역권의 분구묘와 그 전개」, 『호남고고학보』 16.
4) 박형열, 2014, 『榮山江流域 3~5世紀 古墳 變遷』, 동국대학교대학원 고고미술사학과 석사논문.
5) 본서에서 선택한 유적은 비교적 매장주체부가 잘 확인된 유적이다. 주구만 남거나 주체부 매장시설이 확인되지 않은 유적은 본서에서 검토하지 않는다.

장하더라도 1~2점에 그치는 경우가 많고 소형이어서 관으로 파악하기도 한다. 그러나 토기류를 매장시설 안에 부장하는 것은 이미 목곽의 장제적 개념이 시작되었다고 보는 것이 옳지 않을까? 그렇다고 한다면, 결국 관·곽은 용기류 토기 부장 위치의 차이를 반영하는 장제적 관념의 차이에 의해 구분된다고 할 수 있다[6].

앞서 설명한 토기류를 비롯한 기물의 평면 부장 위치를 기준으로 분구묘 내 목곽을 추출하고 그의 특징을 분석하여 분류하면 우선 『삼국지三國志』 위서書 동이전東夷傳에 기록된 "유곽무관有槨無棺"이라고 표현되는 I형과 목곽 안에 목관이 있는 전형적인 목곽 II형으로 나눌 수 있다. I형 목곽은 부속시설에 따라 3가지의 유형으로 나눌 수 있다(그림 6-2, 3).

IA형 - 단순 묘광을 파고 목곽을 안치하는 무시설식이고, 평면형태는 상자형이다. 모든 유적에서 확인되는 보편적인 형태이다. 평균 면적은 1.74㎡이며, 각 형식 중 크기가 가장 작은 편이다.

IB형 - 묘광 밑에 고임목 흔적이 있는 형식이다. 상운리유적[7], 선동유적[8], 만가촌유적[9]과 장동유적[10]에서 확인되었다. 평균 면적은 2.21㎡이다.

---

6) 성정용, 2009, 「호남·호서·경기지역의 토광묘와 조사방법」, 『한국 매장문화재 조사연구 방법론5』, 국립문화재연구소; 2011, 「목관묘와 목곽묘」, 『동아시아의 고분문화』, 서경문화사, pp.185-200.
7) 全北大學校博物館·韓國道路公社. 2010, 『상운리 I~Ⅲ』.
8) 호남문화재연구소, 2013, 『고창 선동유적』.
9) 全南大學校博物館·咸平郡, 2004, 『咸平禮德裏萬家村古墳群』.
10) 전북문화재연구원, 2009, 『全州 長洞遺蹟Ⅱ-Ⅰ區域-』.

표 6-1 유적별 목곽의 형식

형식	확인된 유적	기수	평균면적(㎡)
ⅠA	모든 유적	200	1.74
ⅠB	상운리, 장동, 선동, 만가촌	39	2.21
ⅠC	상운리	8	2.23
Ⅱ	운양동, 부장리, 여미리	8	5.02

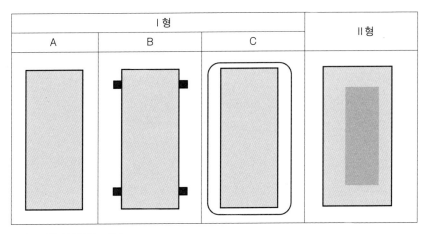

그림 6-2 목곽의 형식 모식도

　ⅠC형 - 목곽 밖을 점토로 둘러싸는 형식이다. 내부 목곽은 ⅠA형식혹은 Ⅰ
B형식을 사용한다. 이러한 점토 시설은 상운리유적에서만 확인된다. 보고자[11]
는 점토곽으로 명명하였지만 상운리유적에서 확인된 점토곽은 일본 고훈시대
초기의 점토곽과는 구조상의 차이가 있다. 일본 고훈시대의 점토곽은 목관 밖
에 부착하는 구조이고 목관을 밀폐하면서 보호하는 기능을 한다. 그러나 상
운리유적의 점토곽은 목곽과 일정한 간격을 두고 목곽을 둘러싸고 있다. 기능
상 목곽이 내부 매장시설을 보호하고 매납 공간을 확대하는 역할을 하고 있

---

11)　全北大學校博物館, 2010, 「Ⅶ 綜合考察 : 分析과 解釋」, 『상운리Ⅲ』.

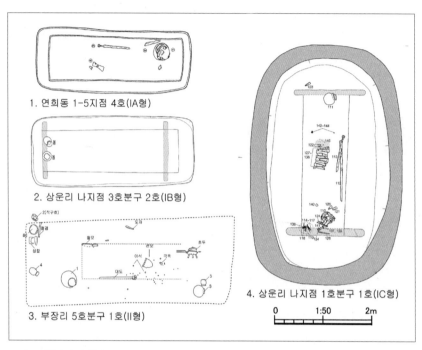

1. 연희동 1-5지점 4호(IA형)

2. 상운리 나지점 3호분구 2호(IB형)

3. 부장리 5호분구 1호(II형)

4. 상운리 나지점 1호분구 1호(IC형)

0   1:50   2m

그림 6-3 목곽의 제 형식

다. 상운리유적의 점토곽은 목곽과 일정한 간격을 두기 때문에 내부 매장시설을 어느 정도 보호할 수 있는지 의문이며, 부장유물의 배치상태로 보면 유물을 점토곽과 내부 목곽 사이에 부장하는 예가 없다. 그래서 이러한 구조는 곽으로 정의할 수 있는지 재검토가 필요하다. 물론 점토곽이라는 개념을 받아들여 내부 목곽을 내곽으로 정의하는 견해[12]도 있지만, 필자는 이러한 구조가 곽의 기능보다 매장시설의 범위를 표시하고 보호하는 기능의 토위시설土圍設施로 정의하는 것이 어떨까 한다.

---

12)   李盛周, 2013, 「목곽묘의 출현과 그 역사적 의의」, 『三韓時代, 文化와 蔚山』, 2013년 울산 문화재연구원 학술대회, pp. 23-42.

Ⅱ형 - 곽 내부에 관이 안치되어 있다. 운양동유적[13], 부장리유적[14], 여미리 유적[15]에서 8기만 확인되었다. 평균 면적은 5.02㎡이고 각 형식에서 크기가 가장 큰 형식이다.

2. 墳丘墓 내 木槨의 登場과 變遷

1) 木槨 內 出土 遺物과 年代

목곽에서 출토된 유물은 철기류와 토기류로 구분된다. 철기 부장품은 편년에 따른 변화양상이 토기류보다 비교적 뚜렷하여 분기 설정의 중심유물로 삼았으며, 토기류는 지역적으로 매우 다양한 양상을 보이고 대부분 형식이 단절적 교체보다 시간적 중복을 보이게 된다는 점이 지적된 바[16] 있다. 사실 부장 기종의 구성이 단순하고 시기적 변화가 뚜렷하게 파악되지 않으므로 토기류를 통해서 목곽을 편년하기에는 무리가 있다. 그러나 이제까지 토기의 연구성과를 참고하면 철기가 출토되지 않은 무덤의 상대 편년에 활용할 수는 있다. 예를 들면 상운리유적에서 많이 출토된 광구장경호는 동체부 형태가 장동형 → 구형 → 편구형으로 점차 변하고, 구연부 장식은 무문 → 돌대 → 돌대+파상문으로의 변화를 보이며, 동체부 문양은 격자문계 → 복합·선문계 → 소문계로 점차 변한다는 점이 파악된 바 있다[17]. 이와 같은 시간적 변화상을 고려

---

13) 한강문화재연구원, 2013, 『김포 운양동 유적』.
14) 충남역사문화연구원, 2008, 『서산 부장리 유적』.
15) 충청문화재연구원, 2005, 『서산 여미리 방축골 유적』.
16) 金承玉, 2011, 「중서부지역 마한계 분묘의 인식과 시공간적 전개과정」, 『한국상고사학보』 71, pp.85-116.
17) 全北大學校博物館, 2010, 앞 보고서.

하면 상운리유적에서 장경호만 출토되는 무덤을 철기와 동반 출토된 무덤과 함께 시간적 배열을 시도해 볼 수 있다.

어떤 유적에서 토기만 출토된다면 토기와 철기가 함께 출토되는 유적의 편년을 참고하여 교차편년의 방법으로 같은 형식의 토기가 출토되는 유구의 상대연대를 정할 수 있다. 예를 들면, 성남리 III 유적[18]에서 철기류가 거의 출토되지 않고 토기류도 이중구연호만 주로 출토되지만 그 연대는 부근에 있는 고창 만동유적[19]에서 이중구연호와 공반된 환두도의 연대를 근거하여 추정할 수 있다.

따라서 본고에서는 철기유물의 편년체계를 통해 대상 유적의 연대를 파악하고, 토기는 참고자료로 활용하였다. 철기류 중 시간적 변화에 가장 민감한 유물로는 환두도, 철모, 철촉, 철부 등을 들 수 있다. 목곽에서 철겸의 출토 양은 적지 않다. 그러나 중서부 철겸의 연구[20]에 따르면, 철겸은 시간적 변화가 있지만, 형식상 시기가 한정되는 것이 아니므로 편년 자료로 활용하기 어렵다. 편년의 기준이 되는 유물은 시기를 반영하는 세부 속성으로 분류한 뒤 기존 편년안[21]에 기종별로 대입하여 유적의 시기를 추정하고자 한다.

---

18) 圓光大學校馬韓・百濟文化研究所・韓國道路公社. 2005, 「城南里III・IV」, 『高昌的周溝墓』.

19) 호남문화재연구소, 2004, 『고창 만동유적』.

20) 김세림, 2015, 『호서지역 원삼국~백제시대 철겸의 변천과 지역상』, 고려대학교 석사학위 논문.

21) 성정용, 이보람, 김상민 등 학자의 편년안은 논의된 철기의 연대 검토 부분이 공반된 토기와 주변지역의 교차편년으로 결론을 도출하였으므로 참고할 만한 것으로 보았다. 그래서 본고에서 이들의 편년안을 기존 편년안으로 이용하지만 필자의 형식분류와 배열에 따라 고분의 연대를 도출하고자 한다.

(1) 환두도

환두도에서 추출할 수 있는 속성은 환두도의 제작방법, 관부의 형태 등이다. 환두도의 제작방법은 병부 제작방법과 환두부의 제작방법으로 나누어 살펴볼 수 있는데, 먼저 환두도의 병부는 일체형(Ⅰ형)과 접합형(Ⅱ형)의 제작방법으로 분류되며, 환두부의 제작방법은 일체형(A형), 결합형(B형)과 가열단접형(C형)으로 나눌 수 있다. 다음으로 환두도 병부와 도신부의 경계에 위치하는 관부

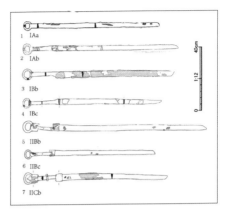

그림 6-4 환두도의 형식분류
1. 양촌 나지점 5-2 2. 운양동 1-11지점 30호 3. 상운리 나지점 1-5호 4. 장동 6호 5. 상운리 라지점 1-27호 6. 상운리 라지점 1-16호 7. 상운리 나지점 4-4호

는 시간성을 지닌 속성으로 무관(a) → 편관(b) → 양관(c)으로 변화해 간다.

이러한 요소들을 결합하면 분구묘 목곽 내 출토 환두도는 ⅠAa, ⅠAb, ⅠBb, ⅠBc, ⅡBb, ⅡBc, ⅡCb 7가지의 형식이 도출된다. 본 연구의 편년 기준이 되는 이보람[22]의 편년안에 대입하면 각 형식의 연대는 ⅠAa형이 2세기 중반~3세기 중반, ⅠAb형이 2세기 중반~4세기 중반, ⅠBb형이 3세기 중반~5세기 중반, ⅡBb, ⅡBc, ⅡCb형이 4세기 중반~5세기 중반이다.

(2) 철모

철모의 주요 속성으로는 공부형태, 관부유무, 봉부 및 공부 단면형태 등의

---

22) 이보람, 2009, 「금강유역 원삼국~삼국시대 환두도 연구」, 『韓國考古學報』 71, pp.70-101.

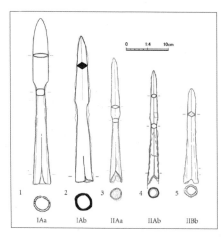

형태적 속성과 전장, 봉부 및 공부 길이와 비율, 봉부너비와 두께 및 봉부비율(두께/너비) 등의 계측적 속성이 있다[23]. 철모의 형태는 공부가 직기형(I) → 연미형(II)으로, 관부가 유관(A) → 무관(B)으로, 신부의 단면이 렌즈형·편능형(a) → 능형(b)으로 변화[24]한다.

그림 6-5 철모의 형식분류
1. 운양동 1-11지점 30호 2. 상운리 라지점 1-14호 3. 운양동 1-11지점 1호 4. 만가촌 13-7호 5. 부장리 4-5호

이상 요소를 결합하면 분구묘 목곽 내 출토 철모는 IAa, IAb, IIAa, IIAb, IIBb 5가지의 형식으로 구분된다. 이를 기준 편년안[25]에 대입하면, IAa형이 2세기 후반~4세기 초반까지이며, IAb형은 기준 편년안에 없는 형식이지만, 신부 단면의 변화 양상으로 보건대 그 시기는 3세기 중후반~4세기 초반으로 생각된다. IIAa형은 3세기 후반~4세기 중반이며 IIAb와 IIBb형은 4세기 중반~5세기 중반이다.

(3) 철촉

철촉은 다른 철제 유물에 비해 출토량이 많지 않지만 형식변화가 뚜렷하게 확인되는 유물로서 목곽의 단계설정에 참고할 수 있다. 철촉의 속성 분류상,

---

23) 성정용, 2000, 「중서부지역 3~5세기 철제무기의 변천」, 『한국고고학보』 42, pp.107-142.
24) 高久健二, 1992, 「韓國出土 철모의 傳播過程에 대한 硏究 -樂浪地域에서 南部地域으로-」, 『考古歷史學誌』 8.
25) 성정용, 2000, 앞 논문; 이보람, 2011, 「중서부지역 원삼국~삼국시대 철모 연구」, 『분구묘의 신지평』, pp.51-62.

경부의 유무에 따라 분류한 다음
축신의 형태에 따라 다시 세분하는
것은 일반적이다[26]. 본고에서는 먼
저 경부의 형태로 무경식(I), 1단경
식(II)과 2단경식(III)으로 대별할 수
있고 축신부의 형태에 따라 역자형
(A), 도자형(B), 능형(C), 사두형(D),
유엽형(E)으로 세분된다. 따라서 I
A, IIA, IIB, IIIC, IIID, IIIE 6가지

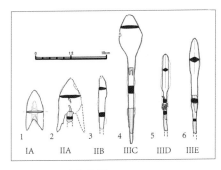

그림 6-6 철촉의 형식분류
1. 운양동 1-11지점 30호 2. 상운리 나지점 1-1호 3. 상
운리 나지점 1-1호 4. 상운리 나지점 1-1호 5. 상운리
나지점 2-1호 6. 상운리 나지점 1-1호

형식이 도출 된다. 기왕의 연구 성과에서는 철촉이 무경식에서 유경식으로 변
화하고 축신부 형태가 시기성을 반영하는 것을 지적한 바가 있다[27]. 최근 마한
·백제권 철촉의 편년 성과[28]를 참조하여 각 형식의 연대는 IA형이 3세기 전
반~3세기 후반, IIB형이 4세기 초반~5세기 중반이며, 나머지 형식의 연대는 3
세기 후반~5세기로 판단된다.

(4) 철부

철부는 제작기법에 따라 주조와 단조로 대별되며 이를 철부 형식 분류의 기

26) 이현주, 1993, 「3~4세기대 철촉에 대하여-영남지역출토품을 중심으로」, 『박물관연구논
     문집』, 부산직할시립박물관; 성정용, 2000, 앞 논문; 김두철, 2006, 「삼국시대 鐵鏃의 연
     구」, 『백제연구』 43, pp.85-134.
27) 성정용, 2000, 앞 논문.
28) 함재욱, 2010, 『韓半島 中西南部地域의 古代 鐵鏃 硏究』, 忠北大學校 碩士學位論文; 조
     규희, 2012, 『마한·백제권 철촉의 변천과정』, 全南大學校大學院 碩士學位論文; 정낙현,
     2015, 『마한·백제 철촉의 변천과 기능향상』, 한신대학교 대학원 석사학위논문.

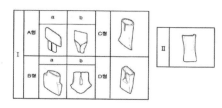

그림 6-7 철부의 형식분류(김상민 2006:67)

초로 삼을 수 있다. 먼저 제작기법에 따라 단조(I)와 주조(II)로 구분되는데, 단조철부는 그 평면형태와 외형상 확인되는 제작기법에 따라 세분한다[29]. A형은 인부와 공부를 하나의 철판으로 자르거나 구부려서 간단하게 만든 형식이다. B, C형은 인부와 공부를 따로 만들어 붙인 형식이다. B형은 어깨가 발달한 형태이며, 인부의 형태에 따라 a형, b형으로 세분한다. C형은 공부의 단면이 원형, 타원형인

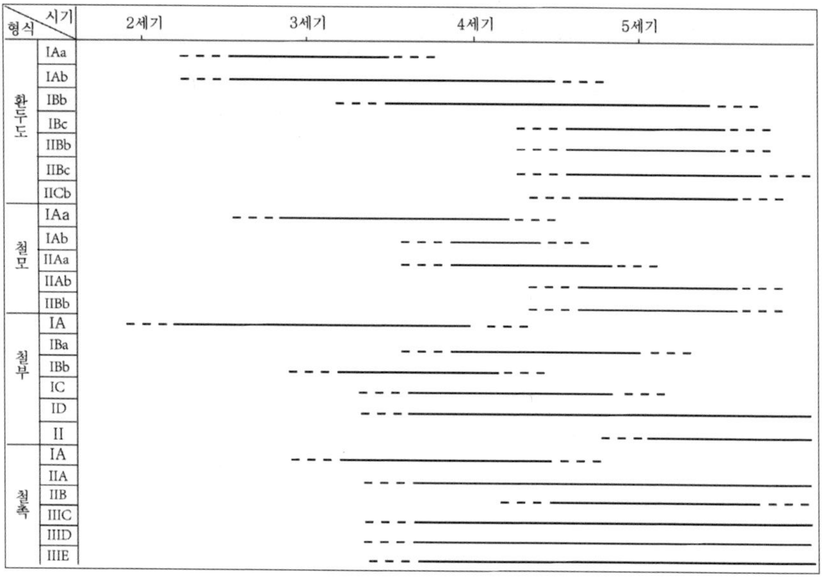

형식	시기	2세기	3세기	4세기	5세기
환두도	IAa				
	IAb				
	IBb				
	IBc				
	IIBb				
	IIBc				
	IICb				
철모	IAa				
	IAb				
	IIAa				
	IIBb				
철부	IA				
	IBa				
	IBb				
	IC				
	ID				
	II				
철촉	IA				
	IIA				
	IIB				
	IIIC				
	IIID				
	IIIE				

그림 6-8 철기류 형식별의 연대

---

29) 김상민, 2006, 「서남부지역 철부의 형식과 변천」, 『호남문화재연구원 연구논문집』 6; 2007, 『榮山江流域 三國時代 鐵器의 變遷 硏究』, 木浦大學校 大學院 석사논문; 2009, 「韓半島 鑄造鐵斧의 展開樣相에 대한 考察 - 初期鐵器時代~三國時代 資料를 中心으로」, 『호서고고학』 20.

것이 특징이다. D형은 인부와 공부를 한번에 제작하는 형태로 공부 부분을 펴서 말아 올린 형식이다.

김상민의 편년안에 따르면, 각 형식의 연대는 ⅠA형이 2세기 초반~3세기 후반, ⅠBa형이 3세기 후반~5세기 초반, ⅠBb형이 3세기 초반~4세기 초반, ⅠC형이 3세기 중반~4세기 후반, ⅠD형이 3세기 중반~6세기이다. Ⅱ형은 3세기 이후 중서부지역의 생활유적 출토 사례가 다수 차지하며, 5세기에 일부 분구묘 목곽 내 출토 주조철부의 연대는 5세기 이후로 설정한다[30].

2) 段階 設定

본 절에서는 앞서 나눈 목곽의 형식과 단계설정에 용이한 철기 형식의 공반 관계를 고려하여 변천의 단계를 설정하고자 한다. 철기의 기종별 편년을 기준으로 철기류의 공반관계를 고려하여 대상유적에서 확인된 목곽의 형식과 지속 시기를 정리하면 〈표 6-2〉와 같이 세 단계로 구분된다.

(1) Ⅰ기 (3세기 전반~3세기 후반)

이 시기는 분구묘에 목관과 목곽이 동시 채용되는 단계이다. 목관이 주류이지만 목곽은 소수 분구묘에서만 채용되기 시작하여 목곽의 출현 단계라 할 수 있다. 운양동 1-11지점 30호, 구월동 4호, 양촌 3-나지점 5호와 상운리 라-6호, 만동 11호 등이 이 시기에 해당된다. 한강하류역과 전북 서해안 일대에 한정되고 있다. 이 단계에는 유구의 숫자가 많지 않지만, 지역적 차이를 보이고 있다. 한강하류역에 위치한 운양동, 구월동, 양촌유적은 분구의 평면 형태는 방형이

---

30) 김상민, 2009, 앞 논문.

표 6-2 철기류의 공반관계와 유적의 시기

유적	목곽기수	유형	철기 환두도 IAa	IAb	IBb	IBc	IIBb	IIBc	IICb	철모 IAa	IAb	IIAa	IIAb	IIBb	철부 IA	IBa	IBb	IC	ID	II	철촉 IA	IIA	IIB	IIIC	IIID	IIIE	원저호	평저단경호	유견호	광구장경호	이중구연호	시기
양촌	2	IA	●																								●					I
운양동	2	IA, II		●						●					●			●	●	●								●				I~II
연희동	6	IA		●	●					●	●	●			●												●	●				II~III
구월동	4	IA	●			●				●					●	●											●	●				II~III
당하동	1	IA								●																	?					II?
마복리	1	II						●								●													●	●		III
예천동	4	IA		●	●					●					●												●	●				II
여미리	4	IA, II								●						●	●										●	●				II
기지리	32	IA		●	●		●				●	●	●	●	●												●	●		●	●	II~III
부장리	26	IA			●	●	●		●		●	●	●		●												●	●		●		II~III
상운리	91	IA, IB, IC	●	●		●				●	●	●		●	●	●	●	●	●	●	●		●				●	●			●	I~III
장동	6	IA, IB		●	●	●								●						●							●	●			●	III
성남리	4	IA														●																II
만동	9	IA		●	●					●					●	●											●	●				I~II
선동	6	IA, IB							●						●												●	●			●	III
환교	23	IA													●												●	●				II
만가촌	16	IA										●		●	●															●		II
인평	1	IA													●															●		II
신연리	3	IA							●						●												●	●				III
민수리	7	IA							●									●									●	●				III
용호	8	IA													●	●												●				II

며, 목곽의 형식은 운양동 1-11지점 30호가 Ⅱ형이고 나머지 유구의 목곽 형식은 ⅠA형이다. 전북 서해안에 있는 상운리 라지구 6호분[31]은 주구 형태가 마제형이며 목곽의 형식은 ⅠB형이고 주구 내 옹관에 추가장도 시행되었다.

이 시기에 출토된 철기는 ⅠAa, ⅠAb형의 환두도와 ⅠAa형의 철모, 그리고 ⅠA형의 철촉과 ⅠA, ⅠBb형의 철부이다. 상운리 라지구 6-1호에서는 철기가 출토되지 않았지만, 두 점의 연질 원저단경호를 연대 추정의 근거로 삼았다. 한점에는 격자문이 시문되어 있는데 보고자는 천안 청당동[32], 공주 장원리[33], 하봉리[34] 등을 참고하여 2세기말~3세기대로 보았다[35]. 라-6호[36]와 동시기의

31) 全北大學校博物館 · 韓國道路公社. 2010, 『상운리 Ⅱ』.

32) 국립중앙박물관, 1995, 『청당동Ⅱ』, 국립중앙박물관; 국립중앙박물관, 1993, 『청당동Ⅰ』, 국립중앙박물관.

33) 충청매장문화재연구원, 2001, 『공주 장원리유적』.

34) 국립공주박물관, 1995, 『하봉리』, 국립공주박물관.

35) 全北大學校博物館, 2010, 「Ⅶ 綜合考察 : 分析과 解釋」, 『상운리Ⅲ』, 全北大學校博物館; 韓國道路公社, p.228.

36) 全北大學校博物館 · 韓國道路公社. 2010, 『상운리Ⅲ』.

표 6-3 제 Ⅰ기 목곽 내 출토유물

유적	유구	주체부	형식	시기	철기																										토기		
					환두도							철모					철부						철촉						원저호	평저호/평저단경호	이중구연호
					IAa	IAb	IBb	IBc	IIBb	IIBc	IICb	IAa	IAb	IIAa	IIAb	IIBb	IA	IBa	IBb	IC	ID	II	IA	IIA	IIB	IIIC	IIID	IIIE			
운양동	1-11-1	1	IA	I										●							●										
운양동	1-11-30	1	II	I			●							●						●			●							1(소호)	
연희동	1-5-4	1	IA	I			●							●														1		
연희동	3-1-20	1	IA	I			●							●				●										1?		
구월동	4	1	IA	I	●																							1		
양촌유적	3-나-5	1	IA	I																								1		
양촌유적	3-나-5	2	IA	I	●																							2		
기지리	II-5	1	IA	I			●																					2		
기지리	II-12	1	IA	I			●																					1		
기지리	II-22	1	IA	I				●									●													
기지리	II-26	1	IA	I			●												●	●								1		
상운리	라-1	1	IA	I																								2		
상운리	라-6	1	IB	I																								?		
만동	7	주체부	IA	I			●										●		●											1
만동	11	1	IA	I													●													1
만동	12	1	IA	I			●														●									2

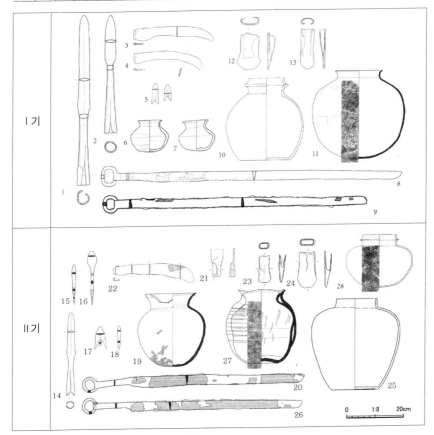

그림 6-9 제 Ⅰ~Ⅱ기의 부장 유물

1~3, 5, 6, 8 12. 운양동1-11 30호 4, 7, 13. 구월동 4호 9. 양촌 3-나 5호 10. 만동 11호 11. 상운리 라6호 14. 예천동 11-1호 15~21. 상운리 나11호 22~25. 기지리 Ⅱ-15 1호 26. 상운리 나1 5호 27. 상운리 나1 5호 28. 만동 8호

상운리 13호[37] 목관묘에서 출토된 ⅠAb형 환두대도가 2세기말~4세기초로 보았다. 따라서 라-6호분의 연대는 2세기말~3세기대로 보는 것은 큰 문제가 없다. 그리고 김기옥[38]은 격자타날된 원저단경호가 위의 유적들의 이른 시기 유적에서 출토되므로 상한을 3세기 전후한 시기로 하는 견해도 있다. 상운리유적에서 4세기 되면 목곽 내 철기 부장이 시작되므로 이러한 획기적인 변화를 표시하기 위해 철기가 출토되지 않은 라-6호분은 제1기에 설정하고자 한다.

(2) Ⅱ기 (4세기 전반~4세기 중반)

이 시기에 분구묘 주체부에 채용된 매장시설로서 목곽이 주류가 되었다. 출토된 철기로는 ⅠAb, ⅠBb형의 환두도, ⅠAb, ⅡAa형의 철모, ⅡA형의 철촉과 ⅠBa를제외한 모든 형식의 철부가 있다. 이 시기에는 목곽의 모든 형식이 확인된다. 이전 시기와 비교해서 이 시기의 가장 큰 특징은 한강 하류역과 전북 서해안 일대를 넘어서 금강 하류역과 영산강 유역까지 목곽을 매장주체로 한 분구묘가 확산된다는 점이다.

또 목곽에서 행해지는 매장의례 요소가 전역으로 확산되지만 분구묘의 매장주체부가 모두 목곽으로 전환되는 것은 아니다. 이 시기에는 분구 중앙부 매장시설은 목곽으로 전환되지만 추가장으로 배치된 매장시설로는 목관이나 옹관이 채용된 사례가 지배적이다. 이는 영산강유역 분구묘 매장주체부 연구[39]에서 이미 지적된 바 있다. 상운리 라지점 1-1호는 분구 중앙부에 목곽 매장

37) 全北大學校博物館・韓國道路公社. 2010,『상운리 Ⅱ』.
38) 김기옥, 2011,「서해안지역 초현기 분구묘」,『庆北大学校考古人类学科30周年纪念考古学論叢』, pp.313-335.
39) 임영진, 2002, 앞 논문.

표 6-4 제 II기 목곽 내 출토유물

유적	유구	주체부	형식	시기	환두도							철모					철부						철촉					원저호	평저호		광구장경호	이중구연호	병
					IAa	IAb	IBb	IBc	IIBb	IIBc	IIICb	IAa	IAb	IIAa	IIAb	IIBb	IA	IBa	IBb	IC	ID	II	IIA	IIB	IIIC	IIID	IIIE		평저단경호	유견호			
연희동	3-1-10	1	IA	II			●							●														1					
연희동	3-1-27	1	IA	II																								1					
연희동	3-2-1	1	IA	II		●								●														1					
구월동	8	1	IA	II											●													1	1?				
예천동	3	1	IA	II		●								●			●													1			
예천동	11	1	IA	II			●							●														1					
예천동	42	1	IA	II																								1					
예천동	73	1	IA	II																								1					
기지리	1-12	1	IA	II		●																				●		1					
기지리	1-12	2	IA	II																								1					
기지리	II-6	1	IA	II																											1		
기지리	II-6	2	IA	II																								1					
기지리	II-7호	1	IA	II																										1	1		
기지리	II-15	1	IA	II																					●					3			
기지리	II-15	2	IA	II																					●		1					
기지리	II-15	3	IA	II																								1					
기지리	II-17	1	IA	II																								1	1				
기지리	II-21	1	IA	II																								1		1			
기지리	II-21	2	IA	II																										2			
기지리	II-21	3	IA	II																										1			
기지리	II-22	2	IA	II																										1			
기지리	II-27	1	IA	II																					●					2			
기지리	II-27	3	IA	II										●													1		1			
기지리	II-27	2	IA	II																										2			
기지리	II-27	4	IA	II																							1		1			
기지리	II-29	1	IA	II																									1			
기지리	II-29	2	IA	II																							1					
기지리	II-30	1	IA	II																								1					
기지리	II-30	2	IA	II																							1					
기지리	II-30	3	IA	II																													
기지리	II-32	1	IA	II																							1					
기지리	II-36	1	IA	II			●																				1					
기지리	II-46	1	IA	II																									1	1		
기지리	II-46	2	IA	II																									2			
부장리	2	1	IA	II																							1					
부장리	2	2	IA	II																								1			1
부장리	3	1	IA	II																							1					
부장리	3	5	II	II																								2		1		
부장리	3	10	IA	II																							1					1
부장리	6	1	IA	II																							1		1			
부장리	6	5	II	II																							1		1			
부장리	6	7	II	II																							2					
부장리	6	8	II	II																							1				1	
상운리	가-5	3	IA	II										●															1			
상운리	가-5	5	IA	II			●							●													1					
상운리	나-1	1	IC	II	●										●		●		●				●	●	●		●	2					
상운리	나-1	2	IC	II																													
상운리	나-1	3	IA	II																							1					
상운리	나-1	4	IC	II																									1			
상운리	나-1	5	IA	II			●							●															2			
상운리	나-2	2	IA	II																									1			
상운리	나-2	3	IA	II																									1			
상운리	나-3	2	IB	II																							1		1			
상운리	나-3	3	IB	II																									4			
상운리	나-7	7	IA	II																									2			
상운리	라-1	3	IA	II																									2			
상운리	라-1	4	IA	II																							1					
상운리	라-1	5	IA	II			●									●													1?			
상운리	라-1	6	IA	II																									2			
상운리	라-1	7	IA	II																									1			
상운리	라-1	10	IA	II			●									●											1		1			1
상운리	라-1	11	IA	II																									1			
상운리	라-1	13	IA	II																							1		1			
상운리	라-1	14	IB	II			●							●											●		1		1			

유적	유구	주체부	형식	시기	철기 환두도							철모					철부						철촉						원저호	토기 평저호		광구장경호	이중구연호	병
					IAa	IAb	IBb	IBc	IIBb	IIBc	IICb	IAa	IAb	IIAa	IIAb	IIBb	IA	IBa	IBb	IC	ID	II	IA	IIA	IIB	IIIC	IIID	IIIE		평저단경호	유견호	장경호	구연호	
상운리	라-1	20	IC	II	●							●					●			●								●	1				1	
선동	1	1	IB	II								●								●										1				
선동	2	1	IB	II																														1
선동	2	2	IB	II																													1	1
선동	2	3	IA	II																		●												1
선동	3	1	IA	II																									1					
선동	4	1	IB	II																									1				1	
만동	2	1	IA	II	●																													
만동	4	1	IA	II																													1
만동	7	1	IA	II																										2				
만동	8		IA	II			●														●	●											3
만동	10		IA	II			●														●	●											1
만동	13		IA	II																									1	1				
용호	1	목관묘	IA	II																									1		1			
용호	3	목관묘	IA	II														●	●										1					
용호	4		IA	II																									1					
용호	6		IA	II													●													2?				
용호	9		IA	II													●												1					
용호	12	1	IA	II																									1					
용호	12	2	IA	II																									1					
용호	15		IA	II																														1
인평	1	2	IA	II													●																1
만가촌	12	2	IA	II																										2				1
만가촌	12	6	IA	II																		●								2	1			
만가촌	13	1	IA	II													●													2				
만가촌	13	2	IA	II																												2		1
만가촌	13	3	IA	II																										1	2			
만가촌	13	4	IA	II											●															1				
만가촌	13	5	IA	II																										1				
만가촌	13	6	IA	II																										3				1
만가촌	13	8	IA	II											●															1				1
만가촌	13	9	IA	II																										1				
만가촌	13	11	IA	II																										2				
만가촌	14	1	IB	II																										2				
만가촌	14	2	IA	II																										2				
만가촌	14	6	IA	II																									1					
환교	2	1	IA	II																									1					
환교	3	1	IA	II																									1					
환교	3	2	IA	II																									1					
환교	3	3	IA	II																									1					
환교	4	1	IA	II																									1	1				
환교	4	2	IA	II																													1	1
환교	5	1	IA	II																														
환교	6	1	IA	II																										1	1			
환교	7	1	IA	II																														
환교	8	1	IA	II																														1
환교	9	1	IA	II																										1				
환교	10	2	IA	II																										2				
환교	10	3	IA	II																										1				
환교	11	1	IA	II																										1				
환교	13	1	IA	II																									1	1				
환교	18	1	IA	II																										1				
환교	19	1	IA	II																						●			1					
환교	20	1	IA	II																									1					
환교	20	2	IA	II																												1?	1?	
환교	21	1	IA	II																										2				
환교	21	2	IA	II																												1?		1
환교	22	1	IA	II																							●			1				
환교	23	1	IA	II																										1				
여미리	3	1	II	II																	●								2					
여미리	5	1	IA	II		●								●						●									1					
여미리	6	1	IA	II																									1					
여미리	9	1	IA	II		●								●							●									1				
성남리	7	1	IA	II																										1?				2
성남리	7-1		IA	II																													1	2
성남리	8		IA	II																●									1					2
성남리	9		IA	II																														3

의례가 확인되지만, 2호 추가장은 목관적 매장의례가 확인된다. 또 용호 12호[40]의 경우, 중앙부에는 목곽을 채용되었지만 추가장은 옹관을 이용하여 매장주체부를 조성하였다. 이 시기에 만동[41], 선동[42], 환교[43] 유적에서 매장시설을 목곽으로 하는 추가장 사례가 발견되기도 한다. 특히 4세기 중반이 되면 추가장의 매장시설도 대부분 목곽으로 전환되는 것으로 보인다. 또 상운리유적에 한정되어 나타나는 현상이지만 IC형 목곽이 등장하고, I기 운양리유적에서 확인된 II형 목곽묘가 4세기 중반대의 서산 부장리와 여미리유적에서 다시 축조되기도 한다.

4세기 중반 이후 영산강 유역에서는 만가촌 유적에서만 목곽이 확인되고 있다. 용호 고분군은 이 시기까지 축조되고 있지만 매장주체부는 옹관으로 전환되는 양상이다. 이처럼 III기부터 영산강유역에서는 목곽이 쇠퇴하는 양상을 보이고 있다.

(3) III기(4세기 후반~5세기 중후반)

이 시기에는 이전 시기의 양상과 비교하여 목곽의 구조가 크게 달라지지 않는다. 출토 철기류로는 IIBb, IIBc, IICb형 등 늦은 시기의 환두도와 IIAa, IIAb, IIBb형의 철모, 그리고 II형의 주조철부가 확인되고 있다. 다만 III기의 늦은 시기에 해당하는 상운리 라지점 3호분[44]과 부장리 5호분[45]은 다음과 같은

---

40) 익산지방국토관리청·湖南文化財研究院, 2003, 『羅州龍虎古墳群』.
41) 호남문화재연구소, 2004, 앞 보고서.
42) 호남문화재연구소, 2013, 『고창 선동유적』.
43) 호남문화재연구원, 2010, 『長城 環校遺蹟 II』.
44) 全北大學校博物館·韓國道路公社. 2010, 앞 보고서.
45) 충남역사문화연구원, 2008, 앞 보고서.

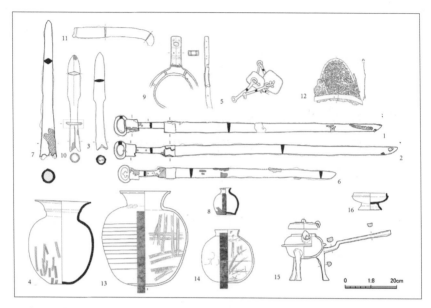

그림 6-10 제 Ⅲ기의 부장유물
1~5. 상운리 라1 29호 6. 상운리 나8 1호 7, 8. 상운리 라2 3호 9. 상운리 나4 6호 10~15. 부장리 5
호 16. 상운리 라3 4호

점에서 목곽의 양상이 이전 시기와 달라 주목된다. 상운리 라지점 3호는 중앙
의 매장시설로 석곽이 채용되면서, 목곽은 분구의 가장자리에 배치되는 양상
을 보인다. 부장리 5호분은 분구가 고총화되었으며 목곽에서는 5세기 중엽으
로 추정된 금동관이 출토되었기 때문에 이 지역 수장층의 무덤으로 보기도 한
다[46]. 따라서 부장리 5호분에 채용된 Ⅱ형 목곽은 수장층의 매장시설로 이해
할 수 있다.

　5세기 중반이후 영산강유역 이외 지역에서는 분구묘의 전통이 사라진다. 영
산강유역의 경우는 분구 중앙부의 매장시설이 4세기 초반부터 이미 영암과 나

---

46)　이훈, 2012, 「金銅冠을 통해 본 百濟의 地方統治와 對外交流」, 『百濟研究』 55, pp.91-112.

표 6-5 제 Ⅲ기 목곽 내 출토유물

유적	유구	주체부	형식	시기	철기																								토기				병
					환두도							철모					철부						철촉						원저호	평저호		광구장경호	
					IAa	IAb	IBb	IBc	IIBb	IIBc	IICb	IAa	IAb	IIAa	IIAb	IIBb	IA	IBa	IBh	IC	ID	II	IA	IIA	IIB	IIIC	IIID	IIIE	원저호	평저단경호	유견호	광구장경호	
연희동	1-5-2	1	IA	III		●								●															1				
구월동	9	1	IA	III			●																							2?			
기지리	II-16	1	IA	III			●											●	●												1	
기지리	II-26	2	IA	III																		●									1	
부장리	2	3	IA	III																								1			1	
부장리	2	4	IA	III																								1				
부장리	2	7	IA	III				●												●	●								1				
부장리	4	1	IA	III																									1		1	
부장리	4	2	IA	III																									2			
부장리	4	4	IA	III																								2				
부장리	4	5	IA	III											●					●									1			1	
부장리	4	7	IA	III			●												●			●							1			1	
부장리	5	1	II	III					●				●																3	1		1	
부장리	6	6	II	III			●											●	●										1			1	
부장리	7	2	IA	III				●							●					●	●								2				
부장리	7	5	IA	III																									1	1		1	1
부장리	7	7	IA	III				●												●									1				
부장리	8	1	IA	III				●													●								1				
부장리	10	1	IA	III																	●								1				
부장리	11	1	IA	III																									1	1			
부장리	11	2	IA	III																●	●								1				
상운리	가-5	1	IB	III					●						●					●	●								3				
상운리	가-9	1	IA	III			●																						1			1	
상운리	나-1	6	IC	III	●		●								●														2	1		3	
상운리	나-1	7	IB	III				●																								2	
상운리	나-2	1	IB	III			●																						1			1	1
상운리	나-3	1	IB	III																												1	
상운리	나-4	1	IA	III											●																	2	
상운리	나-4	2	IB	III																												2	
상운리	나-4	3	IA	III																												2	
상운리	나-4	4	IB	III					●				●		●					●	●		●									3	
상운리	나-4	5	IA	III			●																									2	
상운리	나-4	6	IA	III																												2	
상운리	나-4	7	IC	III				●							●														1			1	
상운리	나-4	8	IB	III																												2	
상운리	나-5	1	IB	III																												2	
상운리	나-5	2	IB	III																	●											2	
상운리	나-5	3	IB	III																												2	
상운리	나-6	1	IA	III			●																									2	
상운리	나-6	2	IB	III																												2	1
상운리	나-6	3	IA	III																												2	
상운리	나-7	1	IB	III			●							●	●						●											1	
상운리	나-7	2	IB	III																												2	1
상운리	나-7	5	IA	III																											1		
상운리	나-7	6	IA	III																												2	
상운리	나-7	9	IB	III			●														●											1	
상운리	나-8	1	IB	III			●							●	●																	2	
상운리	나-8	2	IB	III										●	●																	2	
상운리	나-8	3	IB	III				●							●			●			●		●									1	

유적	유구	주체부	형식	시기	철기																								원저호	토기			
					환두도							철모					철부						철촉							평저호		광구장경호	병
					IAa	IAb	IBb	IBc	IIBb	IIBc	IICb	IAa	IAb	IIAa	IIAb	IIBb	IA	IBa	IBb	IC	ID	II	IA	IIA	IIB	IIIC	IIID	IIIE		평저단경호	유견호		
상운리	나-8	5	IA	III																											1			
상운리	나-8	6	IA	III																											1			1
상운리	나-8	8	IB	III																													1	
상운리	나-8	9	IB	III																													2	
상운리	라-1	8	IA	III					●											●													1	
상운리	라-1	9	IA	III																													1	
상운리	라-1	12	IA	III																													2	
상운리	라-1	16	IC	III				●	●						●				●	●												3	
상운리	라-1	17	IA	III					●					●	●																	1	
상운리	라-1	18	IA	III											●																	2	
상운리	라-1	19	IA	III																												2	
상운리	라-1	21	IA	III																									1			1	
상운리	라-1	22	IA	III																												1	
상운리	라-1	23	IA	III																												2	
상운리	라-1	24	IA	III																												2	
상운리	라-1	25	IA	III																												2	
상운리	라-1	27	IB	III				●						●					●	●											2	
상운리	라-1	28	IC	III						●				●					●	●											1	
상운리	라-1	29	IA	III				●	●					●							●	●									2	
상운리	라-1	30	IA	III																						●						2	
상운리	라-1	32	IA	III																												2	
상운리	라-1	33	IA	III															●		●										2	
상운리	라-1	34	IA	III																											1		
상운리	라-2	1	IB	III				●						●					●	●											1	1
상운리	라-2	2	IB	III																												2	1
상운리	라-2	3	IB	III					●						●	●				●	●										2	1
상운리	라-2	4	IB	III																												1	
상운리	라-2	5	IA	III																													
상운리	라-2	6	IB	III																												2	
상운리	라-2	7	IA	III																												1	
상운리	라-2	8	IA	III																													1
상운리	라-2	9	IB	III				●							●							●	●								2	1
상운리	라-3	1	IB	III					●						●																2	
상운리	라-3	2	IA	III																											1		
상운리	라-3	3	IA	III																													1
상운리	라-3	4	IA	III			●							●	●					●											3	
상운리	라-4	1	IA	III																											1		
상운리	라-4	2	IA	III																											1	1	
상운리	라-5	1	IA	III						●								●									●			1			
만가촌	13	7	IA	III											●			●		●									1			
만가촌	14	3	IA	III																									1			
만수리	4	1	IA	III															●													
만수리	4	3	IA	III																											1	
만수리	4	5	IA	III																									1			1	
만수리	4	7	IA	III																									2				
만수리	4	10	IA	III															●										1			1	
만수리	4	11	IA	III																									1				
만수리	4	12	IA	III																									1	1			
장동		3	IA	III				●										●	●							●						1
장동		5	IB	III																										1			1

주에서 확인되는 바와 같이 옹관으로 대체하는 추세이며 5세기 후반이 되면 영산강유역에서는 석실묘가 옹관묘를 대체한다.

3) 木槨의 登場과 變遷

한반도 남부의 목곽묘 출현에 관해서는 그동안 주로 영남지역을 중심으로 논의가 이루어졌다. 원삼국시대 영남지역 분묘는 전기의 목관묘와 후기의 목곽묘로 구분된다. 목관묘가 유행하던 가운데 대형묘의 축조를 위해 목곽묘를 채용한 것으로 보이는데 그 시기를 대략 2세기 중엽으로 보고 있다. 호서지역에서 목곽묘의 출현에 관해서는 아산 용두리 진터유적[47]에서 주구토광묘보다 한 단계 앞서는 목곽묘군이 발견하는 것을 계기로 논의가 시작되었다[48]. 용두리유적에서 확인된 초기 목곽묘의 부장철기와 유개대부호 기종이 영남지역과 비슷한 양상을 보이면서 영남지역 목관묘 늦은 단계로부터 목곽묘 초기 단계에 걸치는 것으로 보인다. 중서부지역 최초의 목곽묘의 수용은 적어도 영남지역과 거의 같거나 조금 이를 수도 있다[49].

분구묘 내 목곽의 등장은 주구토광묘보다 늦은 편이며 본고의 편년을 따르면 그 출현 시기의 상한 연대는 기원 3세기 초엽으로 볼 수 있다. 그러나 지역

---

47) 충청문화재연구원, 2011, 『아산 용두리 진터 유적』, 충청문화재연구원.

48) 池珉周, 2011, 「아산 용두리 진터유적의 원삼국시대 분묘의 조영과정」, 『아산용두리진터유적』(II) 원삼국시대, 충청문화재연구원, pp.311~315; 2013, 「중부지역 2세기대 마한 분묘의 성격 : 토기류를 중심으로」, 『숭실대학교 한국기독교박물관지』 10, 숭실대학교 기독교박물관, pp.48~70; 이성주, 2013, 「목곽묘의 출현과 그 역사적 의의」, 『三韓時代, 文化와 蔚山』, 울산문화재연구원 학술대회; 2014, 「貯藏祭祀와 盛饌祭祀 : 목곽묘의 토기부장을 통해 본 음식물 봉헌과 그 의미」, 『嶺南考古學』 70, pp.106-141; 신기철, 2018, 「2~4세기 중서부지역 주구토광묘와 마한 중심세력 연구」, 『호서고고학』 39, pp.31-68.

49) 池珉周, 2011, 앞 논문; 李春先, 2011, 「原三國時代 有蓋臺附小壺의 編年과 分布」, 『慶南研究』 5, pp.68-99; 이성주, 2013, 앞 논문.

에 따라 목곽이 등장하는 첫 시기부터 이미 명확한 지역 차이가 관찰된다. 따라서 분구묘에서의 목곽 수용은 단일 지역에서 출현하여 다른 지역으로 확산되었다기 보다는 여러 지역에서 서로 다른 계기로 발생했을 것으로 보인다.

한강 하류역에서 가장 이른 시기에 목곽을 수용한 김포 운양동 유적[50]과 양촌 유적[51]에서는 운양동 27호분 주구에서 출토된 백색 옹 등 낙랑계 유물이 출토되고 있어 낙랑과의 관련이 있는 것으로 본다. 가장 주목되는 것은 운양동 1-11지점 30호분인데 곽 안에 관이 있는 전형적인 Ⅱ형 목곽묘이다. 이는 낙랑의 단장목곽묘와 같은 구조인데 은율군 운성리고분군[52]에서 발굴된 늦은 시기의 단장목곽묘와 부장품 구성에서도 유사성을 보인다. 양촌 유적에서 확인된 동혈합장묘도 낙랑의 영향을 받아들인 것으로 이미 선행연구에서도 지적된 바 있다[53].

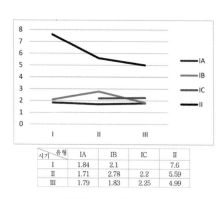

시기\유형	IA	IB	IC	Ⅱ
Ⅰ	1.84	2.1		7.6
Ⅱ	1.71	2.78	2.2	5.59
Ⅲ	1.79	1.83	2.25	4.99

그림 6-11 시기별 각 유형의 평균 면접의 변화(단위 ㎡)

전북지역의 상운리 라지구 6-1호의 경우는 철기가 발견되지 않아 같은 시기의 단순 토광묘와 부장양상이 비슷하다. 이점을 고려한다면 상운리유적 라지구 6-1호분에 목곽이 수용된 것은 주변 토광묘의 영향을 받은 결과라고 생각된다. 그리고 이후 상운리유적에서 호남의 분구묘

50) 한강문화재연구원, 2013, 앞 논문.
51) 고려문화재연구원, 2013, 『김포 양촌 유적』.
52) 리순진, 1974, 「운성리유적 발굴보고」, 『고고학자료집4』 pp. 200-227.
53) 성정용, 2000, 앞 논문.

로 발전되어 갔다고 추론해 볼 수 있다.

분구묘 목곽의 형식 변천은 전체적으로 IA형·IB형 → IC형·II형으로 변화하는 양상(그림 6-11)을 보이지만 지역적으로 한정된 형식도 있다. 예를 들면, IB, IC형의 목곽은 주로 완주 일대의 유적에서만 확인되고 운양동유적에 처음 등장했던 II형의 목곽은 주로 부장리유적의 늦은 시기 유구에서 많이 확인된다. 대부분 분구묘유적에서 확인된 목곽형식은 IA형이고 시기에 따라 구조적인 변천이 없고 크기도 변화가 크지 않는다(그림 6-12). 그러나 분구의 수평·수직 확장 등 동태적인 변화에 따라 분구 내 목곽 배치양상도 시기적인 변화를 확인하였다. 다음 장에서 자세하게 검토하고자 한다.

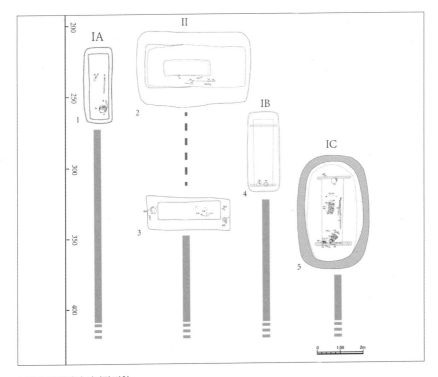

그림 6-12 목곽의 시기적 변천
1. 연희동 1-5지점 4호 2. 운양동 1-11지점 30호 3. 부장리 6호분구 7호 4. 상운리 나지점 1호분구 1호

3. 墳丘墓의 展開와 地域相

1) 墳丘墓의 展開와 木槨의 配置

(1) 분구묘의 확장방식

일정 시기부터 분구묘는 최초 분구를 중심으로 추가장이 반복되면서 그 형태가 확장되는 것이 가장 큰 특징이다. 추가장의 과정에서 매장시설의 선택이 이루어지는데 축조자(집단)의 판단이 따랐던 것으로 생각된다. 따라서 분구의 확장과정과 목곽형식의 분포를 통해서 파악되는 목곽 배치양상은 어떤 특정한 의미로 갖는 매장의례 과정의 결과라고 할 수 있다.

지금까지 파악된 분구묘 평면형태의 발달은 독립된 묘역, 독립된 묘역 · 주구 중복, 분구의 연접확장, 분구의 수직 확장 등과 같은 유형으로 구분해 왔다[54]. 이에 비해 분구의 확장은 분구묘의 큰 특징인데, 확장방법은 크게 수평 확장과 수직 확장으로 분류할 수 있다고 본다.

수평 확장은 분구 연접확장과 선축 분구의 수평 확장 두 가지 방식으로 분류할 수 있다. 분구 연접확장은 선축 분구묘의 주변으로 새로운 주구가 추가되고 선축 분구묘의 대상부 내에도 추가 매장시설이 축조되는데, 이러한 방식은 기지리, 부장리, 상운리, 만동 등 유적에서 다수 확인된 바 있다. 그 중에서도 상운리 나지구 5호분은 대표사례이다.

5호분은 처음 축조 당시 1호 IB형 목곽이 안치되고, 이후 기존 주구에 덧대어 2차 주구를 굴착하면서 2, 3호 IB형 목곽이 안치되었다. 목곽의 크기나 출토유물의 양과 질로 보면, 2호의 크기가 가장 크고 출토품도 가장 풍부하

---

54) 崔鳳均, 2012, 「V. 고찰」, 『서산 예천동 유적』, 백제문화재연구원.

며, 위세품인 삼엽환두도가 출토되기 때문에 상위급의 무덤으로 상정된다. 분구 2차확장 후 2호는 중심에 위치하고, 1차 분구의 중심부에 위치했던 1호는 확장 후에 가장자리로 변하였다. 최종적으로 2호는 가장 상위급 무덤이고 분구의 중앙에 위치한다. 이는 분구를 확장하기 전에 이미 계획이 있었던 결과로 이해된다.

부장리 2호분도 같은 양상인데, 1차 분구의 중앙에는 1~4호 목곽이 나란히 조성되었으며, 확장된 2차 분구에는 5~7호 목곽이 조성되었다. 분구를 확장한 후 2차 조성된 7호 목곽이 분구의 중앙에 자리한다. 또 목곽의 크기와 출토품으로 보면, 7호는 최상위급으로 상정할 수 있다. 이는 상운리 나지구 5호분에 나타나듯이 확장한 후 가장 상위급 목곽이 분구의 중앙부에 배치되는 양상과 같다. 다만 초기의 분구묘에서는 분구 연접방법이 2개의 분구를 연접시키는 방식으로 진행되는데, 매장주체부는 각 분구에 1기씩 배치된다. 기지리 22호와 27호, 만동 9호와 10호에서 그러한 양상이 확인되었다.

분구의 수평 확장의 경우에는 선축 분구묘의 외곽으로 주구를 갖춘 매장주체부가 연접되거나 주구를 메우고 매장시설이 축조된다. 상운리 나지구 1호분이 대표사례이다. 이 고분에서 1차 주구를 메우고 추가로 3, 4, 5, 6호 목곽이 축조되면서 수평 확장이 이루어졌다. 분구의 확장이 이루어진 후에도 1차 주구의 대상부에는 어떠한 매장시설도 축조되지 않는다.

나지구 1-1호는 매장시설이 이중 토위가 에워싼 IC형의 목곽으로 무덤의 규모와 형태, 축조방법 등으로 볼 때 상운리유적에서 최상위급의 무덤으로 판단된다. 추가로 축조된 3·5호는 IA형 목곽, 4·6호는 IC형 목곽이 채용되었다. 나지구 1호분을 통해 상운리유적에서 분구 내 각 목곽 형식의 위계는 2중 토위를 갖춘 IC형>1중 토위를 갖춘 IC형>IA형의 순서로 파악된다.

수직 확장의 사례는 부장리 4호분 이외에는 아직 확인된 바 없다. 4호분 분구의 중앙에 7기의 목곽과 3호 옹관이 밀집 조성되어 있다. 이 중 1~5호 목곽이 중복 관계를 보이며, 6호와 7호 목곽 간에도 중복이 확인되었다. 이것은 수직적인 확장의 결과로 보인다. 7기의 목곽은 모두 ⅠA형이며, 면적이나 크기로는 상호 간의 위계 차이를 확인하기 어렵다.

단순한 수평·수직 확장 이외에도 양자가 결합된 양상도 확인되었다. 수평+수직 확장은 1차 주구 외곽으로 새로운 주구를 굴착하여 수평 확장이 이루어진 후 주구의 재굴착 및 확장을 통해 수직 확장이 이루어진다. 부장리 7호분, 상운리 나지구 7, 8호분과 라지구 1호분, 용호 12호분, 만가촌 13호분 등이 대표사례이다.

상운리 라지구 1호분은 가장 복잡한 축조과정을 보이고 있기 때문에 이를 통해 수평+수직 확장을 자세히 살펴보고자 한다. 라지구 1호분에서는 총 7차 확장(그림 6-13)이 진행되었는데, 1차 확장에서 1, 2호 주구가 굴착되고 2차에서는 3호 주구가 굴착되었다. 2차까지는 아직 분구의 연접이나 분구 확장의 의도가 보이지 않는다. 3차 확장에서는 2호와 3호 주구 사이에 4호 주구가 조성되는데 3호 주구 내의 20호 목곽(ⅠC형)을 일부 훼손하였다. 이를 통해 3호 주구와 4호 주구의 분구의 연접된 상태를 확인할 수 있다. 3차 확장부터 분구 연접을 통해 분구의 수평 확장이 시작된다.

4차 확장은 1호분의 최하단부에 5호 주구가 조성되었다. 3호 주구의 분구와 연접된 상태로 생각된다. 5차 확장에서는 2호 주구의 동서 외곽에 '∥' 자 형태의 6호 주구가 조성된다. 6호 주구에서 굴착된 흙을 이용하여 2호 주구를 일시에 매립하고 대상부에 8호와 9호, 16호 합장묘 등의 매장시설이 축조되었다. 4차 확장까지는 분구의 확장이 주로 평면적으로 이루어지지만 5차 확장부터는 수평뿐만 아니라 수직적으로도 이루어진다.

6차 확장은 7호 주구를 굴착하여 3호와 4호 주구를 매몰하고 대상부에 동서 방향의 매장주체부들이 안치된다. 7차 확장은 1호분의 마지막 시기에 속하는 24~26호, 29호·30호 목관과 석곽 등도 수직 확장으로 인해 조성된 것이다.

라지구 1호분의 조성과정을 재정리하면 총 네 단계로 나눌 수 있다. 1단계는 1차·2차 확장이며, 독립 분구를 조성하는 단계이다. 2단계는 3차·4차 확장이며, 수평 확장을 하는 단계이고 3단계는 5차·6차·7차 확장이며, 분구의 수직 확장을 하는 단계이다.

라지구 1호분의 확장과정에서 1~3차 확장은 상대적으로 독립적인 분구에 조성되며 분구 중앙부의 목곽은 추가장 된 매장부에 비해 출토유물의 수량과

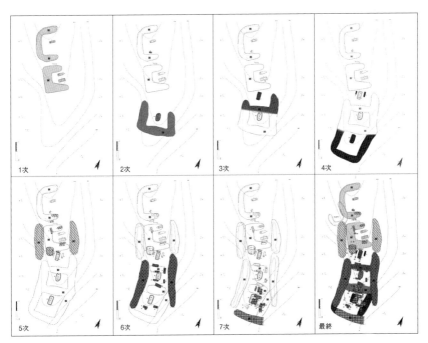

그림 6-13 상운리 라지구 1호분 단계별 조성도

질적인 면에서 우위를 보인다. 4차 확장은 수평 확장이 이루어지는데 최고 위계 무덤을 중앙에 배치하는 의도가 보이지 않는다. 연결된 분구와는 별개로 독립 분구와 같이 확장되는 분구의 중앙부에 상위급 목곽을 안치한다. 5~7차의 수직 확장에 안치된 목곽은 이전 단계의 주체부와 충복관계 보이지만 목곽의 위치와 위계의 관계를 명확하게 확인할 수 없다.

영산강유역에 위치한 용호고분군에 나타나는 수평+수직 확장은 상운리유적과 약간 차이가 있다. 용호 12호분의 경우는 1차 주구가 마제형으로 조성되었으며, 분구 대상 중앙부에 목곽을 안치하고 가장자리에 옹관을 안치하였다. 2차 확장은 1차 주구의 하단에 반대의 마제형 주구를 굴착하고 1차 주구와 연결하였다. 전체 분구의 평면형태는 장제형이며 2차 확장부터 매장시설로 목곽을 사용하지 않고 옹관으로 바뀌었다. 3차 확장은 수직적인 확장으로 1차 분구 중앙부의 목곽 직상부에 대형 "U"자형 옹관을 설치하였다. 이처럼 용호 12호분은 2차 확장부터 매장주체부가 목곽에서 옹관으로 대체된다.

본고에서 편년된 분구묘유적의 지속연대를 통해서 분구묘 평면형태의 발달 순서는 독립된 묘역 → 독립된 묘역 · 주구 중복 → 분구의 연접확장 → 분구의 수직 확장 순으로 상정할 수 있다.

(2) 목곽의 배치 유형

이상 분구묘 확장방식의 검토를 통해서 분구 내 목곽의 배치양상을 확인하고자 한다. 분구 내 목곽의 배치양상을 분류해 본 결과 크게 네 유형으로 정리할 수 있었다(그림 6-14).

독립 분구의 경우(가형)는 목곽이 1기 혹은 2기 합장이고 분구 중앙부에 위치한다. 목곽의 형식은 ⅠA형이나 Ⅱ형이며, 상운리 유적의 경우처럼 ⅠB형의

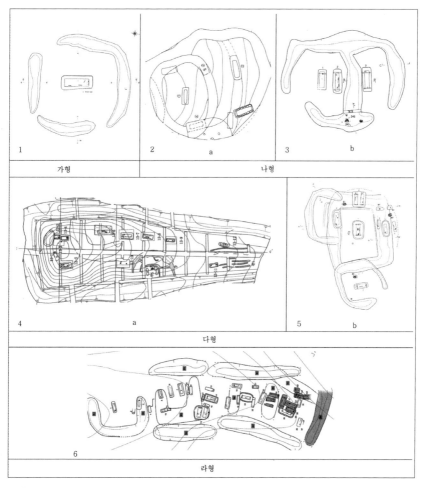

그림 6-14 목곽 배치 유형도
1. 운양동 1-11 1호분 2. 기지리 II-27호분 3. 상운리 나지구 5호분 4. 만가촌 13호분 5. 상운리 나지구 1호분
6. 상운리 라지구 1호분 7차 확장

사례도 있다. 목곽의 위계는 위치로 판정할 수 없고 목곽의 크기나 분구의 크기로 판별한다. 시기상으로 볼 때 주로 I기에 이러한 양상이 많이 보인다.

분구 연접의 경우(나형)는 2개의 분구가 단순 연접(ⓐ)에서 연접된 2개의 분구가 하나처럼 보이는 것(b)으로 발전하는 경향이 있다. 2개의 분구를 단순 연접하는 단계에는 분구 중앙부에 각 1기씩 ⅠA형 목곽이 안치된다. 이러한 현상은 Ⅱ기에도 확인된다. 2개의 분구가 하나로 보이는 분구묘의 최종양상으로 보면 분구 중앙부에 배치된 목곽이 위계가 가장 높다. 후축 분구의 축조자가 분구의 최종양상과 목곽의 위계 배치를 계획했던 것으로 상정된다. 이와 같은 분구 확장 축조 방식은 Ⅱ~Ⅲ기에 많이 확인된다.

분구 수평 확장의 경우(다형)는 단일 방향의 확장(a)과 사주위 확장(b)으로 나눌 수 있다. 단일 방향의 확장은 보통 수평 확장과 수직 확장이 동시에 발생하는 유구에서 많이 확인된다. 예를 들면, 상운리 라지구 1호의 3~4차 확장, 만가촌 13호의 2차 확장 등이 있다. 이러한 확장방식에서 목곽이 배치되는 방식은 2개의 분구가 단순 연접되는 경우와 비슷하고 거의 같은 시기에 속하지만 명확한 위계 차이가 확인되지 않는다. 사주 확장의 경우 분구 중앙에 하나의 목곽이 안치되는데 이것은 위계가 높고 ⅠC형이나 Ⅱ형에 속한다. 사주위 주구를 메우고 추가적 매장시설을 안치하는데 Ⅲ기에 많이 확인된다.

분구 수직 확장의 경우(라형)는 부장리 7호분처럼 후행의 목곽이 선행의 목곽을 파괴하거나 상운리 라지구 1호분의 7차 확장처럼 한 곳에 밀집 분포하고 있다. 앞 단계 주체부의 배치상태를 고려하지 않고 단순하게 분구 대상부의 공간이 넓어지면서 목곽이 위계성·계획성 없이 안치된 결과이다. Ⅲ기에서 그러한 양상이 확인된다.

이상 분류된 목곽의 배치 유형을 시기적으로 배열하면, 가형 → 나a형·다a형 → 나b형·다b형·라형의 순서로 발전하였다. 이와 같은 변천순서는 다음과 같이 이해할 수 있다. 즉, 서로 대등한 분구를 연접시키는 확장방식에서 상위자의 매장시설 분구 중앙에 배치되도록 하는 기획적 확장으로 분구 확장방식이 발전했다는 것이다. 이는 분구묘가 개인 묘역의 군집에서 어떤 사회적 의미를 지닌 공동체의 구성원이 한 분구에 묻히는 집단 분구묘로 발전한 결과라 할 수 있다.

2) 地域圈의 設定과 特徵

목곽의 형식과 분구 내 목곽의 배치양상은 지역적으로 상당한 차이가 보이므로 지역권을 나누어서 살펴볼 필요가 있다.

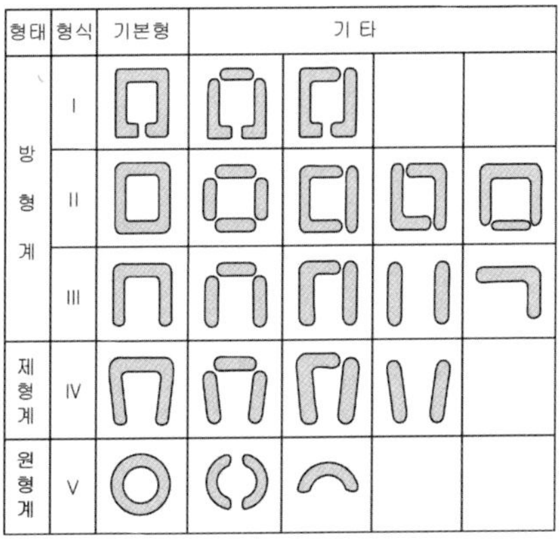

지역권 설정은 주구의 형태55)(그림 6-15), 목곽의 유형과 배치양상을 기준으로 하였다. 이 같은 특성을 기준으로 대상 분구묘를 정리한 결과는 〈표 6-6〉과 같다. 한강하류역

형태	형식	기본형	기 타			
방형계	I					
	II					
	III					
제형계	IV					
원형계	V					

그림 6-15 주구의 형태 분류(이택구 2008 : 57)

과 금강 서북부권, 금강유역권, 금강 서남부권, 영산강유역권 이상 4개의 권역으로 구분할 수 있다.

(1) 한강하류역과 충청 서해안권

한강하류역과 충청 서해안권에 해당하는 유적은 김포 양촌, 운양동, 인천 연희동, 구월동, 당하동, 용인 마북리, 서산 예천동, 여미리, 기지리, 부장리유적 등으로 I~III기에 걸쳐 부가시설이 없는 IA과 II식의 목곽이 확인된다. 이

---

55) 본고에서 주구의 분류는 이택구(2008)의 안을 수용한다.(이택구, 2008, 「한반도 중서부지역의 馬韓 墳丘墓」, 『韓國考古學報』 66, pp.48-89.)

표 6-6 지역권 속성표

지역	유적	주구형태					목곽 형식				목곽 배치 유형					
		I	II	III	IV	V	IA	IB	IC	II	가	나a	나b	다a	다b	라
한강 하류역과 충청 서해안권	양촌		○				○				○					
	운양동	○	○				○			○	○					
	연희동		○			○	○				○					
	구월동			○			○				○					
	당하동		○				○				○					
	마북리			○						○	○					
	예천동	○	○				○				○					
	여미리		○	○			○			○	○					
	기지리	○	○	○			○				○	○				
	부장리		○	○			○				○		○		○	○
금강 유역권	상운리	○	○	○	○	○	○	○	○		○	○	○	○	○	○
	장동		○				○	○						○		
전북 서남부권	성남리III				○		○				○					
	만동			○	○		○				○	○				
	선동			○	○		○	○			○					
영산강 유역	환교			○			○				○			○		
	만가촌			○			○							○		○
	인평			○			○				○					
	신연리			○			○							○		
	만수리			○			○							○		
	용호			○			○				○			○		○

권역 목곽의 등장은 낙랑 목곽묘와 관련 있다고 생각되는데 분구 내 목곽 배치유형은 가형이 전체 유적에서 확인되고 있으며, 기지리유적에서는 나a형도 확인되었다. 가장 늦은 시기까지 지속된 부장리 유적에서 가형 이외 나b형, 다b형, 라형도 확인되었다. 주구의 형식은 연희동유적에서 1기의 원형계 주구가 확인되었고 나머지는 모두 방형계의 I, II, III형식이다. 출토 토기는 원저단경호를 비롯하여 평저단경호, 유견호 등이 출토되었다. 따라서 이 지역은 방형계의 주구와 II형 목곽을 채용하는 것이 특징이다.

(2) 금강유역권

금강유역권에서는 완주 상운리유적과 전주 장동유적이 해당된다. 상운리유적은 본고에서 검토대상으로 삼은 유적 가운데 존속시간이 가장 긴 유적으로

I~III기까지 지속되었다. 주구의 형태는 방형계의 I, II, III식과 제형계의 IV식이 확인되었다. 목곽의 형식은 다른 지역권에서 잘 보이지 않는 IB, IC식을 비롯하여 IA식도 확인되었다. 이 권역의 목곽은 낙랑 목곽묘의 영향보다 토착 토광묘가 목곽적 매장의례의 영향을 받았을 가능성이 높다. 또 지속시간이 길어서 목곽 배치양상은 거의 모든 유형이 확인된다. 출토 토기는 광구장경호를 비롯하여 단경호와 이중구연호, 병 등이 확인되었다. 이 지역은 분구의 형태와 목곽의 배치양상이 다른 지역보다 전면적이다.

(3) 전북 서남부권

전북 서남부권에서는 성남리III, 만동, 선동 유적이 해당되며 그 시기는 II기에 집중된다. 주구의 형태는 방형계의 III형과 제형계의 IV형만 확인되었으며 목곽의 형식은 IA식과 금강유역에 확인된 IB식이 확인되었다. 목곽 배치유형은 지속시간이 짧아서 가형과 나a형만 확인되었다. 출토 토기는 원저단경호와 이중구연호를 비롯하여 평저단경호와 광구장경호도 확인되었다. 이 권역은 금강유역권과 영산강유역권의 중간지대에 위치하여, 양 권역의 양상이 모두 발견되는 것이 특징이다.

(4) 영산강유역권

영산강유역권에서는 환교, 만가촌, 인평, 신연리, 만수리, 용호 고분군이 해당된다. 주구형태는 제형계의 IV식만 확인되며 목곽도 IA식만 확인된다. 만수리와 신연리 유적에서는 묘광을 이단 굴착하는 특징적인 구조가 관찰된다. 주구는 제형만 확인되고 목곽도 IA형만 확인되는데 단일화되는 경향이 뚜렷하다. 유적의 지속 시기는 II기부터 III기까지이며, 목곽 배치양상의 유형은 가형,

다a형, 라형이 확인되었다. 출토 토기는 원저단경호와 이중구연호가 다수 출토되었다. 따라서 이 지역은 제형계의 주구형태와 ⅠA식의 목곽만 채용되는 것이 특징이다.

이상 네 개의 권역은 지역적인 특징이 강하지만 서로 간의 교류도 확인된다. 〈표6-6〉에 표시한 것처럼 주구형태 그리고 목곽의 형식과 배치양상에서 권역간 공통성을 보일 뿐만 아니라 매장의례에 사용된 토기의 기종 및 기형의 유상성도 교류의 근거로 들 수 있다. 금강 서북부지역의 기지리유적에서 주로 출토되는 유견호는 금강유역의 상운리유적에서도 소량 출토되고, 상운리유적에

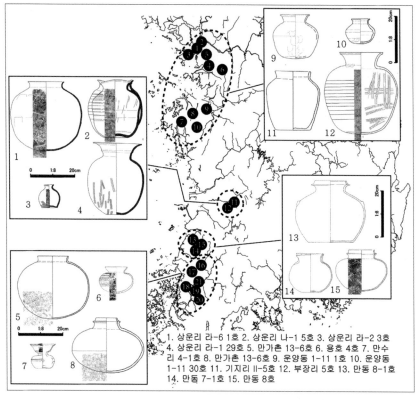

1. 상운리 라-6 1호 2. 상운리 나-1 5호 3. 상운리 라-2 3호
4. 상운리 라-1 29호 5. 만가촌 13-6호 6. 용호 4호 7. 만수리 4-1호 8. 만가촌 13-6호 9. 운양동 1-11 1호 10. 운양동 1-11 30호 11. 기지리 Ⅱ-5호 12. 부장리 5호 13. 만동 8-1호 14. 만동 7-1호 15. 만동 8호

그림 6-16 지역권 설정과 부장 토기 차이

서 주로 출토되는 광구장경호는 부장리유적에서 확인된 바 있다. 또 금강 서남
부권은 금강유역권과 영산강유역권의 중간지대에 위치하여, 양 권역의 일부 특
징이 모두 발견된다.

VII장
東北亞 木槨墓의 受容과 展開 過程

본 장에서는 거시적 관점에서 동북아 목곽묘의 전개 과정에 대해 살펴보고자 한다. 동북아 목곽묘는 기원전 11세기~기원전 5세기대 요서지역에서 먼저 등장한 이후, 기원전 3세기대에는 요령지역 전역에 걸쳐 주묘제로 채택된다. 이어 낙랑지역으로 전파되는 기원전 2세기대까지 요령은 주변지역에 목곽묘가 확산되는 중심지역으로 기능하였다. 기원전 1세기대 이후에 낙랑지역은 요령의 중심지역 기능을 대체하였고 남한에 목곽묘를 전파시켰던 것으로 보인다.

여기서는 목곽묘 자체의 전개과정을 기본축으로 하되 그러한 과정 중에 동북아 제 지역이 목곽묘를 어떠한 배경에서 수용하는지에 대해 중점을 두어 살펴보고자 한다. 요령지역, 낙랑지역 그리고 한반도 서남부 해안지역에 목곽묘의 전개과정에 대해서 IV~VI장에서 다룬 바 있으므로, 본 장에서는 거시적 관점으로 본 목곽묘의 전개과정에 관하여 종합적인 견해만을 제시하였음을 밝혀둔다.

1. 東北亞 木槨墓의 構造 및 分布

동북아에서 발굴된 목곽묘는 구조적으로 목관의 사용여부에 따라 크게 유관유곽형과 유곽무관형으로 구분된다. 서론에서 언급한 바와 같이 동북아에는 지리 환경으로 인해 중원 요소와 북방 요소가 동시에 진입하였다. 따라서 필자는 이 두 유형 모두 중원 목곽묘와 관련이 있다고 생각하지만, 유관형은 연·진·한 문화가 직접 반영된 것으로 볼 수 있고, 무관형은 중원 목곽묘가 주변집단에 의해 토착화 되는 과정에서 변용된 결과로 볼 수 있다. 또한 무관형은 매장의례의 차이를 통해 제II장에서 정의했던 방중원계와 북방계로의 구분이 가능하다. 즉 목곽이 중원지역과 유사하고 규모가 크며 후장를 하는 전통을 방중원계로 한다. 이와 반대로 목곽 규모가 목관과 비슷하고 빈장이 특징인 것을 북방계로 한다.

이 세 가지 유형의 분포 범위(그림 7-1)에 대해 정리하면 다음과 같다. 우선 중원계 목곽묘는 연 문화의 확장에 따라 요서지역에 먼저 등장하는 것이 확인되지만 토착집단에서 그것을 수용하는 양상에는 차이가 있다. 이는 다음 절 동북아 목곽묘의 전개 과정에서 자세하게 검토하고자 한다. 이후 연 문화를 계승한 한문화는 요령지역 영향의 심화에 따라 토착집단의 요소가 쇠퇴하였고 전면적으로 중원계 목곽묘를 주로 채용하였다. 낙랑군이 서북한지역에 설치된 이후 중원계 목곽묘는 이 지역으로 확장되었다. 따라서 중원계 목곽묘의 분포 범위는 요령과 낙랑지역을 포괄하며 당시의 행정구역으로 보면 유주幽州에 해당된다.

방중원계 목곽묘는 요서지역의 위영자문화에서 처음 확인되었다. 이는 연산 남쪽에 분포하는 장가원문화가 연산 북쪽으로 확산하는 것과 맞물려 있으리라 추정된다. 연 문화가 요서에 진입하기 전에 방중원계 목곽묘는 춘추 만기에 요동 북부에 분포하고 있는 정가와자유적에서 확산되었지만, 그 확산세는 거기서 멈춘듯 하다. 서한시기가 되면 요령지역에서 방중원계 목곽묘가 원대자, 양초장 등 유적에서 다시 확인되었고 부여의 중심지로 추정되는 길림지역의 모아산유적[1] M1호에서도 확인되었다. 한대에 방중원계 목곽묘가 다시 성

---

1) 吉林市博物館, 1988, 「吉林帽兒山漢代木槨墓」, 『遼海文物』 2, pp.1324-1326; 劉景文, 2008, 「帽兒山墓群」, 『田野考古集粹 : 吉林省文物考古研究所成立二十五周年紀念』, 文物出版社.

행하는 이유는 한이 토착집단에 실행하는 정책과 관련이 있다고 생각된다.

요령지역 방중원계 목곽묘의 성행과 관련하여『후한서後漢書』오환선비열전 烏桓鮮卑列傳에 '한무제가 표기장군 곽거병霍去病을 보내어 흉노 좌측지역을 공격 하여 깨트리는 동시에 오환을 상곡, 어양, 우북평, 요서, 요동 5군의 장새 밖으 로 옮기고 흉노의 동정을 살피는 한나라 정찰부의 역할을 하게 하였다. 오환 대인 세일을 조정에서 만나고 나서 처음으로 호오환교위護烏桓校尉를 설치했 다.'라는 기록에 따라 무제시기에 오환이 남쪽에 있는 한군현으로 이주했음 확인할 수 있다. 그러나 한군현에 이주된 토착집단은 오환 외에도 더 있을 수 있다고 생각된다. 필자는 이 이주민들이 방중원계 목곽묘를 채용했을 가능성 이 크다고 생각한다. 여기서 방중원계 목곽묘를 채용하는 집단의 주체가 오환 이라는 뜻이 아니라, 방중원계의 등장 초기에 이를 수용한 집단을 통해서 추 정한 것뿐이다. 모아산유적에서 확인된 것은 명확한 문헌기록이 없지만 오수 전, 칠기 등의 유물을 통해서 필자는 한이 흉노를 방어하기 위해 주변집단에 대해 우호적인 정책을 편 결과 토착집단이 적극적으로 한의 장례문화를 수용 했던 것으로 파악하고자 한다.

방중원계 목곽묘는 한반도의 호서과 영남지역의 목곽묘에서도 확인되었다. 이는 낙랑의 영향을 받아서 수용된 것으로 보는 견해가 일반적이다. 다만 남 한지역 목곽묘는 그 수용시점이 비교적 늦기 때문에 최초의 방중원계 목곽묘 에 비하면 상당히 변형된 상태라고 할 수 있다. 대량 부장품을 부장하기 위해 목곽이 대형화되거나 음식을 봉헌하기 위해 토제 용기를 대량 부장하는 점 등 을 고려하여 방중원계 목곽묘로 이해할 수 있다. 따라서 방중원계 목곽묘의

---

2) 『後漢書』烏桓鮮卑列傳 : 武帝遣驃騎將軍霍去病擊破匈奴左地, 因徙烏桓於上谷, 漁陽, 右北 平, 遼西, 遼東五郡塞外, 為漢偵察匈奴動靜. 其大人歲一朝見, 於是始置護烏桓校尉.

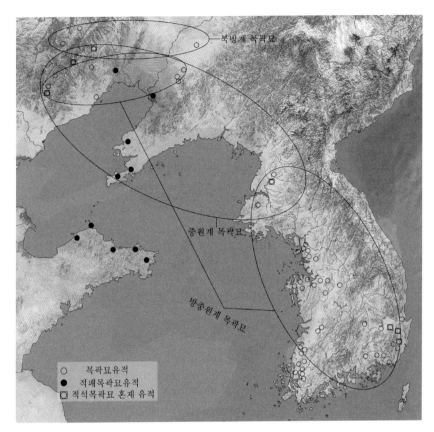

그림 7-1 동북아 목곽묘 유형 및 계통 분포도

분포 범위는 중원계 목곽묘와 공존해 있던 요령지역, 수장층의 매장시설로 채용되었던 부여지역 그리고 남한의 호서와 영남지역을 포괄한다.

북방계 목곽묘는 춘추 초기 군도산지역의 옥황묘문화에 처음 등장하고 원대자유적의 갑류 목곽묘와 주가지유적에서도 확인된다. 이후 요서지역에서는 더 이상 확인되지 않고 한대에 노로아호산을 따라 북쪽으로 유수 노하심[3]과

---

3) 吉林省考古硏究所, 1987, 『楡樹老河深』, 文物出版社.

찰뢰락이柴賚諾爾 고분군4)을 비롯한 선비묘에 확산되는 듯하다.

동북아 목곽묘는 부가 시설에 따라 적석, 적패, 무부가시설 등으로 세분된다(그림 7-1). 적석목곽묘는 요서지역 십이대영자문화인 화상구 B, C, D지점에 처음 발견된 바 있다. 화상구유적에 발견된 적석목곽묘는 외부 적석요소로 인하여 석곽으로 보는 견해도5) 있다. 그러나 그 구조는 목곽 밑에 석판 6개를 설치하고 목곽 사방과 상위에 활석을 쌓은 것이 분명하므로, 석곽으로써 기능을 했을까 하는 의심이 든다. 그러므로 이것은 목곽 밖에 있는 적석으로 보는 것이 타당할 것 같다. 그 등장 배경을 보면 당시 노로아호산 북쪽에 분포하고 있는 하가점상층문화가 남쪽으로 확산되는 양상을 보이고 그 대표 묘제인 석관이 남쪽에 있는 십이대영자문화에 수용된다. 화상구유적 A지점에서 확인되는 목곽은 석관의 일부 구조를 수용하고 있는데 두 매장시설의 결합을 통해 적석목곽묘가 형성되었다고 생각된다. 이는 이후에 동대장자고분군으로 계승되어 요령지역에서 적석목곽묘는 서한 만기까지 지속되었고 낙랑지역에도 적석목곽묘가 확인된 사례도 있다.

영남지역도 적석목곽묘의 또 다른 분포구역이다. 영남지역 적석목곽묘의 기원은 동대장자고분군에서 구하는 견해6)도 있지만, 연대 차이가 커서 실제적인 관련은 인정되기 어렵다. 이제 영남지역 적석목곽묘의 기원에 대한 관점은 북방기원설과 자생설로 대립된다. 북방기원설은 동대장자고분군과 관련된다는

---

4) 內蒙古文物考古研究所, 1994, 「柴賚諾爾古墓群1986年淸理發掘報告」, 『內蒙古文物考古文集』, 中國大百科全書出版社.

5) 오강원, 2011, 「商末周初 大凌河 流域과 그 周邊 地域의 文化 動向과 大凌河 流域의 靑銅禮器 埋納遺構」, 『韓國上古史學報』74, pp.5~44.

6) 吳江原, 2006, 「요령성 建昌縣 東大杖子 積石木棺槨墓群 出土 琵琶形銅劍과 土器」, 『科技考古硏究』12, pp.5-20.

추론과 같이 두 지역의 거리가 멀기 때문에 단순히 비교하여 설명하기는 어렵다. 자생설은 목곽묘에서 점차 목곽 주위의 사방으로 돌을 쌓는 적석목곽묘로 발전하고 그 이후 적석을 쌓는 범위가 확대된 목곽 상부에 적석을 하는 방식으로 변화한다고 보는 견해이다. 이는 점차 목곽이 지상화되면서 자체적으로 적석목곽분이 발생했다고 이해한 셈이다[7].

적패목곽묘는 요동 남쪽 발해만 연안에 분포해 있다. 그 기원은 신석기시대 이 지역에 분포해 있던 패묘에서 기원한 것으로 보는 견해[8]가 있지만, 현재 고고학 자료로 보면 전국 만기 요동과 산동반도 사이에 있는 묘도군도廟島群島에서 처음 등장하는 것으로 추정된다[9]. 전국 만기에 중국 북방지역에서 유행한 적석목곽묘가 토착사회에서 변화하여 발생한 것으로 보는 것이 자연스럽다. 전국 만기부터 서한 중기까지 적패목곽묘에서는 패의 사용량이 점점 증가하지만 서한만기부터 패의 사용량을 줄이고 전석塼石으로 대체하는 경향이 나타난다. 동북아 전 지역을 통해 적패목곽묘는 발해만 연안의 특유한 묘제이고, 그 내부 목곽의 발전은 주변 지역과 대동소이하다.

2. 東北亞 木槨墓의 展開 過程

앞 장에서 단속적으로 동북아 목곽묘의 지역별 전개과정을 언급한 바 있는데, 총체적으로 동북아 목곽묘의 전개과정과 역사적인 배경을 살펴보고자 한다.

---

7) 박형열, 2020, 『4~6세기 신라 중심고분군 연구』, 경북대학교 대학원 박사논문, pp. 7-8.
8) 於臨祥, 1958, 「營城子貝墓」, 『考古學報』 4, pp.71-89.
9) 白雲翔, 1998, 「漢代積貝墓研究」, 『劉敦願先生紀念文集』, 山東大學出版社, pp.404-421.

1) 遼西 · 遼東 中心期

목재의 관 · 곽은 중원의 매장시설이다. 중원의 시대구분에 따르면 용산문화기에 이 매장시설이 비중원지역으로 확산되었다. 동북아지역에서 처음 목재의 매장시설이 확인되는 시기는 하가점하층문화단계이다. 하가점하층문화의 매장의례에서는 세트로 부장되는 호와 력, 정 등의 토기류가 묘광의 이층대에 배치되므로 매장시설 자체가 수직적인 목관으로 판정된다. 하가점하층문화가 쇠퇴한 후 그 일부 요소는 연산 남쪽에서 발생한 장가원문화에 수용되고 이 요소 중에 묘제도 포함되는 것으로 추정된다. 물론 현재 확인된 장가원문화의 무덤은 대부분 매장시설이 확인되지 않는 토광묘에 속한다. 하지만 이 문화기의 비교적 늦은 시기에 해당되는 백부촌목곽묘에서는 뚜렷한 목곽시설이 확인되어 장가원문화의 묘제에는 목관 · 곽을 채용했던 것으로 생각된다. 백부촌목곽묘는 대형 목곽을 채용했고 연식 청동예기와 북방식 청동기가 함께 부장되었기 때문에 이 연구에서 정의한 방중원계 목곽묘의 전형에 속한다. 요서지역 위영자문화에서 확인된 목곽의 구조와 유물 배치는 백부촌 목곽묘와 유사하고 시기가 비슷하지만 연남에서 연북으로 선사시대 물질문화의 확산세를 고려하면 위영자문화의 목곽묘는 연남의 백부촌으로부터 수용되었던 것으로 추정된다. 이러한 전파과정을 통해서 동북아 목곽묘의 최초 수용과정을 설명할 수 있다.

위영자문화에 연남의 방중원계 목곽묘가 수용된 이후, 목곽묘는 요서지역에 더 이상 확산되지 않고 토착묘제인 석관이 주류가 된다. 방중원계 목곽묘가 당분간 지속되기는 하지만, 후속 문화인 십이대영자문화의 초기에 북방식 목곽묘로 대체되는 경향이다. 용산문화시기 주개구문화에 채용된 목관묘는 양주교체기(기원전 8세기)의 옥황묘문화에 목곽묘로 발전한다. 옥황묘문화의 목곽묘는 목곽이 작고 부장 유물도 북방청동기 위주이다. 토기를 부장하더라도 한 점 정도가 머리 밑에 부장된다. 이는 본고에서 정의된 북방계 목곽묘에 속한다. 옥황묘문화는 연의 북쪽에 분포하고 북방계목곽묘의 형성은 연과 일정한 관계가 있었던 것으로 생각된다. 기원전 8세기 춘추시기부터 연나라가 계속 북쪽으로 확장함에 따라 옥황묘문화는 동쪽으로 이동한다. 이 과정에서 옥황묘문화의 북방계 목곽묘는 요서 동쪽과 서쪽에 확산된다. 먼저 동쪽으로 옥황묘문화가 확산되었을 때, 이 지역의 토착집단인 하가점하층문화가 쇠퇴기로 접어든다. 하가점상층문화의 만기에 해당하는 주가지유적에서 북방계 목곽묘가 처음 확인된다. 다만 이후 발굴자료가 충분하지 않아서 그 확산세는 명확하지 않다. 그러나 한시기의 유수 노하심유적에서 이러한 북방계 목곽묘가 확인되므로 이는 노로아호산과 서랍목륜하에 따라 확산 되었을 것이라는 그 대략적인 흐름을 짐작할 수 있다.

요서의 서쪽에는 춘추중만기(기원전 6세기)에 속한 원대자유적의 갑류 목곽묘에서 옥황묘문화에 속한 동포 등의 유물이 확인되었으므로 옥황묘문화와 무언가 관계가 있다는 것은 파악된다. 그러나 커다란 영향을 인정되기 어렵다. 화상구유적에서 확인된 목곽묘는 이전 시기의 방중원계 목곽묘를 계승하면서 석축묘의 일부 요소를 융합한 적석목곽묘에 속한다. 춘추 만기부터 연문화가 침투하기 시작되는데 이 때 유입되어 들어오는 연문화는 유물 위주이고, 연식 목곽묘가 요서지역에 이식되는 것은 전국 중기부터이다.

춘추 만기에 동대장자유적을 중심으로 주변 우도구고분군 등 유적에서 연식 청동기와 동과 등의 유물이 부장되기 시작하는데 목곽의 구조는 연나라 하위 소형 목곽과 유사하다. 그 이외 지역에서 연식 유물이 많이 확인되지 않는다. 원대자유적을 위시한 그 일대에서 확인되는 부장 유물은 주로 토착 토

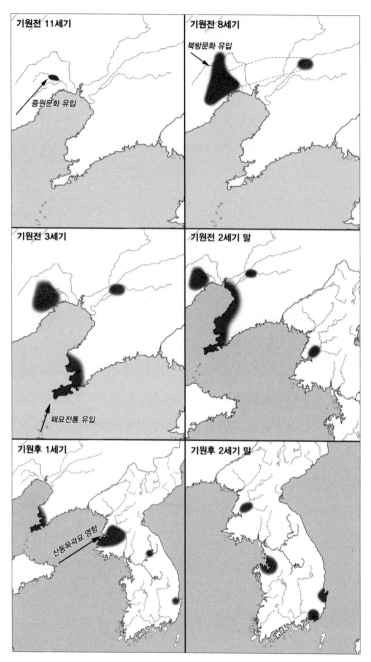

기원전 11세기   중원문화 유입

기원전 8세기   북방문화 유입

기원전 3세기   패묘전통 유입

기원전 2세기 말

기원후 1세기   산동목곽묘 영향

기원후 2세기 말

그림 7-2 동북아 목곽묘의 확산 과정

기이며, 그 남쪽에 있는 홍성 주가촌유적을 대표로 하는 정가와자유형은 비파형동검을 중심으로 토착 토기와 공반되는 양상이다. 춘추 만기까지는 목곽묘가 요동 북쪽까지 확산되었다. 전국 만기에 이르러 요동 북쪽에 까지 목곽묘가 파급되지만 그 이동지역에서는 볼 수 없다. 이 시기 요서지역의 묘제는 석축묘과 목곽묘가 혼재하지만, 석축묘가 비교적 우세한 편이다. 이는 비파형동검과 같은 위세품이 대부분 석관묘에서 출토되었다는 점에서도 입증된다. 정가와자유형을 경계로 요동의 다른 지역은 석축묘가 절대 주류 묘제이다.

전국시대(기원전 5세기말)에 이르러, 요서지역의 목곽묘에서 연 문화의 영향이 계속 확대된다. 전국 초기에 원대자유적에 해당하는 목곽묘는 이전 토착 무덤의 장축 동서향에서 연문화 목곽묘와 같은 장축 남북향으로 변하였다. 그리고 비파형 동검이 주로 부장되는 십이대영자유형 목곽묘는 요서 서부에 분포하게 된다.

전국 중기(기원전 3세기초)에 『한서』흉노전에 '그후 연에는 현명한 장수인 진개가 있었다. 동호에 인질로 잡혔는데, 호는 그를 깊이 신뢰했다[10]' 라는 기록을 통해서 당시 일부 연의 주민들이 요서지역에 이주했다는 사실이 확인된다. 따라서 전국 중기에 연문화가 요서지역에 전면적으로 확산되는 추세임을 파악할 수 있다. 발굴 자료로서 연식 도례기가 이 시기에 요서지역 목곽묘에서 보편적으로 부장되기 시작한다. 원대자유적과 동대장자유적에서는 연식 목곽묘가 그대로 이식되는 예도 확인된다. 미안구유적과 동대장자유적에서는 목곽묘가 희생물 순장 등의 토착 매장의례와 결합되기도 한다. 이는 다음절에서 자세하게 검토하고자 한다. 전국 만기(기원전 3세기말)에 '(진개가 연으로) 돌아오고 동호

---

10) 『漢書』匈奴傳:其後燕有賢將秦開, 爲質於胡, 胡甚信之.

를 격파하니 (동호는) 천여 리나 물러갔다. 연은 다시 장성을 구축하였는데, 조양에서 양평까지 쌓았고, 상곡·어양·우북평·요서·요동군을 두어 동호를 방비했다.[11] 전국 중만기에는 연나라가 요서·요동지역을 영역화 하고 중원문화권이 요서·요동까지 확장되는 결과를 낳는다. 이와 함께 목곽묘가 요동 북부지역에 보급된 것으로 생각되는데, 이 시기에 해당되는 유적은 현재로서 신성 전국 목곽묘 뿐으로 자세히 설명하기는 어려운 실정이다. 그러나 신성목곽묘는 상위 고분이어서 연식 관곽제도[12]에 따라 이중곽을 채용한 무덤이다.

서한 초기(기원전 2세기)에 들어 요서·요동지역의 정치 제도는 진의 제도를 계승하고, 진은 연의 제도를 이어받았던 계승관계가 있다. 그러나 요서·요동지역의 목곽묘 자료를 보면 전국 만기 신분이 높은 목곽묘가 아직 확인된 바 없다. 대부분 목곽묘는 연식 소형 목곽묘의 양식이 유지되었다. 부장유물도 전국 만기의 풍습이 유지되고 있다. 요동 남부의 발해 연안지역에서 패묘가 출현

---

11) 『漢書』匈奴傳 : 歸而襲破東胡, 卻千餘里…. 燕亦築長城, 自造陽至襄平, 置上穀·漁陽·右北平·遼西·遼東郡以距胡.

12) 연나라의 관곽제도는 연하도유적의 고분자료를 통해 알 수 있다. 연하도는 현재의 하북성 이현의 동남쪽 약1.5㎞의 중이수와 북이수 사이에 위치한다. 무덤은 연하도의 내외에서 모두 발견되는데 등급에 따라 다음과 같이 구분할 수 있다.
① 왕릉급 무덤은 대형봉토를 가지며 묘실 길이가 10m이상이고, 묘도를 두 개를 갖고 있다. 관곽 중첩수는 2중곽 1중관이나 2중곽 2중관이다.
② 고급 귀족묘는 고대한 봉토가 있고 묘실이 길이 7m이상이다. 묘도가 하나만 있으며, 관곽 중첩수는 2중곽 1중관이나 1중곽 1중관이다.
③ 중·소 귀족묘는 묘실의 길이 4m이고 묘도가 없다. 대부분 1중곽 1중관이다. 무덤 주인은 大夫나 士급 중소 귀족일 가능성이 있다.
④ 소형 귀족묘는 묘광이 4m이하이다. 매장시설은 1중곽 1중관이나 곽이 없다. 무덤 주인은 사급 소귀족일 가능성이 있다.
⑤ 서민 무덤은 곽이 없고 1중관이나 매장시설 없는 경우가 많다. 묘실 길이 2m이하이다. 이상은 연하도에 있는 고분자료를 통해 연나라 전국 중만기의 관곽 제도를 고찰한 한다.

하고, 내부 목곽의 구조는 주변지역의 목곽과 큰 차이가 없다.

전국 만기에 형성된 요서·요동을 중심으로 주변 토착집단과 물질문화 상호작용망을 통해서 주변 토착집단은 부여, 오환 등의 정치체로 성장하였다. 현재 발굴된 부여 유수 노하심[13]과 모아산고분군[14](그림 7-3), 오환의 서차구고분군[15] 등 발굴자료를 통해 서한 때 각각의 수장묘들이 목곽을 매장시설로 채용하였음이 확인된다. 『후한서後漢書』에 의하면 조선의 왕, 준은 기원전 194

그림 7-3 帽兒山 목곽묘(M18호) 발굴 사진

년에 위만에게 왕위를 빼앗기고 남쪽의 한으로 망명하여, 한왕이 되었다고 한다[16]. 이러한 역사적인 배경 아래 남한지역에는 기원전 2세기부터 목관묘가 묘제의 주류가 된다. 이어 기원 2세기 중반이 되면 목관묘에서 목곽묘로 발전하게 된다.

13) 吉林省考古研究所, 1987,『楡樹老河深』, 文物出版社.

14) 劉景文, 1991,「吉林市帽兒山古墓群」,『中國考古學年鑑』, 文物出版社. ; 劉景文, 2008,「帽兒山墓群」,『田野考古集粹: 吉林省文物考古研究所成立二十五周年紀念』, 文物出版社; 吉林市博物館, 1988,「吉林帽兒山漢代木槨墓」,『遼海文物』2, pp.1324-1326.

15) 西岔溝古墳群 약보고서에서 전부 토광묘로 보고 있는데 유물의 배치 상태를 통해서 필자는 목곽묘로 보았다.

16) 『後漢書』東夷列傳: 初, 朝鮮王准爲衛滿所破, 乃將其餘衆數千人走入海, 攻馬韓,破之,自立爲韓王. 准後滅絕, 馬韓人複自立爲辰王.

서한 중기(기원전 1세기)에 무제는 조선왕 위우거衛右渠를 공격하여 멸망시키고 낙랑, 진번, 임둔, 현도의 4개의 군을 설치하였다. 한나라가 서북한지역을 영역화 하면서 한문화권이 이 지역까지 확장되었다. 낙랑 목곽묘의 상한 연대에 대한 논쟁이 있기는 하나, 대체로 한사군이 설치된 이후 목곽묘가 보급되는 것으로 보는 데에는 이견이 없다. 요서·요동지역의 목곽묘는 이혈이나 동혈로 합장이 이루어진다. 기원전 1세기 후반 이처럼 단장에서 합장으로 변화하는 추세는 낙랑 목곽묘에서도 확인된다. 유물은 서한 초기까지 부장된 도례기가 소멸하였고 합盒, 분盆 등 새로운 토기양식이 출현하였다. 서한 중기가 되면 요서·요동을 중심으로 하는 목곽묘 축조 전통이 서서히 막을 내리고 서한 만기부터는 낙랑이 그 중심이 된다.

2) 樂浪(西北韓) 中心期

기원전 1세기대 동북아 일원에 목재 매장시설이 확산·수용되는 양상에는 지역적 편차가 있다. 요령지역에서는 목곽묘가 주류 묘제가 되어 주변지역으로 영향을 주고 있었고 낙랑지역에는 이 무렵 목곽묘의 보급이 시작되고 있었다. 남한지역에는 목관묘가 주류 묘제로 정착하고 있었고 기원 2세기 중후반에야 비로서 목곽묘가 등장하여 매장의례에 큰 변화가 야기된다. 결국 기원전 1세기 때는 동북아 제 지역 가운데 남한지역을 제외한 나머지 지역에서 목곽묘가 중심 묘제가 되고 목곽묘의 확산세가 정체된다.

요령지역에서는 서한 후기(기원전 1세기 후반)에 대부분지역에서 목곽묘가 소멸하였고, 대련 강둔고분군을 비롯한 소수 적패목곽묘유적은 동한 초기(기원 1세기)까지 지속되었다.

낙랑지역의 초기단계 목곽묘는 주로 상자형 목곽묘이고, 제V장에서 검토했던 구조 특징에 근거하여 그 계보는 요동 목곽묘로 추정된다.『한서』지리지에 '낙랑군은 처음에 관리를 요동군에서 데려 왔다'[17]라는 군 초기의 기록과 부합한다. 이에 비해 기원 1세기대 평양 주변의 목곽묘는 산동지역의 목곽묘 구조를 따르게 된다.

낙랑지역 목곽묘의 변천은 선행 연구성과와 본고에서 검토된 관곽제도와 계보변천을 토대로 다음과 같이 정리된다.

기원전 1세기 전반 이후, 낙랑 목곽묘는 평양 대동강 남안에 위치한 낙랑토성의 주변에 분포한다. 부장유물은 세형동검 등의 한국식 무기와 화분형토기 및 평저단경호 등의 토착적인 유물이 많고, 칠기나 한식 동경이 적은 것이 낙랑 목곽묘의 초기단계의 특징이라 할 수 있다. 목곽묘는 세장방형의 단장목곽묘가 주류이고 요령지역 서한기 목곽묘의 초기단계에만 보이는 구조이다. 낙랑 초기 목곽묘의 기원을 논할 때 가장 가까운 형태가 이것이다. 관곽층수 조합양식은 모두 1중곽 1중관 2중관곽 양식에 해당된다. 이 시기에 해당된 목곽묘는 수량적 측면에서 그리 많지 않다는 점을 고려하면 낙랑지역에 아직 관곽제도가 형성되지 않은 것으로 볼 수 있다.

기원전 1세기 후반대, 평양지역에서 목곽묘 내 부장유물은 칠기과 동경 등의 한식 유물이 증가하며 평양 이외의 운성리 주변에도 목곽묘가 축조된다. 단장목곽묘가 주류를 이루지만 단장묘 이외에도 두 개의 매장주체부를 나란히 배치한 병혈합장묘나 하나의 목곽 내에 두 개의 목관을 안치한 동혈합장묘도 확인된다. 이 때 낙랑 목곽묘들은 한나라의 관곽제도에 따라 2중곽 1중관이나 1중곽 2중관의 3층관곽 양식이 군수의 속관 등 고급 관원인 한인漢人 집

---

17) 『漢書』地理志 : 郡初取吏於遼東.

단의 매장시설로 사용되었을 것으로 추정된다. 1곽1관의 2층 관곽양식은 현장
이나 토착 수령 그리고 그들보다 아랫 사람들에게 사용되었을 것이다.

　기원 1세기대, 칠기나 동경등 한식유물이 평양 이외의 지역으로 확산되고
목곽묘는 동혈합장묘가 주류인데, 하위 목곽묘는 여전히 단장이 사용되고 있
다. 이 시기까지 요령지역 목곽묘의 영향은 감소하게 되고 산동지역에서 격벽
을 세워 머리칸과 옆칸을 구분하는 구조가 동혈합장목곽묘의 주류가 되었다.
기원 25년에 '왕조지란王調之亂'[18]이라는 정치적인 사건이 발생해서 낙랑군은 상
대적인 독립상태였고 중원보다 안전한 상태였다. 이 시기에 다수의 산동유민
들이 낙랑군에 이주했던 것으로 추정되며 이러한 사정이 목곽묘의 구조적인
변화에 반영된 것으로 보인다. 관곽제도로 보면 이 시기 낙랑 목곽묘의 관곽
제도는 한나라의 관곽제도를 참월하였고 관곽중첩수는 단순히 외곽수가 증가
되는 것으로 한 위계만 올라 가는 현상이다.

　기원 2세기대, 낙랑 목곽묘 내에는 칠기나 청동용기, 차마구 등의 한식 유물
이 감소하는 시기로 낙랑 목곽묘의 쇠퇴기라고 할 수 있다. 목곽묘는 이전 시
기와 같이 동혈합장묘가 주류를 이루고 있지만 단장목곽묘는 보이지 않는다.
이 시기부터 가족 구성원들을 한 무덤에 같이 매장하는 풍습이 유행하며, 이
에 적합한 새로운 묘제인 전실묘가 나타난다. 그리고 이 시기에 낙랑의 관곽
제도가 붕괴되면서 곽의 구조도 신분적인 질서에 구애받지 않고 축조되는 현
상이 나타난다. 낙랑지역의 목곽묘는 기원 3세기대까지 유지되지만 거의 전실
묘로 대체된 상태이다.

　이상은 낙랑지역 목곽묘의 변천을 설명하였는데 흥미로운 사실은 낙랑 목

---

18) 『後漢書』王景列傳 : 土人王調殺郡守, 劉憲自稱大將軍, 樂浪太守, 建武六年, 光武遣太守王
　　遵將兵擊之.

곽묘의 쇠퇴기에 남한지역에 목곽묘가 수용되었다는 점이다. 이로써 남한 중심기가 동북아 목곽묘의 마지막 홍성기라 할 수 있다.

3) 南韓 中心期

남한 원삼국시대 분묘는 전기의 목관묘와 후기의 목곽묘로 구분된다. 목관묘가 유행했던 시기에 대형묘의 축조를 위해 목곽묘가 채용된 것으로 보이는데, 그 시기를 대략 2세기 중엽으로 보아 왔다. 영남지방에서 방형에 가까운 대형목곽묘의 출현은 묘제의 형식적인 변화로 간주되어 왔고 중요한 사회문화적 변동이 반영된 것으로 생각해 왔다[19]. 다만 남한지역에 대형목곽묘가 축조되기 전에 이미 서북한의 단장목곽묘가 북한강유역과 경주지역에서 발견된 사례가 있다. 북한강유역의 가평 달전리유적[20], 춘천 우두동유적[21]과 남양주 금남리유적[22]에서 회백색 평저단경호와 화분형토기가 부장된 서북한계 분묘가 확인되었다. 이 가운데 달전리 3호묘 이외 나머지 분묘들은 토기가 머리쪽인 북쪽 충전토 상면에 부장되었으므로 목관묘로 판단하는 것이 옳을 듯하다.

달전리 3호묘는 보고자의 소개[23]에 따르면 토광 벽에 바짝 붙여 곽을 설치하였고 관을 곽의 북서벽에 밀착시키다시피 안치한 것으로 보인다. 이러한 구조는 전형적인 낙랑 단장목곽묘이다. 출토 유물은 화분형토기 외에도 세형동

19)　李盛周, 2013, 「목곽묘의 출현과 그 역사적 의의」, 『三韓時代, 文化와 蔚山』, 2013년 울산문화재연구원 학술대회, pp.23-42.
20)　한림대학교박물관, 2007, 『가평 달전리유적 -토광묘-』.
21)　한강문화재연구원, 2017, 『춘천 우두동 유적』.
22)　허병환, 2020, 「남양주 금남리 유적」, 『중부지역 문화유적 발굴성과』, 2020년 유적조사발표회 자료집, 중부고고학회, pp.103-110.
23)　박성희, 2003, 「경춘복선 가평역사유지(달전리) 발굴조사」, 『한국고고학전국대회 발표문』 27, pp.139-158.

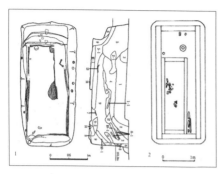

그림 7-4 달전리 3호(1)와 정백동 787호(2)

검과 재갈 등 위세품이 출토되어서 현재까지 확인된 서북한계 분묘 중에서 위계가 가장 높은 것으로 추정된다. 달전리 3호묘에서 출토된 화분형토기는 낙랑 목곽묘에서 출토된 초기형 화분형토기에 가까워 낙랑 목곽묘 I, II기에 해당할 가능성이 크다. 그리고 달전리 3호분은 토광 벽에 바짝 붙여 곽을 설치하였고 관을 곽의 북서벽에 바짝 붙여 안치한 구조가 낙랑 정백동 787호 목곽묘와 유사하고 이러한 구조는 낙랑 목곽묘 II기에 출현한다. 따라서 북한강유역에 확인된 목곽묘의 연대는 기원전 1세기대로 추정된다.

한편 경주지역에서도 서북한계 목곽묘가 발견된 사례가 있다. 경주 덕천리 고분군[24] 130호, 134호, 138호 등은 출토유물의 시기가 원삼국시대 전기로 비정되기 때문에 목관묘로 보고되었다. 하지만 이 무덤들에 부장된 발형토기와 승문단경호는 서북한 특유의 토기 부장 방식이 재현된 듯하며[25] 구조적으로 용기류를 매장시설 안에 부장했던 곽묘에 속한다[26]. 이 단장목곽묘는 토착지역에서 오래 전통을 이어가지는 못한 것으로 보아 서북한지역에서 이주해 온 집

---

24) 영남문화재연구원, 2008, 『慶州 德泉里遺蹟 II - 木棺墓』.
25) 李盛周, 2019, 「철기시대 중부지방 타날문토기 제작기술의 수용과 전개」, 『철기시대 토기와 토기문화의 변동』, 성남 : 한국학중앙연구원 출판부, pp.75-117.
26) 崔秉鉉, 2020, 「경주지역의 목곽묘 전개와 신라 조기 왕묘의 위상」, 『목곽묘로 본 사로국과 신라』, 국립경주문화재연구소, pp.6-43.

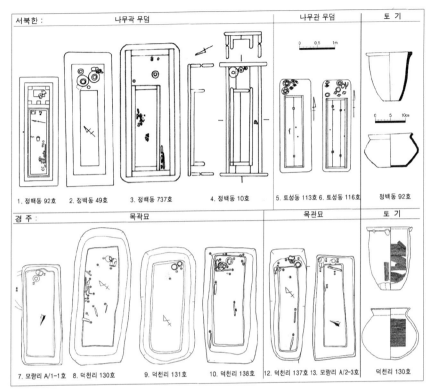

그림 7-5 서북한·경주지역의 목관묘·목곽묘와 부장토기 비교(최병현 2020)

단에 의해 짧은 기간 존속했던 것으로 이해된다[27].

　서북한지역과 경주지역의 서북한계 분묘들은 출토유물을 통해서 기원전 1세기대가 중심연대로 판단된다. 이 시기에 서북한지역의 주민들이 남하한 원인은『사기史記』조선열전과『한서漢書』조선전의 위만조선 멸망과 한사군 설치의 기사에 따라 나타난 사회현상으로 볼 수 있다.『삼국지三國志』위서 동이전에는 "위략 : 처음 右渠가 패하기 전에 조선의 상 역계경이 우거에게 간언하였는데,

---

27) 李盛周, 2020,「동북아 토착사회의 관·곽묘 수용」,『철기문화 시기의 분묘와 매장』, 한국학중앙연구원·한국학기초연구 공동연구팀 결과발표회의 자료집,

VII장 | 東北亞 木槨墓의 受容과 展開 過程　251

받아들여지지 않자 동쪽의 진국으로 갔다. 이때 함께 따른 백성이 2천여 호였고, 이후 조선·공(진)번과 서로 왕래하지 않았다.[28] 라는 기록이 있다. 이 기록을 통해서 위만조선이 멸망했을 때 많은 주민이 안정적인 삶의 터전을 찾아 동쪽과 남쪽의 변방 또는 그보다 더 먼 진국으로 옮겨 갔다는 것을 알 수 있다.

북쪽의 조선 유민이 남쪽으로 옮겨 가는 정황은 진한의 형성을 전하는 사료에서도 확인된다. 『삼국사기三國史記』 신라본기新羅本紀에는 "이에 앞서 조선의 유민이 산골짜기 사이에 나누어 살면서 6촌을 이루고 있었는데, 첫째는 알천 양산촌, 둘째는 돌산 고허촌, 셋째는 취산 진지촌 혹은 간진촌이라고도 한다. 넷째는 무산 대수촌, 다섯째는 금산 가리촌, 여섯째는 명활산 고야촌으로, 이들이 바로 진한의 6부이다.[29] 『삼국지三國志』 동이전東夷傳 한韓에는 "(진한의) 노인들이 대대로 전하여 말하기를, '우리들은 옛날의 망명인으로 진의 고역을 피해 한국으로 왔는데, 마한이 동쪽의 땅을 떼어 주었다'라고 하였다……. 낙랑 사람을 아잔阿殘이라 하였는데, 동방 사람들은 아我라는 말을 아阿라 하였으니, 낙랑인들은 본래 그 중에 남아 있는 사람이라는 뜻이다. 지금도 진한이라 부르는 경우가 있다.[30] 라는 기록이 있다. 따라서 진한을 형성한 유민은 크게 두 부류로 기술되어 있다. 첫 번째는 진의 고역을 피해 옮겨 온 고대 중국 망명인

---

28) 『三國志』魏書 烏丸鮮卑東夷傳 韓條：魏略曰, 初右渠未破時, 朝鮮相曆谿卿以諫右渠, 不用, 東之辰國, 時民隨出居者二千餘戶, 亦與朝鮮貢蕃不相往來.

29) 『三國史記』新羅本紀：先是, 朝鮮遺民分居山谷之間, 爲六村, 一曰閼川楊山村, 二曰突山高墟村, 三曰觜山珍支村 或云干珍村, 四曰茂山大樹村, 五曰金山加利村, 六曰明活山高耶村, 是爲辰韓六部.

30) 『三國志』魏書 烏丸鮮卑東夷傳 韓條：其耆老傳世自言, 古之亡人避秦役, 來適韓國, 馬韓割其東界地與之……. 名樂浪人爲阿殘, 東方人名我爲阿, 謂樂浪人本其殘餘人. 今有名之爲秦韓者.

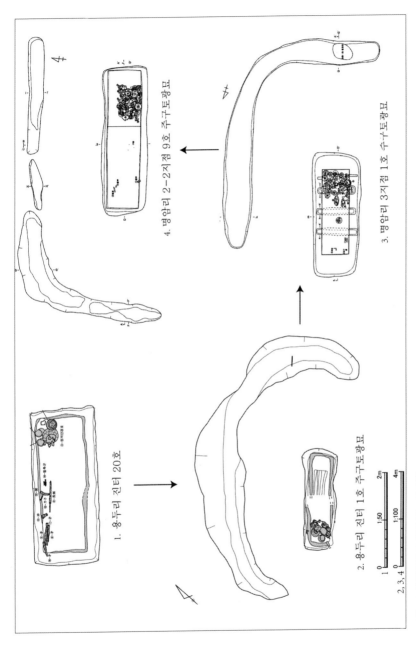

1. 용두리 진터 20호

2. 용두리 진터 1호 주구토광묘

3. 명암리 3지점 1호 수구토광묘

4. 명암리 2-2지점 9호 주구토광묘

그림 7-6 주구토광묘 목곽 구조의 변천

이고, 두 번째는 낙랑에서 이주한 사람들이다[31]. 이 두 가지 문헌 기록을 통해서 위만조선·낙랑 유민이 남하한 역사적 배경을 알 수 있다. 북한강유역의 서북한계 분묘는 이주민이 남쪽으로 내려갈 때 거쳐가거나 일부가 그곳에 머문 중간 지대의 유적으로 볼 수 있다.

원삼국시대 마한의 분묘를 분구묘와 주구토광묘로 분류하며, 전자는 서해안과 호남지역에, 후자는 경기, 충청 내륙지역에 분포한다고 볼 수 있다. 분구묘의 분포범위와 목곽 축조방식의 시기적 변천은 앞 제 Ⅵ장에서 설명한 바와 같다. 이와 대비되는 주구토광묘의 시간적인 변천에 대해서 최근의 조사·연구성과를 통해 간단히 요약한다면 다음과 같다.

먼저 최근 아산만 일원에서 지근 거리에 위치한 아산 용두리 진터유적[32]과 명암리 밖지므레유적[33]은 원삼국시대 후기부터 지속적으로 분묘군이 조성되어 있기 때문에 이 조사자료를 통해 주구토광묘의 시기적 변천(그림 7-6)이 설명된 바가 있다[34]. 그의 연구성과를 요약한다면 다음과 같다. 첫째, 기원 2세기 후반부터 이 지역에 주구를 갖지 않는 단독 목곽묘가 축조되기 시작한다. 묘광의 크기에 꼭 맞는 규모의 장방형 목곽을 설치하고 토기와 철기를 함께 내부에 부장한다. 철기는 목곽 측면을 따라 나란히 부장하고 소량의 토기를 발

---

31) 전진국, 2021, 「위만조선 성립과 멸망 무렵 유민의 남하」, 『경희대학교 한국고대사·고고학연구소 제 36회 콜로키움』.
32) 충청문화재연구원, 2011, 『아산 용두리 진터 유적』, 충청문화재연구원.
33) 충청문화재연구원, 2011, 『牙山 鳴岩里 밖지므레遺蹟』, 충청문화재연구원.
34) 지민주, 2011, 「아산 용두리 진터유적의 원삼국시대 분묘의 조영과정」, 『아산용두리진터유적』(Ⅱ) 원삼국시대, 충청문화재연구원, pp.311~315; 2013, 「중부지역 2세기대 마한 분묘의 성격 : 토기류를 중심으로」, 『숭실대학교 한국기독교박물관지』 10, 숭실대학교 기독교박물관, pp.48~70; 李春先, 2011, 「原三國時代 有蓋臺附小壺의 編年과 分布」, 『慶南研究』 5, pp.68-99; 이성주, 2014, 앞 논문.

치쪽 구석에 배치하는 구조이다. 둘째, 기원 3세기 초반이 되면 이전시기의 목곽묘와 유사하지만 주구가 돌려지고 단경호가 복수 부장되기 시작한다. 셋째, 기원 3세기 중반 이후 묘광이 커지고 목곽은 묘광에 비해 훨씬 작게 축조되어 충전공간이 넓어지며 다량의 토기가 한쪽 단벽을 따라 복수 부장된다. 넷째, 기원 4세기 초반에 목곽묘는 배치가 다양해지고 경우에 따라서 목관이 설치되기도 하며, 묘광의 한쪽, 혹은 양쪽에 토기 부장을 위해 부장칸이 설치된다.

중서부지역 최초의 목곽묘는 장방형의 단독 묘광에 주구가 갖추어지지 않은 것이다. 이후 토기를 복수 부장하면서 목곽의 규모가 커지고 주구를 채용하며, 나중에는 묘광 내부를 여러 가지 방식으로 분할하는 쪽으로 발전한다. 단독 소형목곽묘 단계에는 용두리 진터유적과 천안 대화리·신풍리유적 등 점적으로 분포하지만 기원 3세기 초반부터 경기·충청지역에 전면적으로 확산되었다. 기원 4세기 초반부터 주구토광묘가 급감 또는 소멸하고 청주 송절동유적[35], 봉명동유적[36], 송담리유적[37] 등 미호천 중류역의 유적에서 단순목곽묘가 주로 축조되고 합장묘도 성행한다[38].

한편 영남지역 목곽묘는 호서지역과 거의 비슷한 시기에 단독으로 목곽묘를 수용하였다. 원삼국시대 전기에는 주로 목관묘가 사용되었고 1세기 무렵부터는 대구 신서동유적, 다호리유적, 양동리유적의 경우에서와 같이 이중관형

---

35) 충북대학교박물관, 1994, 『淸州 松節洞 古墳群』.
36) 충북대학교박물관, 2005, 『청주 봉명동유적(II) - IV지구 조사보고』.
37) 韓國考古環境硏究所, 2010, 『行政中心複合都市 內 1-1區域 燕岐 松潭里·松院里 遺蹟』.
38) 신기철, 2018, 「2~4세기 중서부지역 주구토광묘와 마한 중심세력 연구」, 『호서고고학』 39, pp.31-68.

태의 목관묘[39]가 일부에서 사용되기도 했다. 2세기 중엽부터 대형 목곽묘가 상위계층에서 사용되었고 중하위계층에서 중·소형 목곽묘가 보편적으로 사용되었다.

원삼국시대 분묘의 편년은 유물의 형식분류와 배열을 통해 여러 연구자에 의해서 시도되었고, 개략적인 변화에 대해서는 의견이 일치한다. 특히 토기를 기준으로 원삼국시대 분묘의 편년이 종합적으로 시도된 바 있다[40](그림 7-7). 원삼국시대 편년에 있어 중요한 유물인 동경을 기준으로 영남지역 대형목곽묘가 본격적으로 등장되는 시기는 2세기 중엽이라는 절대연대가 제시되었다[41]. 주요 유적은 포항 옥성리, 경주 황성동·조양동·덕천리, 대구 팔달동, 경산 임당동, 울산 중산동·정현동·다운동·하상정·하대, 부산 노포동·복천동, 김해 대성동·양동리유적 등으로 목관묘의 분포 범위보다 좁은 금호강유역과 동남부지역에서 집중적으로 발견되고 있다.

울산 하대, 포항 옥성리, 김해 양동리유적은 낮은 구릉의 능선에 대형 목곽묘가 위치하고 주변지역에 중·소형 목곽묘가 조성되어 입지상의 차별을 갖는다는 점이 특징이다. 경주 덕천리·황성동, 울산 중산리유적은 평지에 중소형 묘가 군집을 이루고 있다.

---

39) 이러한 이중관형태의 목관묘는 목곽묘로 보는 견해도 있지만, 이성주는 이중관의 형태가 목곽묘로 본다면 소형유구로부터 대형목곽묘의 등장을 설명할 수 없다는 것이 문제라고 생각한다고 주장하였다. 필자는 이러한 주장이 참고하였다.

40) 李盛周, 1999,「辰·弁韓地域 墳墓 出土 1~4세기 土器의 編年」,『嶺南考古學』24, 嶺南考古學會; 2005,「嶺南地方 原三國時代 土器」,『원삼국시대 문화의 지역성과 변동』, 제29회 한국고고학전국대회, 한국고고학회.

41) 임효택, 1993,「낙동강 하류역 토광목관묘의 등장과 발전」,『한국고고학전국대회 발표문』17, pp.9-37; 이재현, 1994,『嶺南地域 木槨墓에 대한 연구』, 부산대학교 대학원 : 사학과; 李熙濬, 2011,「경주 황성동유적으로 본 서기전 1세기~서기 3세기 사로국」,『新羅文化』第38輯, 東國大學校 新羅文化研究所.

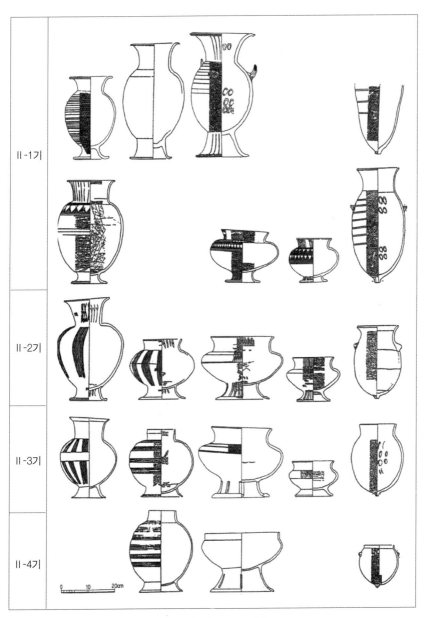

II-1기	
II-2기	
II-3기	
II-4기	

그림 7-7 원삼국시대 목곽묘 출토 토기의 편년(이성주 2005, 전재)

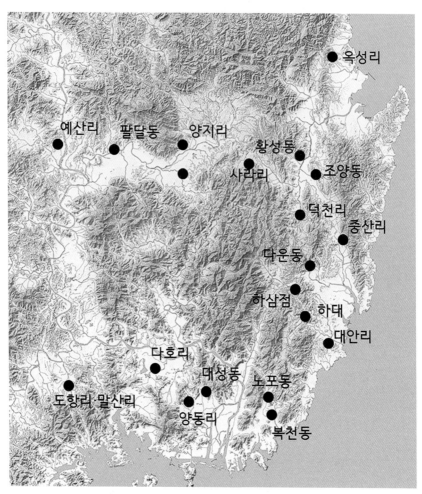

그림 7-8 영남지역 주요 목곽묘유적 분포도

2세기 중후엽은 영남지역에 최초로 대형목곽묘가 출현하는 시기이며, 소형의 목관묘와 공존하는 시기이다. 울산 하대유적 43·44호, 울산 중산리유적 VII-1호, VII-4호, 김해 양동리 162호묘가 대표적이다. 이 시기 목곽묘의 구조적인 특징은 울산 중산리 VII-4호로 예를 들면, 목곽의 평면형은 방형에 가까운 장방형에 속하며, 네 모서리에 원주를 세운 흔적이 있고 보강토가 2중 2단

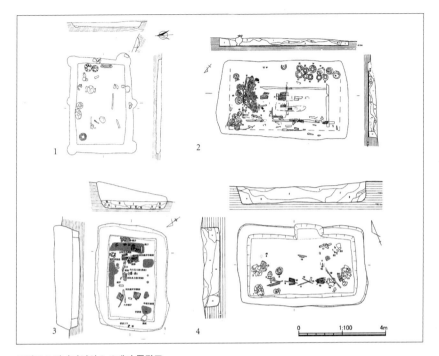

그림 7-9 영남지역의 2~3세기 목곽묘
1. 울산 중산리 VII-1호 2. 포항 옥성리 나78호 3. 김해 양동리 162호 4. 울산 하대 44호

으로 발견되어 내곽, 외곽의 이중곽일 가능성을 추측하게 된다. 유물은 철기
가 많고 토기는 적은 편이다. 철기는 목곽 주변에 둘러 놓았고 '亞'자형의 대
부장경호가 출토되었는데 목관의 전통 때문인지 목곽 상부에 부장된다.

3세기 전엽이후에 목곽묘 묘광의 평면형태는 방형에서 장방형으로 변화하
고, 용기류 부장이 더욱 증대되고 유대장경호와 노형토기를 중심으로 한 다량
의 용기류들이 발치쪽에 마련된 방형의 목곽내부 공간에 매납되기 시작한다.
그리고 이 토기 부장 공간이 3세기 중엽에 이르러 독립된 부곽이 되는 것이다.
대표적인 목곽묘는 포항 옥성리유적 나78호, 중산리유적 VIII-90, 하대 2호, 23
호묘, 대성동 29호 등이 있다. 이 가운데 옥성리 나78호묘는 주검부를 중심

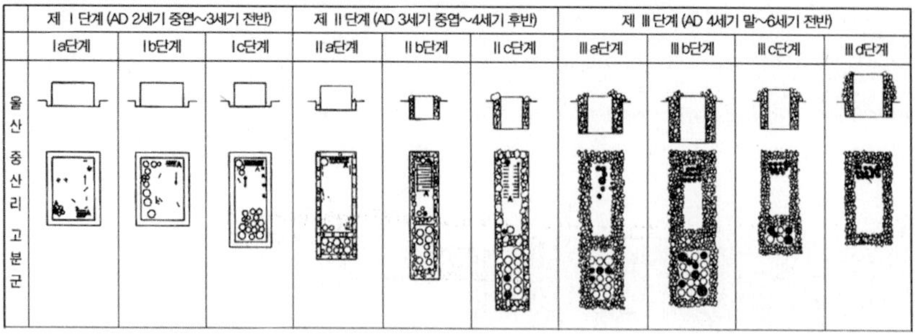

	제 I 단계 (AD 2세기 중엽~3세기 전반)			제 II 단계 (AD 3세기 중엽~4세기 후반)			제 III 단계 (AD 4세기 말~6세기 전반)			
	I a단계	I b단계	I c단계	II a단계	II b단계	II c단계	III a단계	III b단계	III c단계	III d단계
울산중산리고분군										

그림 7-10 중산리 목곽묘의 변천 모식도(이성주 1996)

으로 'ㅍ'자 또는 'ㅂ'자의 목재 매장시설이 안에 설치되었고, 그 바깥에 비교적 넓은 공간을 두고 목곽이 설치된 것으로 보이는데, 내부의 목재 매장시설과 밖의 목곽 사이 측면과 한쪽 단벽 측에 토기를 열 지어 부장하였다. 이러한 구조는 낙랑 목곽묘의 칸막이로 부장칸을 구분한 평면 구조와 유사하다.

4세기 초 이전에 영남지역에 부곽이 없는 목곽묘는 묘형이나 유물 상에서 그다지 차이가 없다가 김해와 경주 중심으로 뚜렷한 지역 차이가 나타난다. 우선 경주 구정동유적과 울산 중산리유적을 비롯한 경주와 인근지역에서는 세장방형의 목곽묘가 유행하고 동혈의 부곽이 만들어진다. 주곽의 바닥에는 철모를 깔기도 한다. 이에 비해 김해 대성동유적과 부산 복천동유적을 비롯한 김해와 부산지역은 대형묘의 경우 별도 묘광에 독립된 부곽을 만드는 경우가 많고, 주곽의 바닥에는 돌을 깔아 시상을 마련하기도 한다. 함안지역의 목곽묘도 초기에는 시상이나 부곽이 없는 형태가 사용되다가, 늦은 시기가 되면 역석시상이 나타나기도 하고 함안 말이산 45호분[42](그림 7-11)을 비롯한 목곽묘는 경주와 유사한 격벽식의 부곽이 사용되기도 한다.

---

42) 정현광, 2020, 「함안 말이산고분군 45호분(목곽묘)의 특징과 의미 연구」, 『문물』 10, pp.71-108.

그림 7-11 함안 말이산 45호분 목곽 구조

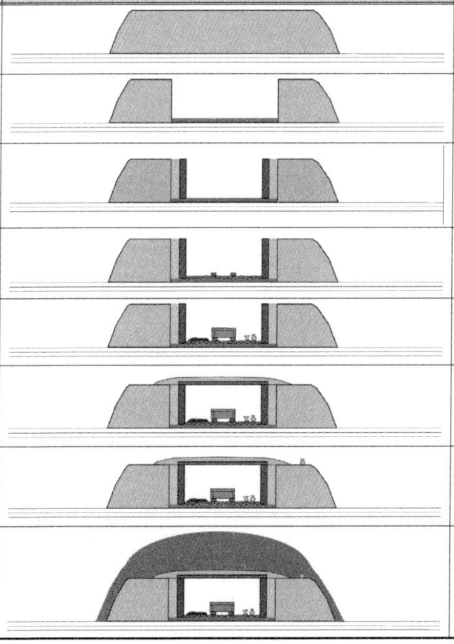

공정	모식도	내용
제 1 공정		암반 절삭 암반대조성
제 2 공정		묘광 굴착 및 바닥정지
제 3공정		목곽설치
제 4 공정		시상 및 관대 설치
제 5 공정		피장자 안치 및 유물부장
제 6 공정		목개설치 및 매장주체부 밀봉
제 7 공정		성토 이전 장의행위
제 8 공정		봉분성토

그림 7-12 말이산 45호분 축조공정 모식도(정현광 2020)

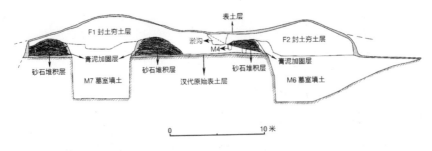

그림 7-13 랑야둔식(琅琊墩式) 봉토 평면도(토산둔 M6 · 7호)

그림 7-14 토산둔 M7호에 출토 고배 각부

한편 말이산 45호분의 축조방식(그림 7-12)은 먼저 능선에 자리한 암반대를 원형으로 비스듬히 깎아 반원형의 볼록한 지반을 조성하고 그 위를 굴착해 묘광을 조성하였다. 목곽을 설치하고 자연 암반대 사위에 봉토를 덮었다. 이러한 봉분 조성법은 산동 청도에 있는 토산둔 M7호의 봉분축조방식(그림 7-13)과 유사점을 보인다. 이러한 봉분 축조방식은 중국에서 서한시기 랑야군琅琊郡에 한정되어 있으니 랑야둔식琅琊墩式 봉토라고 한다. 토산둔 M7호에서는 아라가야식 고배 각부와 비슷한 출토품(그림 7-14)이 발견되었다. 다만 고배 각부의 출토 위치가 다른 부장품들과 같이 정치된 상태로 노출된 것은 아니고, 보고서상에서도 노출 위치가 기술되어 있지 않아서 정확한 노출 지점을 특정할 수는 없다. 더욱이 토산둔 M7호의 구조와 대부분의 출토 유물로 보건대 이 고분은 서한 중기 이후로 비정된다는 점에서 괴리를 보인다. 이를 염두에 둔다면 후대에 도굴 등의 연유로 혼입되었을 가능성이 농후하나, 아라가야 양식의 토기가 출토된 사실을 두고 그 과정과 의미에 대해 논의가 필요할 것 같다.

남한지역 목곽묘의 전개과정을 다시 정리하면, 1세기대 서북한지역에 이주해 온 집단에 의해 소형 단장목곽묘가 짧은 기간 존속했다가 토착집단에 수용되지 못하고 소멸하였다. 2세기 중반에 삼한사회가 백제, 신라, 가야 사회로 발전하는 과정에서 엘리트층이 차별화의 전략으로 서북한지역의 목곽묘 매장 관념을 수용했지만 이는 구조적으로 서북한 목곽묘와는 차이가 컸다. 이후 남한지역 묘제의 발전은 당분간 새로운 매장시설을 채용해서 차별화하는 방향으로 진행되지 않는다. 목곽묘적 매장의례의 범주 안에서 행위의 중복이나 절차적 복잡성, 그리고 규모와 물량의 측면에서 발전하는 것으로 보인다. 결국 남한지역의 목곽묘는 5세기 후반 쇠퇴하였고 동북아의 묘제사에서도 막을 내렸다.

3. 東北亞 木槨墓 受容의 지역적 樣相

동북아 목곽묘는 한 지역에서 수용된 후 일정 기간의 자체 발전을 거치다가 특정 중요한 역사적 사건을 계기로 다른 지역으로 전파되는 패턴이 반복되다가 전 지역으로 확산하였다. 이와 같이 외래 문화요소로서 목곽묘가 공간적으로 확산하고 수용되는 원인은 여러 가지로 생각해 볼 수 있다. (1) 주민의 이주과 함께 유입된 경우, (2) 교역 또는 교류에 의하여 유입된 경우, (3) 토착민에 의해 모방 수용된 경우, (4) 이주민이 자기의 요소와 토착의 요소를 결합하여 새로운 방식으로 축조한 경우, (5) 토착민이 다른 지역에 가서 배워온 후 축조한 경우 등으로 구분할 수 있다[43]. 물론 고고학적 자료만으로는 목곽묘의 전파

---

43) Hegmon, M., Margaret C. Nelson and Mark J. Ennes, 2000, Corrugated Pottery, Technological Style, and Population Movement in the Mimbres Region of the American Southwest, In *Journal of Anthropological Research* 56 : 217-40; 김장석, 2002, 「이주와 전파의 고고학적 구분 : 시험적 모델의 제시」, 『韓國上古史學報』 38, 재인용.

가 각각 어떠한 과정에 의한 것인지를 판단하는 것은 현실적으로 매우 어려운 작업일 것이다. 그러나 앞서 예를 든 각각의 경우는 매우 다른 메커니즘에 의한 결과이며, 상이한 문화적 해석이 가능하다.

따라서 이 절에서는 앞 절에서 살펴 본 동북아 목곽묘의 확산과정에 대한 검토를 바탕으로, 요서와 남한지역의 사례에 주목하여 각각 목곽묘의 수용양상을 살펴보고자 한다. 낙랑지역 목곽묘의 수용 시기는 현재 자료로 보면 아직 논쟁의 대상이고 그 초기 목곽묘의 구조는 이미 중원계 소형 목곽묘를 그대로 이식한 듯하다. 낙랑지역에 목곽묘가 처음 등장한 시기는 낙랑군 설치 이후라는 의견[44]과 낙랑군 설치 이전의 위만조선시기라는 의견[45]으로 나뉘어져 있다. 낙랑 설치 이전으로 보는 의견에 따르면 토성동 486호와 정백동 97호 목곽묘는 위만조선시기에 해당된다. 하지만 정백동 97호의 경우 일괄 유물의 내용이 잘 파악되지 않았으며, 토성동 468호묘에는 늦은 시기의 철검, 철극, 노기 등의 한대 유물까지 포함되어 있어 종합적으로 고려하면 연대가 그리 이르지는 않다[46]. 따라서 낙랑 설치 이전에 속하는 목곽묘의 존재를 설명하기에는 아직 자료가 부족하다. 하지만 그렇다고 해서 위만조선시기 목곽묘가 수용되지 않았다고 말하기는 어렵다. 적어도 위만조선 중심지에 목곽묘가 수용되었고 그 전통은 낙랑 초기 단장목곽묘일 가능성을 배제할 수는 없다[47].

그리고 목곽묘를 수용하기 전 위만조선의 묘제는 아직 확인하기 어려운 상태라고 할 수 있으므로 검토의 한계가 있다. 그래서 본절에서 요서과 남한 초

44) 高久健二, 1995, 앞 책; 王培新, 2007, 앞 책.
45) 정인성, 2013, 「위만조선의 철기문학」, 『백산학보』 96.
46) 오영찬, 2014, 「기원전 2세기대 서북한 고고 자료와 위만조선」, 『한국고대사연구』 76.
47) 李盛周, 2020, 앞 논문.

기 목곽묘의 특징을 중심으로 그의 수용양상을 검토하고자 한다.

1) 遼西 木槨墓의 受容 樣相

요서지역 목곽묘의 수용은 제 IV장에서 언급한 바와 같이 시기적으로 상말주초와 전국 초기로 구분된다. 상말주초에는 연나라 북방에 분포하고 있는 토착집단이 목곽묘를 수용한다. 이 시기 북방계 집단에 의해 수용된 목곽묘는 한정된 분포를 보이다가 더 이상 확산되지 않았다. 이와같은 제한적 수용이 아니라 진정한 의미에서의 목곽묘 확산·수용은 전국 초기에 이루어진다. 이 시기 요서지역에 정착한 목곽묘가 요동과 서북한을 거쳐 남한지역으로까지 확산되었다고 볼 수 있다.

연 문화가 요서지역에 침투한 전국시대는 목곽묘의 양상에 따라 원대자유

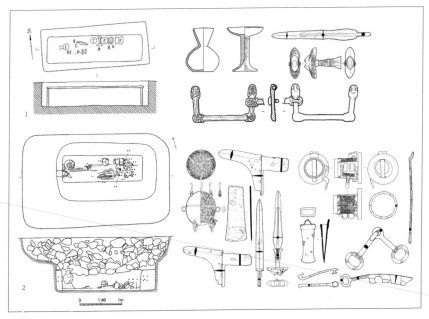

그림 7-15 東大杖子古墳群 M23호(1)과 M5호(2)

형과 동대장자유형으로, 시기는 전국 초기와 전국 중기로 구분할 수 있다. 먼저 전국 초기에는 연나라가 중원 각 나라에 비해 약소한 편이어서 요서지역에 분포해 있던 동호집단을 충분히 제압하지 못하여 적극적인 침투였다고 할 수 없다. 동대장자유형의 목곽묘는 여전히 춘추 만기의 목곽묘과 큰 차이가 없지만 부장품에서 연식 청동예기와 도예기의 부장이 시작된다. 예컨대 M5호묘(그림 7-15, 2)는 관이 없는 소형 목곽묘이지만 청동둔靑銅鐓과 두豆, 우盂, 화盉 등의 도예기가 부장되고 있다. 이전 시기의 M23호묘(그림 7-15, 1)에 토착토기만 소수 부장하는 양상과 비교하면 큰 차이가 있는 셈이다.

이 시기 원대자유형의 목곽묘를 이전 시기의 목곽묘와 비교했을 때 가장 뚜렷한 차이는 관의 사용과 무덤 방향의 변화이다. 이전 시기의 목곽묘는 무덤 방향이 동서향이어서 북방 토착집단의 무덤방향과 일치한다. 전국 초기에 들어, 원대자유적의 목곽묘는 목곽 내에 관을 설치하고 무덤방향이 남북향으로 변하는데 부장품은 여전히 토착적인 토기에 속한다. 이러한 변화는 연나라의 비상층집단이 이주한 후 연의 문화가 토착문화와 융합된 결과로 이해된다. 전제적으로 보면 이 시기 동대장자유형의 목곽묘에서는 주로 선진유물의 수용이라는 변화가 확인되고 있지만, 원대자유형 목곽묘의 출현에서는 연나라 유입민의 존재가 확인되는 것이다.

전국 중기에 들어, 연나라가 전략적으로 요서지역에 분포하고 있는 동호집단의 정벌을 통해 요서지역에 전면적으로 진입하였다. 동대장자유형의 목곽묘는 M40호묘를 비롯한 연식 목곽묘의 구조가 이식되었고 동대장자유적에서 유행한 적석목곽묘는 대형묘에 채용되지 않는다. 연식 도예기를 중심으로 기물 부장이 이루어지지만 희생물을 부장하는 등의 토착적 매장의례와 결합되기도 한다. 이러한 현상은 동대장자유적을 발굴하기 전 발견된 미안구목곽묘에서 이미 확인된 바 있다. 하위 소형목곽묘는 구조적으로 이전 시기의 구조를 유지하지만 토착적인 토기 부장은 급감하게 된다.

한편 원대자유형의 목곽묘는 이전 시기의 목곽묘와 혼재하다가 독립적인 구역으로 매장된다. 매장시설은 연식 목곽묘가 그대로 이식된 듯한 구조로 축조되었다. 부장품도 연식 도예기를 중심으로 부장되는데 극소수 목곽묘에서 토착적인 토기가 소수 부장되다가 단기간에 소멸된다. 그러나 동대장자유형에서 확인된 토착적인 매장의례와 결합하는 현상은 확인되지 않는다. 원대자유적에서 희생물을 부장하는 전통이 전국 초기에 이미 소멸되고 전국 중기에는 더 이상 나타나지 않은 것으로 이해된다.

2) 三韓 木槨墓의 受容 樣相

남한 원삼국시대 목곽묘는 앞서 설명한 바와 같이 기원전 1세기대와 기원 2세기 중반의 두 차례 수용 시기가 있다. 기원전 1세기대에는 서북한 이주해 온 집단에 의해 단장 소형목곽묘가 유입되는데 토착집단에 수용되지 못하고 소멸하였다. 여기서 주목할만한 것은 2세기 중반에 삼한에 수용된 목곽묘이다.

먼저 2세기대 호서지역의 단순목곽묘는 아산 용두리 진터유적을 비롯한 아산만 일대와 그 주변에서만 점적으로 확인된다. 아산 용두리 진터유적에서 확인된 단순목곽묘는 곽의 재질에 따라 통나무형과 판재형으로 구분된다[48]. 전자에 해당되는 41호묘(7-13, 2)는 유개대부호와 원저단경호 등의 토기와 관부돌출형철모, 철겸 등의 철기가 부장되었다. 유물의 구성 양상과 목곽의 형태는 인천 검단동 1호묘, 파주 와동리 1호묘, 당하리 유적 1, 2호묘 등 주변 목관

---

48) 신기철, 2018, 「2~4세기 중서부지역 주구토광묘와 마한 중심세력 연구」, 『호서고고학』 39, pp.43-44.

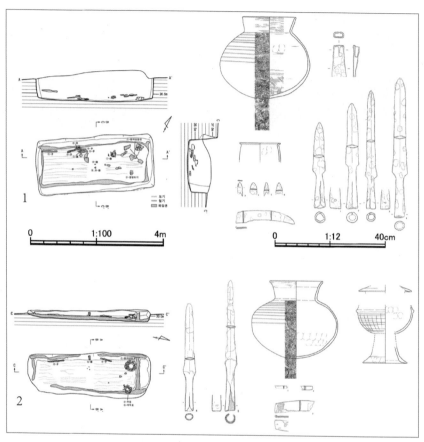

그림 7-16 아산 용두리 진터유적 초기 목곽묘

묘와 유사한데 매장주체부 내에 토기를 부장한 것만 차이가 있다. 후자에 해당하는 13호묘(그림 7-16, 1)는 호서지역 원삼국시대 대표 토기인 원저심발형토기와 원저단경호가 부장되었으며, 철기는 41호묘의 부장양상과 일치한다. 이두 유형의 단순목곽묘는 모두 묘광에 최대한 인접하게 매장주체부를 설치하는데 이는 초기철기시대 목관묘의 특징이며 목곽형 목관으로 분류하는 견해도 있지만, 본고의 목곽 정의에 따라 목곽묘로 볼 수 있다. 호서지역 초기목곽

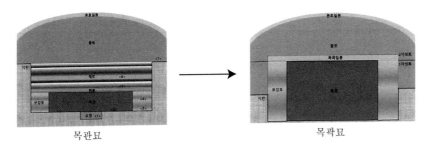

목관묘 목곽묘

그림 7-17 영남지역 목관묘에서 목곽묘로의 변화

묘는 아직 목관묘의 특징이 농후하지만 목곽묘의 매장 관념이 수용되었으며, 목관묘의 구조와 목곽묘의 매장관념이 결합된 양상으로 파악된다.

영남지역에서는 목곽묘 출현기를 전후하여 매장시설의 축조 방식에 현저한 변화가 나타난다[49](그림 7-17). 첫째, 목관묘의 묘광 깊이가 매우 얕아지는 것이다. 둘째, 목관묘단계에 내부의 매장공간을 지하에 두어 왔지만 초기 목곽묘가 지상화되는 경향이 뚜렷하다. 다만 초기 목곽묘는 목관묘의 전통을 일부 계승하였다. 중산리 VII-4호와 하대 1호묘에서는 목곽 상부에 목관묘 단계의 토기 부장방식과 같이 '아亞'자형 대부장경호와 대형호를 매납하고 있다(그림 7-18). 철기의 경우는 목관묘 시기의 전통이 강하게 유지되고 있으나, 철모, 철검, 환두대도 등의 무기류가 다양화되고 부장량이 목관묘 단계보다 증가하고 있다.

목관묘에서 목곽묘로 의례전환의 연구성과[50]를 참고하면 영남지역 초

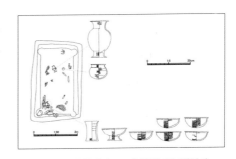

그림 7-18 울산 중산리 VII-4호의 토기 부장양상

49) 李盛周, 1997, 「木棺墓에서 木槨墓로」, 『新羅文化』 14, pp.19-53.
50) 李盛周, 2013, 앞 논문; 李盛周, 2014, 앞 논문.

기 목곽묘는 목관묘와 비교하여 매장관념에서 과시적 의례와 현실적 음식봉헌 의례 두 가지 차이점을 지적할 수 있다. 과시의 의례는 목관보다 더 큰 목곽을 축조하기 위해 많은 수의 공동체 구성원이 참여한 상태에서 의례를 지냈을 것이다. 특히 대량의 철제품은 일정하게 분화된 장소에 과시적으로 배치하면서 의례를 지내기 위해 채용되었다. 토제 용기류에 음식을 담아 곽 내부에 다량 배치하는 것은 피장자를 위한 현실적 음식봉헌의례라고 할 수 있다. 이 두 가지 목곽 의례는 제 II장에서 언급된 중국 고대 목곽묘에서 체현된 피장자 생전 생활의 모의라는 것과 일정한 공통점[51]이 있다고 생각된다.

영남지역 초기 목곽묘는 낙랑 목곽묘와 구조에서 유사점이 있다. 묘광과 목곽의 평면이 비교적 넓은 방형에 가까운 형태이고 유물이 주검의 머리 위나 발치 아래에 한정되지 않고 주검의 옆에도 배치되었다. 이러한 평면 구조 외에 영남지역 초기 목곽묘에서는 목관을 안치한 사례가 분명치 않고 지하에 깊숙이 들어가지 않으며 거의 반지상에 설치되는 점 등의 제 현상은 낙랑 목곽묘와는 판이하게 다르다. 이러한 낙랑의 목곽묘와 영남지역 목곽묘의 차이점은 영남지역 목곽묘가 낙랑 목곽묘를 직접 모방 축조된 것이라고 설명하기가 어렵다[52]. 즉 주민의 이동 등에 의한 직접적 결과가 아님을 반영한다. 따라서 영남지역에 목곽묘의 출현은 토착집단이 낙랑 목곽묘의 구조를 모방한 목곽 내에 낙랑 목곽묘 속에 내재된 장제적 관념을 재현한 것으로 볼 수 있다.

낙랑지역에 일찍 출현한 목곽묘를 영남지역에서 기원 2세기 중엽에 모방하였는지에 대해 세 가지 관점으로 설명을 시도하고자 한다. 첫째, 진・변한지역에서는 신라・가야사회로 발전하는 과정에서 엘리트층이 그러한 차별화의 전

---

51) 김진오, 2020, 『진・변한 목곽묘의 장례 현장 연구』, 서울대학교 대학원 석사논문.
52) 김용성, 2015, 앞 책, pp.64-66.

략으로 목곽묘가 수용된다. 그러나 한식유물이 목곽묘단계가 목관묘단계보다 크게 축소하므로 그 시점에 서북한과 남한의 교류가 어느 정도 막힌 것으로 생각된다. 따라서 진・변한 토착민은 낙랑에 가서 대형목곽묘의 축조 기법을 배울 수 없다. 둘째, 영남지역 초현기의 목곽묘가 방형에 가까운 형태로 축조 되는 것은 진・변한집단이 적극적으로 평양에 분포하고 있는 대형목곽묘를 모 방하는 결과로 보았다. 목관묘단계에 낙랑에 가서 낙랑목곽묘를 봤던 토착민 들이 그것을 묘사한 것을 바탕으로 모방, 재현한 것이 아닌가 생각된다. 셋째, 목관을 사용하지 않은 것이 낙랑지역에 전혀 없는 것은 아니고지만, 이러한 구 조는 토착묘제인 목관묘과 결합하여 중원목곽묘를 개조하였던 결과로 보는 것이 적절할 것 같다. 이는 상말주초에 요서지역 초현기 방중원계목곽묘의 수 용과정과 유사한다고 생각한다.

남한지역 목곽묘의 수용양상은 요서지역의 양상과 비교하면 이전 단계 묘 제의 일부 특징이 유지되는 점에서 공통적이다. 요서지역은 전국 연문화가 침 투하기 전에 토착적인 소형목곽묘가 이미 형성되기 때문에 연문화가 진입한 후에 토착적인 목곽 구조가 유지되고 연식 유물이나 연식 목곽의 일부 특징만 수용된다. 남한지역 목곽묘의 경우, 그 수용시기에 낙랑지역의 목곽묘가 쇠퇴 한다는 점에서 양 지역의 목곽묘에서는 구조적인 공통성을 찾기 어렵고, 초기 단계에 목관적인 구조나 매장의례가 일부 유지되었던 것으로 보아 매장의 관 념만 수용된 결과가 아닌가 한다.

4. 木槨墓 擴散과 受容의 歷史的 意義

이상과 같이 고대 동북아 목곽묘는 이주, 전파, 그리고 정복 등과 같은 이벤트나 역사적 사건으로 동북아 제 지역에서 확산과 수용이 반복적으로 전개되어 왔다. 전파 모델에 따라 지역 사이에 목곽묘의 수용양상에 차이가 나타난다. 요서·요동지역는 연·진·한의 점진적인 인구의 이주와 정복을 통해서 연식·한식 목곽묘가 그대로 이식되고 순차적으로 수용되고 확산되었다. 서북한지역은 한의 정복을 통해서 중원의 목곽묘의 구조뿐만 아니라 신분제도도 수용되었다. 이에 비해 남한지역은 주민집단의 대거 이주와 같은 것이 확인되지 않고 목곽의 구조와 부장품에서 앞 시기 목관묘를 계승하여 목곽의 장제적인 매장관념만 채택하였는데, 낙랑 단장목곽묘는 주구토광묘 매장시설의 모델이 되고 합장목곽묘(귀틀무덤)는 영남지역 대형 목곽묘의 모방 수용 모델이 되었다.

지역별 목곽묘 계통의 분포와 주변지역에 분포하는 동일형식이나 유사한 목곽형식과 비교를 통해 당시 동북아 제 지역의 문화는 직접적이든, 간접적이든 일정한 상호교류와 상호 작용이 진행되고 있었다는 사실을 보여준다. 기원전 11세기에 연산 남쪽에 연문화 영향하에 형성된 백부촌 목곽묘를 비롯한 방중원계 목곽묘가 연산 북쪽으로 전파됨으로써 연산 남북에서 상호작용권이 형성되기에 이른다. 또 북방계 목곽묘는 옥황묘문화와 함께 성립되어 요서의 능하문화를 거쳐 양한대의 선비묘에 이르끼까지 전통을 유지하는 듯하다. 이는 당시 노로아호산과 서랍목륜하에 따른 초원지대에서 끊임없는 교류과 상호 작용이 진행되고 있었다. 오환 고분유적을 대표하는 유수노하심과 모아산고분군의 목곽묘도 한대 요동 목곽묘의 영향도 있었겠지만 북방계의 요소가 강하게 남아 있다. 길림에 분포하는 오환집단은 서쪽에 있는 북방계 문화와 남쪽에 있는 중원문화가 동시에 수용되고 있었다.

기원전 1세기부터 기원 1세기까지의 낙랑지역은 당시 동북아 물질문화 상호

작용권의 중심이 되었다. 낙랑 목곽묘 I~II기에 주로 요서·요동과 상호교류가 진행되었다. II기부터는 요동지역뿐만 아니라 산동지역과 교류도 본격적으로 시작하였다. 낙랑지역이 중원문화권과 교류하면서 이지역은 한식유물을 남한지역까지 전단하는 매개자의 역할을 하였다. 남한지역은 목관묘 단계에 한과 낙랑의 교류를 통해서 기원 2세기 중엽을 전후한 시기에 한 사회는 커다란 성장을 보인다[53]. 한 사회에서 목곽묘의 출현과 함께 두르러지는 무기류의 증가는 무력을 바탕으로 하는 권력의 출현을 의미한다[54].

또한 현대고고학에서 분묘에 접근하는 관점에서 많은 연구자들이 공감하는 의견 두 가지를 지적하면 다음과 같다[55]. 첫째, 죽은 사람이 스스로를 묻는 것이 아니라 살아있는 사람이 죽은 사람을 묻어준다는 점, 둘째, 분묘라는 고고학 자료를 물질과 형태, 그 분포로 보는 것이 아니라 죽음과 관련된 의례의 결과물로 이해하려 해야 한다는 점이다. 이 가운데 두 번째 관점을 더욱 중요한다. 동북아 목곽묘의 확산과 수용은 동북아 제 지역 장송의례가 곽묘적 의례로 재구축되는 의미가 있다. 영남지역 목관묘에서 목곽묘로 전환하는 논의에서 목곽묘의 과시적 의례와 음식봉헌의례 두 가지를 중요한 의례로 언급되고 있다. 과시적 의례는 큰 목곽을 축조할수록 더 많은 수의 공통체 구성원이 참여한 상태에서 의례를 지냈을 것이다. 이러한 과시적 의례는 낙랑 목곽묘와 영남지역의 대형 목곽묘에서 많이 확인되었다. 그러나 북방계 목곽묘에서 관찰하기 어려운 경우가 많다. 북방계 목곽묘는 곽 규모가 목관과 비슷하고 빈장을

---

53) 『三國志』魏書 東夷傳 韓 : 桓·靈之末, 韓濊彊盛, 郡縣不能制, 民多流入韓國.
54) 이재현, 2002, 『弁·辰韓社會의 考古學的 研究』, 부산대학교 대학원 : 사학과 박사학위논문, pp.108-109.
55) 李盛周, 2013, 앞 논문; 李盛周, 2020, 앞 논문.

하기 때문이다.

매장의례적 활동에는 참가자들의 잔치(Feast)를 동반하고 잔치를 위한 음식물의 제공과 소비의 흔적은 분묘 주위나 주구 내부에 남겨질 수도 있지만, 고고학 자료로 보기 어려운 경우가 많다. 하지만 피장자에게 공헌되었던 음식물의 양상은 매장시설 내부와 묘역 주위에까지 남아 있는 그릇의 종류와 배치 혹은 찌꺼기 등을 통해 접근할 수 있다[56]. 목곽묘가 등장하기 전에 관묘단계는 충전토 아래와 위 혹은 묘광 상부 등에 비교적 여러 종류의 토기를 부장하는 것은 상징적 저장의 의미가 강하다. 목곽묘가 발전하면서 가장 두드러지는 변화는 도제 용기류의 부장이 과다해지며, 그것은 매우 현실적 음식봉헌의례를 중요시했음을 의미한다[57].

낙랑 합장묘(귀틀무덤)의 경우는 목관이 안치된 관실 주변의 옆 칸에는 칠기 안, 판, 이배 등과 단형호, 화분형토기, 옹이 채워져 있다. 이는 식량 저장과 음식 차리기와 관련된 현실 생활이 그대로 부장용기의 종류와 배치에 반영된 것이다. 영남지역의 초기 방형 목곽묘에는 3세기 후반부터 토기의 배열이 두상, 족하, 부곽으로 편성된다. 부곽에 저장의례를 위한 토기가 배열되고, 두상부에는 상징적인 저장과 성찬을 위한 토기가 배치되며, 족하에는 양자를 연결시켜 주는 소형단경호와 같은 토기가 배치된다. 북방계 목곽묘와 소형 목곽묘에서도 단경호나 발형토기 등 용기류 토기를 상징적으로 한 점씩 부장되었고 이는 단경호를 통한 저장의 성격이 강조된다.

---

56) 李盛周, 2013, 앞 논문, p.33.
57) 李盛周, 2014, 앞 논문.

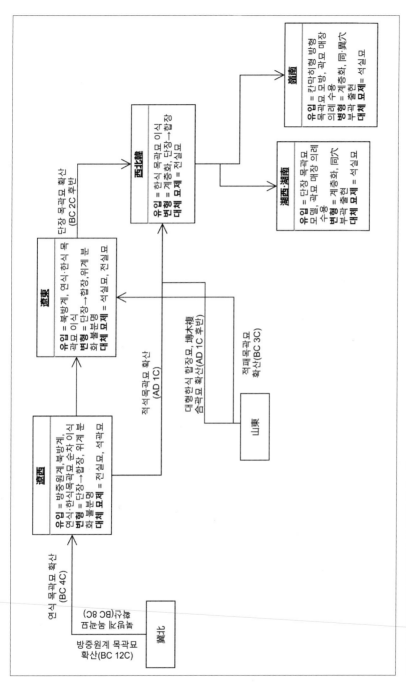

그림 7-19 동북아 지역별 목곽묘 상호작용 관계 모식도

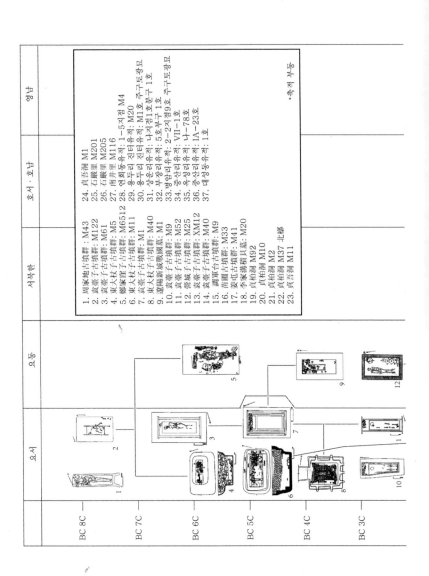

	영남	호서·호남	서부한	요동	요서

영남: *축적 부동

호서·호남:
24. 貞吾洞 M1
25. 石巖里 M201
26. 石巖里 M205
27. 南井里 M116
28. 연희동유적: 1-5지점 M4
29. 연제동 진터유적: M20
30. 송두리 진터유적: M1호
31. 상운리유적: 나거9지점 M1호겸1호
32. 부상리유적: 5호부구 1호
33. 명륜리유적: 2-2차겸9호 주구토광묘
34. 중산리유적: VII-1호
35. 옥성리유적: 나-78호
36. 중산리유적: IA-23호
37. 대성동유적: 1호

서부한:
1. 川家地古墳群: M43
2. 袁臺子古墳群: M122
3. 袁臺子古墳群: M61
4. 東大杖子古墳群: M5
5. 鄭家窪子古墳群: M6512
6. 東大杖子古墳群: M11
7. 袁臺子古墳群: M1
8. 東大杖子古墳群: M40
9. 遼陽新城磚窯廠: M1
10. 袁臺子古墳群: M9
11. 袁臺子古墳群: M52
12. 啓城子古墳群: M25
13. 袁臺子古墳群: XM12
14. 袁臺子古墳群: M40
15. 將軍台古墳群: M9
16. 南圍古墳群: M33
17. 姜屯古墳群: M41
18. 李家堡積貝墓: M20
19. 貞柏洞 M92
20. 貞柏洞 M10
21. 貞柏洞 M2
22. 貞柏洞 M37 北槨
23. 貞柏洞 M11

BC 8C
BC 7C
BC 6C
BC 5C
BC 4C
BC 3C

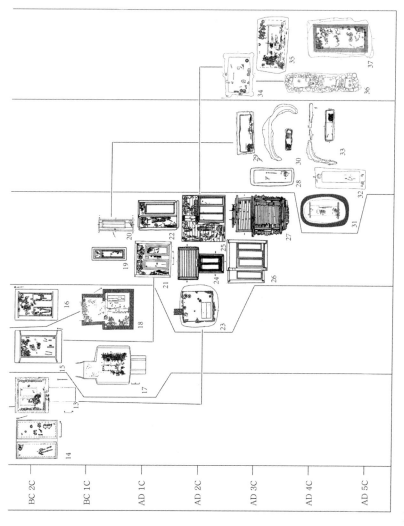

그림 7-20 동북아 지역별 목곽묘 변천 및 유형 관계도

BC 2C
BC 1C
AD 1C
AD 2C
AD 3C
AD 4C
AD 5C

Ⅷ장
結論

이 연구에서는 고대 동북아시아 목곽묘의 전개과정을 밝히기 위해 지역별 목곽묘의 상대편년, 수용양상, 구조변천, 그리고 지역간 목곽묘 계보의 관계를 검토하였다.

먼저, 시기별, 국가별 연구자에 따라 목곽묘의 개념과 용어를 서로 다르게 사용되는 경우가 있으므로 재정의할 필요가 있다. 이 연구에서는 「예기禮記」, 「의례정의儀禮正義」 등의 고대 문헌에서 기록된 목곽묘의 개념, 관곽제도와 송장 의례 등의 내용을 정리한 다음 중원지역 목곽묘의 발전과정을 살펴본다. 중원 지역 목곽묘는 대문구문화에서 등장한 후에 춘추시기까지 그의 발전 궤는 부 장품을 대량 부장하기 위해 규모가 증대되는 과정을 보여준다. 전국시기에 들 어서면, 목곽묘의 발전은 규모가 증대하는 것보다 주거생활을 모방하는 추세 (유택화)가 뚜렷하게 나타난다. 이와 같은 경향을 고려하면 문헌기록에 제시된 곽의 기능적인 측면과 현재까지 발굴된 목곽묘를 통해 정리된 매장의례적 특 징을 같이 고려하여 목곽묘의 개념을 설정해야 할 것으로 본다. 또한 기술의 편의상 학자에 따라 명칭이 서로 다른 외관, 내곽, 목곽 내 격판을 세워 구분 된 각 공간 등에 대해서 명칭을 통일시키고 일관된 개념으로 정의하고자 한다.

요령지역으로부터 한반도에 이르는 동북아시아 지역에서는 신석기시대부터 초기 철기시대까지 다양한 물질문화가 지역권을 달리하면서 전개되어 왔다. 이 일대의 물질문화 정황에 대해 그간 몇 차례 지면을 통해 의견을 밝혔다. 이 를 토대로 요서·요동·낙랑·남한 지역 물질문화 간에 지역 편년의 틀을 제 시하고 동북아 선사시대 주요 묘제의 변천을 정리하였다. 신석기시대 후기부터 동북아시아의 주류 묘제는 석축묘였지만, 하가점하층문화에서는 목축묘가 이미 출현하고 있다. 요서지역의 하가점하층문화과 내몽고의 주개구문화에서 나타나는 목축묘의 구조적 특징을 통하여 후대 출현된 목곽묘를 방중원계와 북방계로 구분할 수 있다. 이후 지역적으로 분화 발전하는 북방계 목곽묘는 중원과의 접경지역이나 중원문화와 직접 교섭하기 어려운 지역에서 주로 확인된다. 이런 점에서 북방계 목곽묘는 중원계 목곽묘와의 관계가 매우 적었던 것으로 추정된다.

또한 동북아시아 목곽묘의 수용과 전개과정에 대해 적극적으로 검토되지 못한 요령지역, 한반도 남부 서해안지역과 같은 경우에는 목곽묘의 출현과 변천에 대한 체계적으로 논의하였고 낙랑 목곽묘 관곽제도과 계보의 변천도 검토하였다.

요령지역의 목곽묘에는 북방 초원문화 요소와 중원문화 요소가 동시에 수용된다. 그런 연유로 이 지역 목곽묘는 유곽무관식과 연문화의 영향에 의해 수용된 유곽유관식으로 구분하여 볼 수 있다. 요서지역 목곽묘의 변천을 살피면 전체적으로 유곽무관식 목곽묘에서 유곽유관식으로의 발전이 인정된다. 이와 같은 변화의 과정에서 토착묘제인 석곽묘와 공존하게 되는데 목곽묘에 석곽묘의 요소가 융합되어 적석목곽묘로 발전하는 양상을 보인다. 서한 시기에 들어서면 요령지역 목곽묘는 한편으로 전국시대의 목곽 양식을 계승하면서 다른 한 편으로는 한대 매장의례의 발전 추세와 발을 맞춰 동혈합장묘로 발전하는 양상을 보여준다. 요령지역 목곽묘의 수용과정은 주로 상말주초와 전국 중만기의 두 가지 중요한 시점이 확인되고 그 이후 요령지역을 중심으로 목곽묘가 주변 지역에 확산되기 시작한다. 주목할 만할 것은 연·진·한 군현 주변에 있는 토착집단은 목곽묘 수용할 때 주로 유곽무관식 목곽묘를 채용하였다는 점이다.

낙랑 목곽묘 관과 곽 구조의 차이에 따라 관곽 판정의 기준을 설정하고 설정된 기준에 따라 낙랑목곽묘의 관곽 중첩수를 검토하였다. 한대 중원지역의 관곽제도를 검토하면서 관곽 중첩수에 따라 낙랑 목곽묘의 위계가 어떻게 구분되는지를 파악하고자 한다. 낙랑 목곽묘 기준 편년을 따라 각 시기 목곽묘의 부장양상과 관곽 중첩수를 대비시켜 그것이 신분차와 어떤 관계가 있는지를 검증하였다. 결국 낙랑 목곽묘 관곽제도의 변천 과정은 수용기 → 발전기 → 참월기 → 혼란기로 구분할 수 있다. 이러한 변천은 동북아시아의 정치 상황의 변동과 그에 따르는 한문화의 수입 및 그 요건 등이 서로 큰 관련이 있었던 때문이라 판단된다.

낙랑 목곽묘의 계보에 대해 이제까지 요령, 북경, 산동과 강소 등 4개 지역의 묘제의 영향을 받았을 가능성이 있다고 주장되어 왔다. 필자는 낙랑 목곽묘가 구조적인 특징에 근거하여 재분류할 필요가 있다고 보았다. 이상 네 관련 지역에 서한시기의 목곽묘와 비교 검토한 결과 낙랑 목곽묘 제1기와 제2기에는 요서·요동의 영향을 받아들이는데 이는 문헌에 '낙랑군은 처음에 관리를 요동군에 데려 왔다'라는 기록과 부합한다. 요서·요동의 영향은 제3기까지 지속된다. 산동지역의 영향은 제2기부터 시작되는데 제3기에 폭발적으로 늘어나고 전실묘단계까지 지속된다. 낙랑 목곽묘는 요서·요동와 산동 남부지역 목곽묘의 영향을 받아들이지만, 이중 외곽을 비롯한 독자적인 특징이 있다.

한반도 남부 서해안의 분구묘의 확장방식과 목곽의 형식분류를 통하여, 분구묘 내 목곽의 수용과 전개 양상을 살펴보았다. 목곽은 관의 유무에 따라 I, II형으로 구분되고 부속시설을 통해서 4가지로 세분된다. 분구묘의 확장방식으로는 분구 연접확장, 수평 확장, 수직 확장 등 3가지를 확인할 수 있다. 이러한 확장방식은 목곽의 형식과 종합하여 가, 나, 다, 라 네 가지의 목곽 배치양상 유형으로 정리된다.

목곽 배치양상을 시기적으로 배열한다면, 가형 → 나a형·다a형 → 나b형·다b형·라형의 순서가 된다. 이와 같은 변천의 순서에는 상위자의 무덤이 분구 중앙부에 자리잡도록 하는 분구 확장 기획이 반영된 것으로 보인다. 이는 분구묘가 개인 묘역에서 가족이나 친족집단이 한 분구에 묻히는 집단 분구묘로 발전하는 가운데 그러한 분구 확장 기획이 실행에 옮겨진 것이다.

마지막으로 목곽묘의 확산과 수용을 통해 동북아 제 지역간의 교류관계를 단계별로 살펴보았다. 동북아에서 발굴된 목곽묘는 구조적으로 목관의 사용 여부에 따라 유관유곽형과 유곽무관형으로 구분된다. 두 유형은 모두 중원 목곽묘과 관련이 있지만 유관형은 연·진·한 문화가 직접 반영된 것으로 볼 수 있고, 무관형은 중원 목곽묘를 토착집단이 현지화하여 변형시킨 결과로 볼 수 있다. 부가 시설에 따라 적석, 적패 등으로 세분된다. Ⅱ장~Ⅵ장의 지역분석과 남한 중부와 영남지역 목곽묘의 기왕 연구성과에 따라 동북아 목곽묘의 확산은 BC11C~BC3C의 요서 중심기, BC2C~BC1C의 요동 중심기, BC1C~AD2C의 낙랑(서북한) 중심기, AD2C~AD5C의 남한 중심기로 나눌 수 있다.

이 목곽묘의 확산과정을 바탕으로 요서로부터 남한지역에 이르기까지 출현기의 목곽묘를 주목하여 목곽묘 수용의 지역 차이를 살펴보았다. 남한지역 목곽묘의 수용양상은 요서지역의 양상과 비교하면 이전 단계 묘제의 일부 특징이 유지되는 점에서 공통적이다. 요서지역은 전국 연문화가 침투하기 전에 토착적인 소형목곽묘가 이미 형성되기 때문에 연문화가 진입한 후에 토착적인 목곽 구조가 유지되고 연식 유물이나 연식 목곽의 일부 특징만 수용된다. 남한지역 목곽묘의 수용시기에 낙랑지역의 목곽묘가 쇠퇴한다는 점에서 남한지역 목곽묘는 구조적인 공통성을 찾기 어렵고 관념만 수용하는 것을 듯하고 초기단계에 목관적인 구조나 매장의례가 일부 유지되었다.

결국 동북아 목곽묘는 한 지역에서 수용된 후 일정 기간의 자체 발전을 거치다가 특정 중요한 역사적 사건을 계기로 다른 지역으로 전파되는 패턴이 반복되다가 전 지역으로 확산하였다. 이주, 전파, 그리고 정복 등과 같은 이벤트나 역사적 사건으로 동북아 제 지역에서 확산과 수용이 반복적으로 전개되어 왔다. 전파 모델에 따라 지역의 사이에 목곽묘의 수용양상에 차이가 나타난다. 요서·요동지역는 연·진·한의 점진적인 인구의 이주와 정복을 통해서 연식·한식 목곽묘가 그대로 이식되고 순차적으로 수용되고 확산되었다. 서북한지역은 한의 정복을 통해서 중원의 목곽묘의 구조뿐만 아니라 신분제도도 수용되었다. 이에 비해 남한지역은 주민집단의 대거 이주와 같은 것이 확인하지 않고 목곽의 구조와 부장품에서 앞 시기 목관묘를 계승하여 목곽의 장제적인 매장관념만 채택하였는데, 낙랑 단장목곽묘는 주구토광묘 매장시설의 모델이 되고 합장목곽묘(귀틀무덤)는 영남지역 목곽묘의 모방 수용 모델이 되었다.

또한 지역별 목곽묘 계통의 분포와 주변지역에 분포하는 동일 형식이나 유사한 목곽형식과 비교를 통해 당시 동북아 제 지역의 문화는 직접적이든, 간접적이든 일정한 상호교류와 상호 작용이 진행되고 있었다는 사실을 보여준다. 그리고 동북아 목곽묘의 확산과 수용은 동북아 제 지역 장송의례가 곽묘적 과시적 의례와 음식봉헌의례로 재구축되는 의미가 있다.

참고문헌

역사 문헌

『禮記』,『莊子』,『荀子』,『漢書』,『後漢書』,『說文解字』,『儀禮正義』,『三國遺事』

단행본
[한문]

高久健二, 1995,『樂浪古墳文化 研究』, 學研文化社

국립중앙박물관, 2001,『낙랑』, 중립중앙박물관.

金龍星, 1998,『新羅의 高塚과 地域集團-大邱·慶山의 例』, 춘추각.

김용성, 2015,『신라 고분고고학의 탐색』, 진인진.

崔秉鉉, 2021,『신라 6부의 고분 연구』, 사회평론아카데미.

박형열, 2021,『고신라 고분군 연구』, 학연문화사.

신용민, 2000,『漢代 木槨墓 研究』, 學研文化社.

오영찬, 2006,『낙랑군 연구』, 사계절.

중앙문화재연구원, 2011,『한국 신석기문화 개론』, 서경문화사.

중앙문화재연구원, 2014,『낙랑고고학 개론』, 진인진.

중앙문화재연구원, 2015,『한국 청동기문화 개론』, 진인진.

한국고고학회, 2007,『한국고고학강의』, (주)사회평론.

[중문]

中國社會科學院考古研究所, 2010,『中國考古學·新石器時代卷』, 北京:中國社會科學出版社

中國社會科學院考古研究所, 2010,『中國考古學·秦漢卷』, 北京:中國社會科學出版社

中國社會科學院考古研究所, 2003,『中國考古學·夏商卷』, 北京:中國社會科學出版社

王培新, 2007,『樂浪文化:以墓葬爲中心的考古學研究』, 科學出版社.

苗威, 2016,『樂浪研究』, 高等教育出版社.

李如森, 2003,『漢代喪葬禮俗』, 沈陽出版社.

黃曉芬, 2003,『漢墓的考古學研究』, 嶽麓書社.

韓國河, 1999,『秦漢魏晉喪葬制度研究』, 陝西人民出版社.

郭大順・張星德, 2005,『東北文化與幽燕文明』, 江蘇教育出版社.

蒲慕州, 1993,『墓葬與生死-中國古代宗教之省思』, 聯經出版事業公司.

[일문]

石川岳彦, 2017,『春秋戰國時代の燕國と遼寧地域に関する考古學的研究』, 雄山閣.

岡林孝作, 2018,『古墳時代棺槨の構造と系譜』, 同成社.

岡林孝作, 2012,『北東アジアにおける木槨墓の展開に関する総合的研究』, 奈良縣立檀原考
　　古學研究所.

澄田正一・小野山節・宮本一夫, 2008,『遼東半島四平山積石塚の研究』, 柳原出版.

[영문]

Haggett, P. H. 1972, Geography : a Modern Synthesis, Harper Row.

보고서

[한문]

경기문화재단, 2012,『김포 양곡 유적』.

경기문화재단・경기문화재연구원・한국철도시설공단, 2010,『龍仁新葛洞周溝土壙墓』.

경성대학교박물관, 2000,『金海 大成洞 古墳群 I』.

경성대학교박물관, 2000,『金海 大成洞 古墳群 II - 13・18・29호墳 -』.

경성대학교박물관, 2000,『金海 大成洞 古墳群 周邊地域 試掘調査』.

경성대학교박물관, 2003,『金海 大成洞 古墳群 III』.

경성대학교박물관발굴조사단, 1991,『金海 大成洞古墳群-第2次 調査發掘槪要』.

경성대학교박물관발굴조사단, 1992,『金海 大成洞遺跡 第3次發掘調査 發表資料』.

고려대학교・매장문화재연구소, 1997,『寬倉里周溝墓』.

고려문화재연구원, 2013,『김포 양촌 유적』.

공주대학교박물관, 2000,『용원리 고분군』.

공주대학교박물관, 2008,『연기 응암리 유적』.

공주대학교박물관・국방과학연구소, 2009,『해미 기지리 유적』.

국립경주박물관, 2000,『경주 조양동 유적I』.

국립공주박물관, 1995,『하봉리』.

국립광주박물관, 1984,『영암 만수리고분군』.

국립광주박물관, 1990,『영암 만수리 4호분』.

국립광주박물관, 1993,『靈岩 新燕里 9호墳』.

국립문화재연구소, 2001,『나주 신촌동 9호분』.

국립중앙박물관, 1993,『청당동I』.

국립중앙박물관, 2012,『창원 다호리 1~7차 발굴조사 종합보고서』.

리순진, 1996,『평양일대 락랑무덤에 대한 연구』, 사회과학출판사.

목포대학교박물관, 1999,『무안 인평고분군』.

부산대학교박물관, 1983,『동래 복천동 고분군 I』.

부산대학교박물관, 1990,『동래 복천동 고분군 II』.

부산대학교박물관, 1993,『東萊福泉洞古墳群II』, 釜山大學校博物館.

부산대학교박물관, 1996,『東萊福泉洞古墳群III』, 釜山大學校博物館.

부산대학교박물관, 1996,『동래 복천동 고분군 III』.

부산대학교박물관, 1997,『울산하대유적-고분I-』.

사회과학원고고연구소, 2009,『락랑일대의 무덤(귀틀무덤)』, 진인진.

사회과학원고고연구소, 2009,『락랑일대의 무덤(나무관 및 나무곽무덤)』, 진인진.

사회과학원고고연구소, 1983,『락랑구역일대의 고분발굴보고-고고학자료집 제6집』, 과학・
　　백과사전출판사.

서경문화재연구원, 2013,『인천 연희동 유적』.

성림문화재연구원, 2012,『경주 모량리유적』.

영남문화재연구원, 2009,『慶州 德泉里遺蹟 IV-木槨墓・甕棺墓 外-』.

영남문화재연구원, 2009,『慶州 德泉里遺蹟III-木槨墓-』.

익산지방국토관리청・湖南文化財研究院, 2003,『羅州龍虎古墳群』.

원광대학교마한・백제문화연구소・한국도로공사, 2005,「城南里III・IV」,『高昌的周溝墓』.

전남대학교박물관・나주시, 1999,『伏岩里古墳群』.

전남대학교박물관·함평군, 2004,『咸平禮德里萬家村古墳群』.

전북대학교박물관·한국도로공사, 2010,『상운리 Ⅰ』.

전북대학교박물관·한국도로공사, 2010,『상운리 Ⅱ』.

전북대학교박물관·한국도로공사, 2010,『상운리Ⅲ』.

전북문화재연구원, 2007,『高敞 南山里遺蹟 - 墳墓 -』.

전북문화재연구원, 2009,『全州 長洞遺蹟Ⅱ-Ⅰ區域-』.

전북문화재연구원, 2009,『全州 長洞遺蹟Ⅱ-Ⅰ區域-』.

창원대학교박물관, 2006,『蔚山 中山里遺蹟Ⅰ』.

창원대학교박물관, 2006,『蔚山 中山里遺蹟Ⅱ』.

창원대학교박물관, 2006,『蔚山 中山里遺蹟Ⅲ』.

창원대학교박물관, 2006,『蔚山 中山里遺蹟Ⅳ』.

창원대학교박물관, 2007,『蔚山 中山里遺蹟Ⅴ』.

창원대학교박물관, 2012,『蔚山 中山里遺蹟 Ⅳ』.

충북대학교박물관, 1994,『淸州 松節洞 古墳群』.

충청문화재연구원, 2011,『牙山 鳴岩里 밖지므레遺蹟』.

충청문화재연구원, 2011,『아산 용두리 진터 유적』.

한강문화재연구원, 2013,『김포 운양동 유적』.

한강문화재연구원, 2014,『인천 구월동 유적』.

한강문화재연구원, 2017,『춘천 우두동 유적』.

한림대학교박물관, 2007,『가평 달전리유적 -토광묘-』.

호남문화재연구소, 2004,『고창 만동유적』.

호남문화재연구소, 2013,『고창 선동유적』.

호남문화재연구원, 2006,『長興 新豊遺蹟Ⅱ』.

호남문화재연구원, 2010,『長城 環校遺蹟Ⅱ』.

[중문]

安徽省文物考古研究所, 2007,『安徽六安雙墩一號漢墓發掘成果及王陵區槪況簡介』, 安徽省
　　文物考古研究所.

安徽省文物考古研究所, 2007,『巢湖漢墓』, 文物出版社.

寶雞市博物館, 1988,『寶雞(弓魚)國墓地』, 文物出版社.

北京大學考古系商周組·陝西省考古研究所, 2000,『天馬-曲村』, 科學出版社.

北京市文物研究所, 2007,『軍都山墓地』, 文物出版社.

北京市文物研究所, 2019,『長溝漢墓』, 科學出版社.

大葆台漢墓発掘組, 1989,『北京大葆台漢墓』, 文物出版社.

河北省文物研究所, 1996,『燕下都』, 文物出版社.

湖北省博物館, 1980,『隨縣曾侯乙墓』, 文物出版社.

湖南省博物館, 1973,『長沙馬王堆一號漢墓』, 文物出版社.

湖南省文物考古研究所·湖南省博物館, 2004,『長沙馬王堆二,三號漢墓：田野考古發掘報告. 第1卷』, 文物出版社.

吉林大學考古學院, 2021,『西豐西岔溝』, 文物出版社.

吉林省考古研究所, 1987,『榆樹老河深』, 文物出版社.

遼寧省文物考古研究所, 1994,『馬城子』, 文物出版社.

遼寧省文物考古研究所, 2012,『查海—新石器時代聚落遺址發掘報告 中』, 文物出版社.

遼寧省文物考古研究所, 2012,『牛河梁』, 文物出版社.

遼寧省文物考古研究所, 2013,『姜屯漢墓』, 文物出版社.

遼寧省文物考古研究所, 2015,『羊草莊漢墓』, 北京, 文物出版社.

遼寧省文物考古研究所·朝陽市博物館, 2010,『朝陽袁台子』, 文物出版社.

洛陽區考古發掘隊, 1959,『洛陽燒溝漢墓』, 科學出版社.

內蒙古自治去文物考古研究所·鄂爾多斯博物館, 2000,『朱開溝-青銅時代早期遺址發掘報告』, 文物出版社.

青島市文物保護研究所·青島市黃島區博物館, 2018,『琅琊墩式封土墓』, 科學出版社.

青海省文物管理處, 1984,『青海柳灣』, 文物出版社.

山東省博物館, 1985,『鄒縣野店』, 文物出版社.

山東省文物管理處, 1974,『大汶口—新石器時代墓葬發掘報告』, 文物出版社.

山東省文物考古研究院, 2017,『京沪高速鐵路山東段考古報告集』, 文物出版社.

山東省文物考古研究院, 2020,『山東沿海漢代墩式封土墓考古報告集』, 北京, 文物出版社.

中國科學院考古研究所, 1959,『洛陽中州路』, 科學出版社.

中國社會科學院考古研究所, 1996,『大旬子』, 科學出版社.

中國社會科學院考古研究所, 1999,『張家坡西周墓地』, 中國大百科全書出版社.

中國社會科學院, 1996,『雙砣子與崗上』, 科學出版社.

[일문]

濱田耕作, 1933,『南山裡—南満洲老鉄山麓の漢代甎墓』, 東亜考古學會.

朝鮮古跡硏究會, 1934,『古跡調査槪報-樂浪古墳 昭和8年度』,

朝鮮古跡硏究會, 1936,『古跡調査槪報-樂浪古墳 昭和10年度』.

榧本龜次郎・小場恒吉, 1935,『樂浪王光墓』, 朝鮮古跡硏究會

關野貞等, 1915,『朝鮮古跡圖譜1』, 朝鮮總督府.

關野貞等, 1927,『樂浪郡時代/遺跡 』.

內藤寬・森修, 1934,『 營城子：前牧城驛附近の漢代壁畫甎墓』, 東亜考古學會.

鳥居龍蔵, 1910,『南満洲調査報告』, 秀英舍.

田澤金吾・原田淑人, 1931,『樂浪-五官掾王旴の墳墓』, 東京大學文學部.

原田淑人, 1931,『牧羊城—南満洲老鉄山麓漢及漢以前遺蹟』, 東亜考古學會.

樂浪漢墓刊行會, 1974,『樂浪漢墓 第一冊』.

樂浪漢墓刊行會, 1975,『樂浪漢墓 第二冊』.

논문 및 약보고서

[한문]

강세호, 2017, 「북한강유역 원삼국~한성백제기 주거와 취락구조」, 『중부고고학회 학술대회 논문집』, 중부고고학회.

강인구, 1983, 「三國時代 墳丘墓의 再檢討(2)」, 『梨花史學硏究』13-14, 梨花史學硏究所.

강인구, 1994, 「周溝土壙墓에 관한 몇가지 問題」, 『한국학』3, 한국학중앙연구원.

강지원, 2018, 「중서부지역 주구토광묘의 등장기 묘제상 검토」, 『先史와 古代』55, 한국고대학회.

고고학 및 민속학연구소 고고학연구실, 1959, 「태성리고분군 발굴보고」, 『유적발굴보고 제5집』.

권오영, 2011, 「喪葬制와 墓制」, 『동아시아의 고분문화』, 서경문화사.

권오영, 2015, 「마한 분구묘의 출현과정과 조영집단」, 『백제학보』14, 백제학회.

권지영, 2006, 「木棺墓에서 木槨墓로의 轉換樣相에 대한 檢討」, 『嶺南考古學』38, 영남고고학회.

김기옥, 2010, 「자료소개 : 김포 운양동 유적 분구묘」, 『백제학보』 4, 백제학회.

김기옥, 2011, 「서해안지역 초현기 분구묘」, 『慶北大學校考古人類學科30周年紀念考古學論叢』, 경북대학교출판사.

김기옥, 2012, 「한강하류역 마한 분묘군 일고찰」, 『경남연구』 7, 경남발전연구원.

김기옥, 2014, 「경기지역 마한 분구묘의 구조와 출토유물」, 『한국고고학전국대회 발표문』 38, 한국고고학회.

김길식, 2014, 「2~3세기 한강 하류역 철제무기의 계통과 무기의 집중유입 배경 -김포 운양동유적 철제무기를 중심으로」, 『백제문화』 50, 백제학회.

김도희, 2020, 「중부지역 원삼국문화와 낙랑」, 『중부고고학회 학술대회논문집』, 중부고고학회.

김두철, 2006, 「木槨墓社會로의 轉換」, 『石軒 鄭澄元敎授 停年退任記念論叢』, 釜山考古學研究會,

김두철, 2006, 「삼국시대 鐵鎌의 연구」, 『백제연구』 43, 충남대학교 백제연구소.

김상민, 2006, 「서남부지역 철부의 형식과 변천」, 『호남문화재연구원 연구논문집』 6.

김상민, 2009, 「韓半島 鑄造鐵斧의 展開樣相에 대한 考察 - 初期鐵器時代~三國時代 資料를 中心으로」, 『호서고고학』 20, 호서고고학회.

김새봄, 2011, 「原三國後期 嶺南地域과 京畿·忠淸地域 鐵矛의 交流樣相」, 『韓國考古學報』 81, 한국고고학회.

김승옥, 2009, 「분구묘의 인식과 시공간적 전개과정」, 『한국 매장문화재 조사연구 방법론5』, 국립문화재연구소.

김승옥, 2011, 「중서부지역 마한계 분묘의 인식과 시공간적 전개과정」, 『韓國上古史學報』 71, 한국상고사학회.

김승옥·이승태, 2006, 「완주 상운리유적의 분구묘」, 『전국역사학대회』 49, 한국고고학회.

김장석, 2002, 「이주와 전파의 고고학적 구분 : 시험적 모델의 제시」, 『한국상고사학보』 38, 한국상고사학회.

김정열, 2012, 「遼西 지역의 청동기문화와 복합사회의 전개」, 『동양학』 52, 단국대학교 동양학연구원.

김정열, 2019, 「遼西 지역 청동문화의 전개 -기원전 15세기부터 기원전 5세기까지-」, 『숭실사학』 42, 숭실사학회.

김준규, 2017, 「북한강유역 원삼국시대~한성백제기 토기 편년 시론」, 『중부고고학회 학술대회논문집』, 중부고고학회.

김중엽, 2013, 「3~4세기 호서지역 (주구)토광묘 연구」, 『馬韓·百濟文化』, 원광대학교 마한
　　백제문화연구소.

김진오, 2020, 『진·변한 목곽묘의 장례 현장 연구』, 서울대학교 대학원 석사학원논문.

김훈희·고상혁, 2015, 「墓槽가 있는 목곽묘에 대한 일고찰 -울산 산하동유적을 중심으로」,
　　『嶺南考古學』73, 영남고고학회.

김희중, 2015, 「마한 주구묘의 유형과 시,공간적 전개과정 -경기,충청지역을 중심으로」, 『百
　　濟硏究』62, 충남대학교 백제연구소.

趙胤宰, 2013, 「漢晉 喪葬儀禮의 形成과 棺槨制度의 變容」, 『고고학』3, 중부고고학회.

高久健二, 2000, 「樂浪 채협총(南井里116호墳)의 埋葬 프로세스에 관한 연구」, 『考古歷史學
　　志』16, 동아대학교 박물관.

高久健二, 2000, 「樂浪郡과 弁·辰韓의 墓制」, 『고고학으로 본 변·진한과 왜』, 영남고고학
　　회·구주고고학회.

高久健二, 1992, 「韓國出土 철모의 傳播過程에 대한 硏究 -樂浪地域에서 南部地域으로-」,
　　『考古歷史學誌』8, 동아대학교 박물관.

華玉冰, 2013, 「청동기시대-초기철기시대, 요동과 한반도의 문화교류」, 『영남고고학회 2013
　　년 학술대회 발표자료집』, 영남고고학회.

리순진, 1974, 「운성리유적 발굴보고」, 『고고학자료집4』.

리순진, 1983, 「우리나라 서북지방의 나무곽무덤에 대한 연구」, 『고고민속론문집』8.

박성희, 2003, 「경춘복선 가평역사유지(달전리) 발굴조사」, 『한국고고학전국대회 발표문』
　　27, 한국고고학회.

박순발, 2007, 「墓制의 變遷으로 본 漢城期 百濟의 地方 編制 過程」, 『韓國古代史硏究』48,
　　한국고대사학회.

박형열, 2014, 『榮山江流域3~5世紀古墳變遷』, 동국대학교대학원 고고미술사학과 석사논문.

박형열, 2016, 「경주 덕천리유적 목곽묘단계의 시·공간적 특징으로 본 집단과 계층」, 『한국
　　고고학보』100, 한국고고학회.

배현준, 2015, 「동주시기 연나라와 동대장자 유적 청동예기 부장무덤의 연대」, 『白山學報』
　　103, 백산학회.

백련행, 1962, 「부조예군 도장에 대하여」, 『문화유산』4.

사회과학원고고학연구소전야공작대, 1978, 「나무곽무덤」, 『낙랑구역 정백동 무덤떼 발굴보
　　고-고고학자료집 제5집』, 과학·백과사전출판사.

서현주, 2016, 「호서지역 원삼국시대 분묘유물의 변천과 주변지역과의 관계」, 『호서고고학』

35, 호서고고학회.

성정용, 2000, 「중서부지역 3~5세기 철제무기의 변천」, 『한국고고학보』 42, 한국고고학회.

성정용, 2006, 「中西部地域 原三國時代 土器 樣相」, 『韓國考古學報』 60, 한국고고학회.

성정용, 2007, 「IV. 考察」, 『忠州 金陵洞 遺蹟』.

성정용, 2009, 「호남·호서·경기지역의 토광묘와 조사방법」, 『한국 매장문화재 조사연구방법론5』, 국립문화재연구소.

성정용, 2011, 「목관묘와 목곽묘」, 『동아시아의 고분문화』, 서경문화사.

손병헌, 1985, 「樂浪古墳의 被葬者」, 『韓國考古學報』 17-18, 한국고고학회.

신기철, 2018, 「2~4세기 중서부지역 주구토광묘와 마한 중심세력 연구」, 『호서고고학』 39, 호서고고학회.

신숙정, 2011, 「I. 신석기시대 연구의 성과와 전망」, 『한국 신석기문화 개론』, 서경문화사.

신용민, 1990, 『西北地方 木槨墓에 관한 硏究』, 東亞大學校大學院 碩士論文.

심재용, 2007, 「2~3세기대 김해지역 목곽묘의 전개양상」, 『考古廣場』 創刊號, 부산고고학연구회.

양성혁, 2011, 「VI. 매장과 의례」, 『한국 신석기문화 개론』, 중아문화재연구원.

오강원, 2003, 「琵琶形銅劍~細形銅劍 T字形 靑銅製劍柄의 型式과 時空間的 樣相」, 『韓國上古史學報』 41, 한국상고사학회.

오강원, 2006, 「요령성 建昌縣 東大杖子 積石木棺槨墓群 出土 琵琶形銅劍과 土器」, 『科技考古研究』 12, 아주대학교 박물관.

오강원, 2010, 「戰國時代 燕나라 燕北長城 동쪽 구간의 構造的 實體와 東端」, 『韓國古代學會』 33, 한국고대학회.

오강원, 2011, 「기원전 3세기 연나라 유물 공반 유적의 제 유형과 연문화와의 관계」, 『韓國上古史學報』 71, 한국상고사학회.

오강원, 2011, 「商末周初 大凌河 流域과 그 周邊 地域의 文化 動向과 大凌河 流域의 靑銅禮器 埋納遺構」, 『韓國上古史學報』 74, 한국상고사학회.

오강원, 2013, 「청동기~철기시대 요령·서북한 지역 물질문화의 전개와 고조선」, 『東洋學』 53, 동양학연구원.

오강원, 2013, 「청동기-철기시대 중국 동북 지역 물질문화의 전개와 상호 작용 및 족속」, 『高句麗渤海研究』 46, 고구려발해학회.

오강원, 2014, 「韓國古代文化與樂浪文化的相互作用以及東亞細亞」, 『東方考古』 11, 科学出版社.

오강원, 2017, 「중국 동북 지역 瓢形 長頸壺의 부장 양상과 확산의 배경과 맥락」, 『嶺南考古學』 78, 영남고고학회.

오강원, 2018, 「기원전 3~1세기 中國東北과 西北韓地域의 物質文化와 燕·秦·漢」, 『원사시대의 사회문화 변동』, 진인진.

오강원, 2018, 「遼寧~ 西北韓 地域 墓制와 土器의 組合 關係 및 變動을 통하여 본 古朝鮮과 그 周邊」, 『한국학논총』 50, 국민대학교 한국학연구소.

오영찬, 1996, 「樂浪郡의 土著勢力 再編과 支配構造-기원전 1세기대 나무곽무덤의 분석을 중심으로」, 『한국사론』 35, 서울대학교 국사학과.

이강승, 2000, 「분구묘에 대한 하나의 고찰」, 『湖南考古學報』 12, 호남고고학회.

이남석, 2011, 「中西部地域 墳丘墓의 檢討」, 『先史와 古代』 35, 한국고대학회.

이남석, 2013, 「마한분묘와 그 묘제의 인식」, 『馬韓·百濟文化』 22, 원광대학교 마한백제문화연구소.

이남석·이현숙, 2006, 「서산 해미 기지리 분구묘」, 『전국역사학대회』 49, 한국고고학회.

이보람, 2009, 「금강유역 원삼국~삼국시대 환두도 연구」, 『韓國考古學報』 71, 한국고고학회.

이보람, 2011, 「중서부지역 원삼국~삼국시대 철모 연구」, 『분구묘의 신지평』, 전북대학교 고고문화인류학과 BK21 사업단.

이성주, 1996, 「靑銅器時代 東아시아 世界體系와 한반도의 文化變動」, 『韓國上古史學報』 23, 한국상고사학회.

이성주, 1996, 「新羅式 木槨墓의 展開와 意義」, 『신라고고학의, 제 문제』, 제20회 한국고고학전국대회.

이성주, 1997, 「제3장 삼국시대의 고분」, 『한국의 문화유산』, 97文化遺産組織委員會, 韓國文化遺産保護財團.

이성주, 1997, 「木棺墓에서 木槨墓로」, 『新羅文化』 14, 동국대학교 신라문화연구소.

이성주, 1999, 「辰·弁韓地域 墳墓 出土 1~4世紀 土器의 編年」, 『嶺南考古學』 24, 영남고고학회.

이성주, 2000, 「墳丘墓의 認識」, 『韓國上古史學報』 20, 한국상고사학회.

이성주, 2007, 「4장 청동기시대 동아시아 세계체계와 한반도 문화변동」, 『靑銅器·鐵器時代 社會變動論』, 學研文化社.

이성주, 2011, 「南韓의 原三國 土器」, 『慶北大學校考古人類學科30周年紀念考古學論叢』, 慶北大學校出版部,

이성주, 2012,「靑銅器時代東亞細亞世界體系和韓半島的文化變動」,『南方文物』4.

이성주, 2013,「목곽묘의 출현과 그 역사적 의의」,『三韓時代, 文化와 蔚山』, 2013년 울산문화재연구원 학술대회.

이성주, 2014,「貯藏祭祀와 盛饌祭祀 : 목곽묘의 토기부장을 통해 본 음식물 봉헌과 그 의미」,『嶺南考古學』70, 영남고고학회.

이성주, 2017,「韓國考古學의 起源論과 系統論」,『한국고고학보』102, 한국고고학회.

이성주, 2018,「북방문화론에 대하여」,『신화의 역사』, 진인진.

이성주, 2020,「동북아 토착사회의 관·곽묘 수용」,『철기문화 시기의 분묘와 매장』, 한국학중앙연구원·한국학기초연구 공동연구팀 결과발표회의 자료집.

이성주·김현희, 2000,「蔚山 茶雲洞·中山里遺蹟 木棺墓와 木槨墓」,『三韓의, 마을과 무덤』, 제9회 嶺南考古學會 學術發表會.

이영훈, 1987,『樂浪 木槨墳의 一考察』, 서울대학교대학원 석사논문.

이재현, 1994a,「영남지역 목곽묘의 구조」,『영남고고학보』15, 영남고고학회.

이재현, 1994b,「嶺南地域 木槨墓에 대한 硏究」, 釜山大學校大學院 碩士學位論文.

이재현, 1994c,『嶺南地域 木槨墓에 대한 연구』, 부산대학교 대학원 : 사학과 석사학위논문.

이재현, 1995,「弁·辰韓 社會의 발전과정-木槨墓의 출현배경과 관련하여」,『嶺南考古學』17, 영남고고학회.

이재현, 1995,「弁·辰韓 社會의 발전과정」,『嶺南考古學』17, 영남고고학회.

이재현, 2002,『弁·辰韓社會의 考古學的 硏究』, 부산대학교 대학원 : 사학과 박사학위논문.

이재현, 2003,「韓國嶺南地域木槨墓의 構造와 葬習」,『古代日韓交流の考古學的硏究―葬制の比較檢討―』, 平成11年度～平成13年度科學硏究費補助金.

이재현, 2010,「영남지역의 토광묘」,『한국 매장문화재 조사연구방법론5』, 국립문화재연구소.

이재홍, 2001,「목관계 목곽묘의 등장과 배경」,『嶺南文化財研究』14, 영남문화재연구원.

이주헌, 1994,「삼한의 목관묘에 대하여 - 영남지방출토 자료를 중심으로 -」,『고문화』44, 한국대학박물관협회.

이창엽, 2007,「中西部地域 百濟漢城期 木棺墓 變化 - 烏山 水淸洞遺蹟을 中心으로」,『先史와 古代』27, 한국고대학회.

이택구, 2008,「한반도 중서부지역의 馬韓 墳丘墓」,『韓國考古學報』66, 한국고고학회.

이택구, 2015,「전북지역 분구묘의 제 속성 비교 검토」,『韓國考古學報』97, 한국고고학회.

이현주, 2010,「IV. 考зар 1. 墓制-棺과 槨의 구조에 대하여」,『東萊 福泉洞古墳群 - 第5次 發掘調查 38호墳 -』, 복천박물관.

이형구, 1991, 「大凌河流域의 殷末周初 青銅器文化와 箕子 및 箕子朝鮮」, 『한국상고사학보』 5, 한국상고사학회.

이후석, 2015, 「기원전 4세기대 요서지역의 문화변동과 그 배경 -세형동검문화와의 관련성을 중심으로」, 『고조선 연구의 신지평』, 한국고대사·고고학연구소 학술회의 자료집.

이후석, 2015, 「기원전 4세기대 요서지역의 문화변동과 그 의미 -동대장자유형과 세형동검문화의 관계를 중심으로-」, 『인문학연구』 28, 조선대학교 인문학연구원.

이후석, 2016, 「동대장자유형의 계층 분화와 그 의미」, 『한국상고사학보』 94, 한국상고사학회.

이훈, 2012, 「金銅冠을 통해 본 百濟의 地方統治와 對外交流」, 『百濟研究』 55, 충남대학교 백제연구소.

임영진, 2002, 「영산강유역권의 분구묘와 그 전개」, 『호남고고학보』 16, 호남고고학회.

전북대학교박물관, 2010, 「Ⅶ 綜合考察 : 分析과 解釋」, 『상운리Ⅲ』, 全北大學校博物館·韓國道路公社.

전진국, 2021, 「위만조선 성립과 멸망 무렵 유민의 남하」, 『경희대학교 한국고대사·고고학연구소 제 36회 콜로키움』, 경희대학교 한국고대사·고고학연구소.

정낙현, 2015, 『마한·백제 철촉의 변천과 기능향상』, 한신대학교 대학원 석사학위논문.

정현광, 2020, 「함안 말이산고분군 45호분(목곽묘)의 특징과 의미 연구」, 『문물』 10, 한국문물연구원.

정인성, 2011, 「樂浪古墳의 特徵과 變遷」, 『동아시아의 고분문화』, 서경문화사.

정인성, 2018, 「원사시대 동아시아 교역 시스템의 구축과 상호작용 : 무역도기 '백색토기'의 생산과 유통을 중심으로」, 『원사시대의 사회문화변동』, 진인진.

정인성, 2013, 「위만조선의 철기문화」, 『백산학보』 96, 백산학회.

최몽룡, 1985, 「漢城時代佰濟的都邑址與領域」, 『震檀學報』 60, 震檀學會.

최병현, 2011, 「한국 고분문화의 양상과 전개」, 『동아시아의 고분문화』, 서경문학사.

최병현, 2018, 「원삼국시기 경주지역의 목관묘,목곽묘 전개와 사로국」, 『중앙고고연구』 27, 중앙문화재연구원.

최병현, 2020, 「경주지역의 목곽묘 전개와 신라 조기 왕묘의 위상」, 『목곽묘로 본 사로국과 신라』, 국립경주문화재연구소.

최봉균, 2012, 「Ⅴ. 고찰」, 『서산 예천동 유적』, 백제문화재연구원.

최성락, 2007, 「분구묘의 인식에 대한 검토」, 『韓國考古學報』 62, 한국고고학회.

최종규, 1995, 「묘제를 통하여 본 삼한사회의 구조」, 『삼한고고학연구』, 서경문화사.

최종규, 2007, 「삼한 조기묘의 례제」, 『考古學探究』創刊號, 고고학탐구회.

최종규, 2010, 「송국리문화의 례제-경남 중심으로」, 『고고학탐구』7, 고고학탐구회.

한강문화재연구원, 2020, 「남양주 00부대 현대화사업부지 내 유적 발굴조사 약식보고서」, 『발굴조사 약식보고서 제302책』, 한강문화재연구원.

함순섭, 1998, 「금강류역권의 마한에서 백제로의 전환 : 분묘출토토기를 중심으로」, 『한국고고학전국대회 발표문』, 학국고고학회.

함순섭, 1998, 「錦江流域圈의 馬韓에서 百濟로의 轉換」, 『3~5세기 금강유역의 고고학』, 제22회 한국고고학전국대회.

허병환, 2020, 「남양주 금남리 유적」, 『중부지역 문화유적 발굴성과』, 2020년 유적조사발표회 자료집, 중부고고학회.

[중문]

安徽省考古研究所, 2012, 「安徽六安市白鷺洲戰國墓M566的發掘」, 『考古』5, pp. 29-40.

安徽省文物工作隊, 1982, 「安徽長豐楊公發掘九座戰國墓」, 『考古學刊(二)』

安徽省文物考古研究所, 2013, 「安徽當塗陶莊戰國土墩墓發掘簡報」, 『文物』10, pp. 23-35+1.

安徽省文物考古研究所, 2014, 「安徽廣德縣南塘漢代土墩墓發掘簡報」, 『考古』01, pp. 3-13+2.

安徽省文物考古研究所, 2017, 「安徽六安市十里鋪1호土墩墓」, 『考古』2.

白雲翔, 1998, 「漢代積貝墓研究」, 『劉敦願先生紀念文集』, 山東大學出版社.

北京市文物工作隊, 1962, 「北京懷柔城北東周兩漢墓葬」, 『考古』5, pp. 219-239.

北京市文物工作隊, 1963, 「北京昌平半截塔村東周和兩漢墓」, 『考古』3, pp. 136-139.

北京市文物工作隊, 1963, 「北京昌平史家橋漢墓發掘」, 『考古』03, pp. 122-129.

北京市文物管理處, 1976, 「北京地區的又一重要考古收獲——昌平白浮西周木槨墓的新啟示」, 『考古』04, pp. 246-258+228+281-284.

長沙市考古文物研究所, 2007, 「湖南望城風篷嶺漢墓發掘簡報」, 『文物』12, pp. 21-41.

長沙市考古文物研究所, 2010, 「湖南長沙望城坡西漢漁陽墓發掘簡報」, 『文物』4, pp. 4-35.

長沙市文化局文物組, 1979, 「長沙鹹家湖西漢曹(女巽)墓」, 『文物』3, pp. 1-16.

長沙文物考古研究所, 2007, 「湖南長沙三公里楚墓發掘簡報」, 『文物』12, pp. 4-20.

朝陽地區博物館·喀左縣文化館, 1985, 「遼寧喀左大城子眉眼溝戰國墓」, 『考古』1, pp. 7-13.

陳超, 2013, 「漢代土墩墓的發現與研究」, 『秦漢土墩墓發現與研究-秦漢土墩墓國際學術研討會論文集』, 文物出版社, pp. 23-32.

陳光, 1997, 「東周燕文化分期論」, 『北京文博』4, pp. 5-17.

陳光, 1998, 「東周燕文化分期論(續)」, 『北京文博』1, pp. 18-31.

陳光, 1998, 「東周燕文化分期論(續完)」, 『北京文博』2, pp. 19-28.

陳慧, 2007, 「戰國之燕對遼東的經營開發」, 『遼寧大學學報(哲學社會科學版)』05, pp. 101-105.

成璟瑭・孫建軍・邵希奇, 2015, 「葫蘆島市博物館藏東大杖子墓地出土器物研究」, 『文物』11, pp. 85-95.

成璟瑭・徐韶鋼, 2017, 「東大杖子墓地出土銅鏃研究」, 『邊疆考古研究』01, pp. 169-178.

成璟瑭・徐韶鋼, 2019, 「鄭家窪子類型小考」, 『文物』08, pp. 60-67.

大連市文物考古研究所・大連營城子漢代墓地考古工作隊, 2019, 「遼寧大連市營城子漢墓群2003M76的發掘」, 『考古』10, pp. 52-62.

董新林, 2000, 「魏營子文化初步研究」, 『考古學報』1, pp. 1-30.

董哲, 2017, 「安徽六安市十里鋪1호土墩墓」, 『考古』02, pp. 69-84.

馮永謙・崔玉寬, 2010, 「鳳城劉家堡西漢遺址發掘報告」, 『遼寧考古文集(二)』.

付琳・王立新, 2012, 「朝陽袁台子周代墓葬的再分析」, 『北方文物』03, pp. 23-31.

付琳・王立新, 2015, 「夏家店下層文化消亡後的遼西」, 『考古』08, pp. 89-102.

傅聚良, 2005, 「西漢長沙國千石至鬥食官吏的墓葬」, 『考古』9, pp. 69-77.

傅朗雲, 1995, 「東北發族源流及其活動地區索證」, 『中國邊疆史地研究』2, pp. 100-104.

傅宗德・陳莉, 1988, 「遼寧喀左縣出土戰國器物」, 『考古』07, pp. 663-664.

蓋州市文物管理處, 2016, 「遼寧省蓋州光榮村漢墓M7發掘簡報」, 『博物館研究』4, pp. 67-68.

高崇文, 1990, 「淺談楚墓中的棺束」, 『中原文物』01, pp. 83-91.

高崇文, 2006, 「試論先秦兩漢喪葬禮俗的演變」, 『考古學報』04, pp. 447-472.

高崇文, 2020, 「楚墓棺槨辨識」, 『漢江考古』5,

高源, 2018, 『滇文化墓葬棺槨制度研究』, 雲南大學.

郭大順, 2018, 「考古學觀察下的古代遼寧」, 『地域文化研究』01, pp. 95-104+155.

郭德維, 1983, 「楚墓分類問題探討」, 『考古』03, pp. 249-259.

郭治中, 2000, 「水泉墓地及相關問題之探索」, 『中國考古學跨世紀的回顧與前瞻—1999年西陵國際學術研討會文集』, 科學出版社, pp. 297-309.

韓建宏, 2010, 「論大連地區漢墓在東北考古學史上的地位」, 『遼寧省博物館館刊』, pp. 89-94.

何介鈞・周世榮・熊傳新, 1974, 「長沙市彈庫戰國木槨墓」, 『文物』2, pp. 36-43.

河北省文化局文物工作隊, 1966, 「河北懷來北辛堡戰國墓」, 『考古』5, pp. 247-258.

河北省文物研究所, 2001, 「河北省懷來縣官莊遺址發掘報告」, 『河北省考古文集(二)』, 北京, 燕山出版社.

河北省文物研究所, 2001, 「燕下都遺址內的兩漢墓葬」, 『河北省考古文集(二)』, 北京, 燕山出版社.

河北省文物研究所 · 鹿泉市文物保管所, 2001, 「河北高莊漢墓發掘簡報」, 『河北省考古文集二』, 北京燕山出版社, pp.141-182.

河北省文物研究所 · 張家口地區文物局, 1990, 「河北陽原三汾溝漢墓群發掘報告」, 『文物』1, pp.1-18.

胡傳聳, 2007, 「東周燕文化與周邊考古學文化的關系研究(上)」, 『文物春秋』01, pp.20-27+33.

胡傳聳, 2007, 「東周燕文化與周邊考古學文化的關系研究(下)」, 『文物春秋』02, pp.3-9.

胡繼根, 2013, 「浙江"漢代土墩墓"的發掘與認識」, 『秦漢土墩墓發現與研究-秦漢土墩墓國際學術研討會論文集』, 文物出版社, pp.44-51.

葫蘆島市博物館, 2019, 「遼寧興城朱家村春秋木棺墓清理簡報」, 『文物』8,

湖北省荊州地區博物館, 1982, 「江陵天星觀1號楚墓」, 『考古學報』1, pp.71-116.

湖北省文物考古研究所 · 雲夢縣博物館, 2008, 「湖北雲夢睡虎地M77發掘簡報」, 『江漢考古』4, pp.31-37.

湖北省宜昌地區博物館, 1988, 「當陽曹家崗5號楚墓」, 『考古學報』4, pp.455-500.

湖南省博物館, 1981, 「長沙象鼻嘴一號西漢墓」, 『考古學報』1, pp.111-130

湖南省文物考古研究所, 2003, 「沅陵虎溪山一號漢墓發掘簡報」, 『文物』1, pp.36-55.

許明綱, 1959, 「旅大市營城子古墓清理」, 『考古』06, pp.278-280, 324.

許明綱, 1960, 「旅順口區後牧城驛戰國墓清理」, 『考古』08, pp.12-17.

許明綱, 1997, 「大連地區燕文化遺跡」, 『文物春秋』02, pp.13-16.

許明綱 · 劉俊勇, 1983, 「大連於家村砣頭積石墓地」, 『文物』9, pp.39-50.

許明綱 · 吳青雲, 1991, 「遼寧大連沙崗子發現二座東漢墓」, 『考古』02, pp.185-187+192.

華玉冰, 2008, 『中國東北地區石棚研究』, 吉林大學 博士論文.

華玉冰, 2010, 「遼東地域 靑銅器時代 考古學文化 系統의 硏究」, 『考古學探究』7,

華玉冰 · 孫建軍, 2016, 「遼寧建昌東大杖子墓地 燕與土著文化的交流」, 『大衆考古』10, pp.28-32.

華玉冰 · 王瑢 · 陳國慶, 1996, 「遼寧大連市土龍積石墓地1號積石塚」, 『考古』3, pp.6-9.

黃曉芬, 2006, 「東亞地區的木槨墓」, 『西部考古 第一輯』, 三秦出版社, pp.130-138.

吉林大學邊疆考古研究中心 · 內蒙古文物考古研究所, 2004, 「2002年內蒙古林西縣井溝子遺

　　址西區墓葬發掘紀要」,『考古與文物』01, pp.6-19.

吉林市博物館, 1988,「吉林帽兒山漢代木槨墓」,『遼海文物』2, pp.1324-1326.

紀南城鳳凰山一六八호漢墓發掘整理組, 1975,「湖北江陵鳳凰山一六八號漢墓發掘簡報」,『文
　　物』9, pp.1-7.

江西省文物考古研究所, 2016,「南昌市西漢海昏侯墓」,『考古』7, pp.45-62.

姜佰國, 2007,「京津冀地區漢代墓葬研究」,『邊疆考古研究』6, pp.227-273.

姜濤, 1988,「河南省葉縣舊縣1호墓的清理」,『華夏考古』3, pp.1-18.

靳楓毅, 1988,「大凌河流域出土的青銅時代遺物」,『文物』11, pp.24-35.

靳楓毅・王繼紅, 2001,「山戎文化所含燕與中原文化因素之分析」,『考古學報』01, pp.43-72.

喀左縣博物館・朝陽地區博物館・遼寧省博物館, 1977,「遼寧省喀左縣山灣子出土殷周青銅
　　器」,『文物』12, pp.23-27, 97-100.

考古研究所洛陽發掘隊, 1959,「洛陽西郊一호戰國墓發掘記」,『考古』12, pp.653-657, 705.

廊坊市文物管理所, 1987,「河北三河大唐迴, 雙村戰國墓」,『考古』4, pp.318-322.

李暉達, 2011,「試論浙江漢代土墩遺存」,『東南文化』03, pp.112-117.

李暉達・劉建安, 2009,「湖州楊家埠漢代家族土墩墓及其他墓葬發掘」,『浙江考古新紀元』, 科
　　學出版社,

李文信, 1992,「東北地區戰國以來的主要遺跡和遺物」,『李文信考古文集』, 遼寧人民出版社,

李玉潔, 1990,「試論我國古代棺槨制度」,『中原文物』2, pp.83-86.

遼寧省博物館・朝陽地區博物館, 1973,「遼寧喀左縣北洞村發現殷代青銅器」,『考古』04,
　　pp.225-226+257+270-271.

遼寧省博物館・朝陽地區博物館・喀左縣文化館, 1974,「遼寧喀左縣北洞村出土的殷周青銅
　　器」,『考古』06, pp.364-372, 409, 414-415.

遼寧省博物館文物工作隊, 1977,「遼寧朝陽魏營子西周墓和古遺址」,『考古』5, pp.306-309.

遼寧省博物館文物工作隊・朝陽地區博物館文物組, 1983,「遼寧建平縣喀喇沁河遺址試掘簡
　　報」,『考古』1, pp.973-981.

遼寧省文物考古研究所, 1989,「遼寧凌源縣五道河子戰國墓發掘簡報」,『文物』02, pp.52-61,
　　105.

遼寧省文物考古研究所, 2015,「遼寧遼陽市苗圃墓地漢代土坑墓」,『考古』4, pp.53-66.

遼寧省文物考古研究所, 2017,「遼寧營口鲅魚圈漢代貝殼墓」,『考古學報』1, pp.119-148.

遼寧省文物考古研究所・鐵嶺市博物館, 2011,「遼寧西豐縣東溝遺址及墓葬發掘簡報」,『考
　　古』5, pp.31-50.

遼寧省文物考古研究所・朝陽市博物館, 1997, 「朝陽王子墳山墓群1987, 1990年度考古發掘的主要收獲」, 『文物』11, pp. 4-18, 97.

遼寧省文物考古研究所・葫蘆島市博物館・建昌縣文管所, 2006, 「遼寧建昌於道溝戰國墓地調査發掘簡報」, 『遼寧省博物館館刊』

遼寧省文物考古研究所・吉林大學邊疆考古研究中心, 2014, 「遼寧建昌縣東大杖子墓地2001年發掘簡報」, 『考古』12, pp. 3-17.

遼寧省文物考古研究所・吉林大學邊疆考古研究中心, 2014, 「遼寧建昌縣東大杖子墓地2002年發掘簡報」, 『考古』12, pp. 18-32.

遼寧省文物考古研究所・吉林大學邊疆考古研究中心, 2014, 「遼寧建昌縣東大杖子墓地M40的發掘」, 『考古』12, pp. 33-48.

遼寧省文物考古研究所・吉林大學邊疆考古研究中心, 2014, 「遼寧建昌縣東大杖子墓地M47的發掘」, 『考古』12, pp. 49-63.

遼寧省文物考古研究所・吉林大學邊疆考古研究中心, 2015, 「遼寧建昌東大杖子墓地2000年發掘簡報」, 『文物』11, pp. 4-26.

遼寧省文物考古研究所・吉林大學邊疆考古研究中心, 2015, 「遼寧建昌東大杖子墓地2003年發掘簡報」, 『邊疆考古研究』2, pp. 39-56.

遼寧省文物考古研究所・吉林大學考古學系, 1992, 「遼寧彰武平安堡遺址」, 『考古學報』4, pp. 437-472.

遼寧省文物考古研究所・喀左縣博物館, 1989, 「喀左和尚溝墓地」, 『遼寧文物學刊』2,

遼寧省文物考古研究所・營口市文化局文物科・蓋州市文物管理處, 2018, 「遼寧蓋州市光榮村積貝墓的調査與發掘」, 『北方文物』03, pp. 17-26, 113-117.

遼寧省文物考古研究院・鞍山市博物館, 2020, 「遼寧鞍山市調軍台墓地西漢墓葬的發掘」, 『考古』3, pp. 46-62.

遼寧省文物普査訓練班, 1980, 「遼寧喀左縣南溝門遺址和墓葬發掘報告」, 『遼寧文物』1,

遼寧省昭島達盟文物工作站・中國科學院考古研究所東北工作隊, 1973, 「寧城縣南山根的石槨墓」, 『考古學報』02, pp. 27-39, 148-159.

林永珍, 2011, 「韓國墳丘墓社會의 性質」, 『東南文化』04, pp. 100-103.

林永珍, 2013, 「東北亞墳丘墓(土墩墓)構造의 比較」, 『秦漢土墩墓發現與研究-秦漢土墩墓國際學術研討會論文集』, 文物出版社, pp. 143-150.

林永珍・孫璐, 2010, 「吳越土墩墓與馬韓墳丘墓의 構造比較」, 『東南文化』05, pp. 110-115.

林沄, 1998, 「早期北方青銅器의 幾個年代問題」, 『林沄學術文集』, 中國大百科全書網站,

臨沂市博物館, 1989,「山東臨沂金雀山九座漢代墓葬」,『文物』01, pp. 21-47+101-102.

劉斌・蔣衛東・費國平, 1997,「浙江餘杭彙觀山良渚文化祭壇與墓地發掘簡報」,『文物』7, pp. 4-19.

劉劍, 2012,『山東地區漢代墓葬的考古學研究』, 山東大學 博士論文.

劉金友, 2011,「遼寧大連劉家屯西漢貝墓」,『大連考古文集』, 科學出版社,

劉景文, 1991,「吉林市帽兒山古墓群」,『中國考古學年鑒』, 文物出版社,

劉景文, 2008,「帽兒山墓群」,『田野考古集粹: 吉林省文物考古研究所成立二十五周年紀念』, 文物出版社,

劉景文・龐志國, 1986,「吉林榆樹老河深墓葬群族屬探討」,『北方文物』01, pp. 25-27.

劉俊勇, 1990,「大連尹家村, 刁家村漢墓發掘簡報」,『大連文物』2,

劉俊勇, 1995,「遼寧大連大潘家村西漢墓」,『考古』7, pp. 661-665.

劉俊勇, 1995,「遼寧漢代貝墓類型與分期探討」,『博物館研究』1,

劉俊勇・劉婷婷, 2012,「大連地區漢代物質文化研究」,『遼寧師範大學學報(社會科學版)』01, pp. 126-134.

劉謙, 1990,「遼寧錦州漢代貝殼墓」,『考古』8, pp. 703-711.

劉興林, 2013,「漢代土墩墓分區和傳播淺識」,『秦漢土墩墓考古發現與研究-秦漢土墩墓國際學術研討會論文集』, 文物出版社, pp. 33-43.

劉興林, 2019,「漢代土墩墓的幾個問題」,『漢代海上絲綢之路考古與漢文化 』, 科學出版社,

劉振東, 2020,「以漢代墓葬爲例解讀中國古代墓葬性質」,『考古與文物』4, pp. 64-69.

欒豐實, 2006,「史前棺槨的產生, 發展和棺槨制度的形成」,『文物』06, pp. 49-55.

旅大市文物管理組, 1978,「旅順老鐵山積石墓」,『考古』2,

木易, 1991,「東北先秦火葬習俗試析」,『北方文物』01, pp. 17-21.

穆啟文, 2009,「遼陽新城戰國墓發現與研究」,『遼寧省博物館館刊』

內蒙古文物考古研究所, 1994,「紮賚諾爾古墓群1986年清理發掘報告」,『內蒙古文物考古文集』, 中國大百科全書出版社,

歐潭生, 1986,「羅山天湖商周墓地」,『考古學報』2, pp. 153-197.

潘玲, 2018,「燕置郡前遼西戰國遺存考察」,『新果集(二)』, 科學出版社, pp. 305-327.

潘玲・於子夏, 2013,「朝陽袁台子甲類墓葬的年代和文化因素分析」,『北方文物』01, pp. 43-48.

裴炫俊, 2016,『東周時期燕文化的擴張與東北地區燕文化的變遷』, 北京大學 博士學位論文.

彭浩, 2009,「讀雲夢睡虎地M77漢簡《葬律》」,『江漢考古』4, pp. 130-134.

喬梁, 2010,「燕文化進入前的遼西」,『內蒙古文物考古』02, pp.63-75.

熱河省博物館籌備處, 1955,「熱河淩源縣海島營子村發現的古代青銅器」,『文物參考資料』8,

山東大學考古系, 1997,「山東長清縣雙乳山一豆漢墓發掘簡報」,『考古』3, pp.1-9.

山東濟寧市文物管理局, 1991,「薛國故城勘查和墓葬發掘報告」,『考古學報』4, pp.449-495.

山東省文物管理處, 1957,「山東文登縣的漢木槨墓和漆器」,『考古學報』01, pp.127-131, 244-
　　245.

山東省文物考古研究所, 1984,「山東沂水劉家店子春秋墓發掘簡報」,『文物』9, pp.1-10.

山東省文物考古研究所, 1996,「山東壽光縣三元孫墓地發掘報告」,『華夏考古』02, pp.29-54.

山東省文物考古研究所, 2014,「山東日照市海曲2號墩式封土墓」,『考古』01, pp.53-71, 2.

山東省文物考古研究所・沂水縣博物館, 1999,「山東沂水縣龍泉站西漢墓」,『考古』08,
　　pp.47-52.

山西省考古研究所, 1984,「山西長子縣東周墓」,『考古學報』4, pp.503-529.

陝西省雍城考古工作隊, 1980,「陝西鳳翔八旗屯秦國墓葬發掘簡報」,『文物資料叢刊』

上海市文物保管委員會, 1973,「上海市金山縣戚家墩遺址發掘簡報」,『考古』01, pp.16-24,
　　29, 65-69.

尚如春・滕銘予, 2018,「試論楚墓棺槨制度」,『江漢考古』04, pp.83-92.

尚曉波, 1997,「朝陽王子墳山墓群1987, 1990年度考古發掘的主要收獲」,『文物』11, pp.4-
　　18, 97, 1.

邵國田, 1996,「敖漢旗烏蘭寶拉格戰國墓地調查」,『內蒙古文物考古』Z1, pp.55-59, 81.

申紅寶, 2019,「略論北京昌平區白浮墓的族屬問題」,『北方文物』02, pp.26-29, 91.

沈陽故宮博物館・沈陽市文物管理辦公室, 1975,「沈陽鄭家窪子的兩座青銅時代墓葬」,『考古
　　學報』01, pp.141-156, 212-219.

石家莊市圖書館文物考古小組, 1980,「河北石家莊市北郊西漢墓發掘簡報」,『考古』01,
　　pp.52-55.

史爲, 1972,「長沙馬王堆一號漢墓的棺槨制度」,『考古』06, pp.48-52, 24.

宋玲平, 2008,「晉系墓葬棺槨多重制度的考察」,『考古與文物』03, pp.53-57.

宋蓉・滕銘予, 2008,「漢代膠東半島, 遼東半島及長江中下遊地區海路交流的考古學例證」,
　　『邊疆考古研究』3, pp.202-213.

蘇天鈞, 1959,「北京昌平區松園村戰國墓葬發掘記略」,『文物』9, pp.53-55.

孫丹玉, 2019,『遼海地區漢墓研究』, 吉林大學 博士論文.

孫丹玉・潘玲, 2019,「姜屯墓地來自京津冀地區的文化因素分析」,『江漢考古』01, pp.91-98.

孫守道, 1960,「"匈奴西岔溝文化"古墓群的發現」,『文物』1, pp. 25-36.

孫永剛, 2013,「試論夏家店下層文化生業方式──以植物考古學爲中心」,『內蒙古社會科學 (漢文版)』05, pp. 45-48.

唐蘭, 1958,「序言」,『五省出土重要文物展覽圖錄』, 北京, 文物出版社,

唐蘭·俞偉超, 1972,「關子棺槨制度」,『文物』09, pp. 55-56+79.

陶宗冶·賈瑞芳, 1988,「張家口市下花園區發現的戰國墓」,『考古』12, pp. 1138-1140.

天津市曆史博物館考古部, 1993,「天津薊縣張家園遺址第三次發掘」,『考古』04, pp. 311-323, 390.

田廣林, 2006,「夏家店下層文化時期西遼河地區的社會發展形態」,『考古』03, pp. 45-52.

田立坤, 2013,「遼寧古代文化特征及形成之背景」,『遼寧大學學報(哲學社會科學版)』02, pp. 33-37.

田立坤·萬欣·杜守昌, 2010,「朝陽吳家杖子墓地發掘簡報」,『遼寧考古文集(二)』, 科學出版 社.

田立坤·萬欣·李國學, 1990,「朝陽十二台營子附近的漢墓」,『北方文物』3, pp. 17-20.

王冰·萬慶, 1996,「遼寧大連市王寶山積石墓試掘簡報」,『考古』3, pp. 1-3.

王春蘭, 1989,「撫順東洲小甲邦村發現漢代遺址和墓葬群」,『遼海文物學刊』2,

王立新, 2004,「遼西區夏至戰國時期文化格局與經濟形態的演進」,『考古學報』3, pp. 243-270.

王培新, 2001,「樂浪遺跡的考古發掘與研究」,『北方文物』1, pp. 14-22.

王禹浪·王俊錚, 2016,「遼東半島漢墓的類型, 文化特征及影響」,『大連大學學報』04, pp. 48-54.

王增新, 1964,「遼寧撫順市蓮花堡遺址發掘簡報」,『考古』6, pp. 286-193.

魏存成, 2017,「東北地區古代文化舉要」,『地域文化研究』1,

魏海波·梁志龍, 1998,「遼寧本溪縣上堡青銅短劍墓」, 6, pp. 18-22, 30.

魏堅, 1989,「准格爾旗寨子塔, 二里半考古主要收獲」,『內蒙古中南部原始文化研究文集』,

吳大洋, 2013,『朝鮮半島北部地區青銅時代石構墓葬研究』, 吉林大學 博士論文.

徐昭峰, 2019,「遼東半島南端考古學文化編年與譜系」,『考古學報』02, pp. 143-162.

煙台地區文物管理組, 1980,「山東萊西縣岱墅西漢木槨墓」,『文物』12, pp. 7-16, 98.

閆桂林, 2019,『漢代土墩墓初步研究』, 吉林大學 碩士論文.

晏琬, 1975,「北京, 遼寧出土銅器與周初的燕」,『考古』05, pp. 274-279, 270.

姚星辰, 2007,「滸關鎮高墳西漢墓群發掘簡報」,『蘇州文物考古新發現：蘇州考古發掘報告

專輯(2001~2006)』, 古吳軒出版社,

銀雀山考古發掘隊, 1999,「山東臨沂市銀雀山的七座西漢墓」,『考古』05, pp. 28-35, 100-103.

於佳靈, 2018,『東大杖子墓地葬制初步考察』, 遼寧大學 碩士論文.

於俊玉 · 杜守昌 · 孫玉鐵, 2007,「遼寧朝陽縣腰而營子漢墓發掘簡報」,『遼寧省博物館館刊』
pp. 219-224.

於臨祥, 1958,「營城子貝墓」,『考古學報』4, pp. 71-89.

於臨祥, 1965,「旅順李家溝西漢貝墓」,『考古』3, pp. 154-156.

俞偉超, 1985,「漢代諸侯王與列侯墓葬的形制分析」,『先秦兩漢考古學論集』, 文物出版社,

俞偉超, 1985,「馬王堆一亝漢墓棺制推定」,『先秦兩漢考古學論集』, 文物出版社,

俞偉超, 1996,「方形周溝墓」,『季刊考古學』54,

袁勝文, 2014,「棺槨制度的產生和演變述論」,『南開學報(哲學社會科學版)』3, pp. 94-101.

張弛, 2015,「大汶口大型墓葬的葬儀」,『社會權力的起源 ：中國史前葬儀中的社會與觀念』,
文物出版社, pp. 241-280.

張弛, 2020,「大汶口與良渚大墓葬儀的比較」,『早期文明的對話：世界主要文明起源中心的比
較』, 上海古籍出版社,

張家口市文物事業管理所, 1985,「張家口市白廟遺址清理簡報」,『文物』10, pp. 23-30.

張禮艷 · 胡保華, 2017,「北京昌平白浮西周墓族屬及相關問題辨析」,『邊疆考古研究』02,
pp. 177-190.

張聞捷, 2015,「從墓葬考古看楚漢文化的傳承」,『廈門大學學報(哲學社會科學版)』2, pp. 146-
156.

張依依, 2016,『東大杖子墓地研究』, 遼寧大學 碩士論文.

張英 · 王俠 · 何明, 1985,「吉林榆樹縣老河深鮮卑墓群部分墓葬發掘簡報」,『文物』02,
pp. 68-82, 99-101.

張忠培, 1991,「遼寧古文化的分區, 編年及其他」,『遼海文物學刊』1,

趙賓福, 2005,『中國東北地區夏至戰國時期的考古學文化研究』, 吉林大學博士論文.

趙賓福, 2011,「遼西地區漢以前文化發展序列的建立及文化縱橫關系的探討」,『邊疆考古研
究』00, pp. 191-207.

趙化成, 1998,「周代棺槨多重制度研究」,『國學研究(第五卷)』, 北京大學出版社,

趙鵬, 2017,『遼寧建昌東大杖子墓地研究』, 遼寧師範大學.

趙少軍, 2017,「試論凌河類型的石構墓葬」,『北方文物』01, pp. 35-43.

趙信 · 田敬東, 1976,「北京琉璃河夏家店下層文化墓葬」,『考古』01, pp. 59-60.

鄭大寧, 2002,『中國東北地區靑銅時代石棺墓遺存的考古學硏究』, 中國社會科學院硏究生院.

鄭君雷, 1999,「烏桓遺存的新線索」,『文物春秋』2, pp. 12-15.

鄭君雷, 2004,「漢代東南沿海與遼東半島和西北朝鮮海路交流的幾個考古學例證」,『漢代考古
　　與漢文化國際學術硏討會』.

鄭君雷, 2005,「論"西漢墓幽州分布區"」,『考古與文物』6, pp. 47-53.

鄭君雷, 2005,「戰國燕墓的非燕文化因素及其曆史背景」,『文物』03, pp. 69-75.

鄭君雷, 2010,「西漢邊遠地區漢文化的形成模式」,『人民論壇』35, pp. 163-165.

鄭君雷·趙永軍, 2005,「從漢墓材料透視漢代樂浪郡的居民構成」,『北方文物』2, pp. 22-28.

鄭同修, 2013,「山東沿海地區漢代墩式封土墓有關問題探討」,『秦漢土墩墓發現與硏究-秦漢
　　土墩墓國際學術硏討會論文集』, 文物出版社, pp. 116-128.

鄭同修, 楊愛國, 1996,「山東漢代墓葬形制初論」,『華夏考古』04, pp. 87-102.

中國社會科學院考古硏究所東北工作隊, 1989,「沈陽肇工街和鄭家窪子遺址的發掘」,『考古』
　　10, pp. 885-892, 963.

中國社會科學院考古硏究所灃西發掘隊, 1986,「長安張家坡西周井叔墓發掘簡報」,『考古』1,
　　pp. 22-27.

中國社會科學院考古硏究所內蒙古工作隊, 2001,「內蒙古敖漢旗周家地墓地發掘簡報」,『考
　　古』11, pp. 417-429.

中國社會科學院考古硏究所山東工作隊, 1990,「山東臨朐朱封龍山文化墓葬」,『考古』7,
　　pp. 587-594.

仲蕾潔, 2016,『東大杖子M40初步硏究』, 遼寧大學碩士論文.

朱貴, 1960,「遼寧朝陽十二台營子靑銅短劍墓」,『考古學報』01, pp. 63-71, 130-135.

朱永剛, 1987,「夏家店上層文化的初步硏究」,『考古學文化論集·一』, 文物出版社,

朱永剛, 1998,「東北靑銅文化的發展階段與文化區系」,『考古學報』02, pp. 133-152.

諸城縣博物館, 1987,「山東諸城縣西漢木槨墓」,『考古』09, pp. 778-785, 866.

鄒寶庫·盧治萍·馬卉, 2017,「遼寧遼陽市徐往子戰國墓」,『考古』08, pp. 116-120.

[일문]

榧本龜次郎, 1935,「平安南道大同江面오야리古墳調査報告」,『昭和5年度古跡調査報告 第
　　1冊 』.

榧本杜人, 1975,「樂浪漢墓-日本學者の業績」,『樂浪漢墓 第2冊 』.

高久健二, 2000a,「朝鮮原三國~三國時代」,『季刊考古學』70, pp. 58-61.

高久健二, 2000b,「樂浪郡と弁辰韓の 墓制-副葬品の 組成と 配置の 分析を 中心に」,『고고
　　학으로 본 변진한과 왜』, 嶺南考古學會・九州考古學會 第4回 合同考古學大會,

高久健二, 2012,「解放後の朝鮮民主主義人民共和國における楽浪古墳の調査」,『專修考古
　　學』14, pp. 101-147.

高久健二, 2020,「日韓の楽浪系文物 一平壤市楽浪區域一帶の古墳の上限年代を中心に」,
　　『新・日韓の考古學—彌生時代一(最終報告書 論考編)』, 新日韓交渉の考古學-彌生時代
　　原三國時代研究會.

高久健二, 2004,「楽浪の木槨墓」,『考古學ジャーナル』517, pp. 10-14.

高松雅文, 2011,「木槨と竪穴式石室」,『古墳時代の考古學 第3卷 墳墓構造と葬送祭祀』, 同
　　城社, pp. 95-105.

宮本一夫, 2000,「戰國燕とその拡大」,『中國古代北疆史の考古學的研究』, 中國書店,
　　pp. 205-235.

宮本一夫, 2019,「東周代燕國の東方進出」,『東洋史研究』78-2, pp. 33-63.

甲元眞之, 2006,「紀元前一千年紀の東北アジア首長墓」,『東北アジアの青銅器文化と社會』,
　　同成社, pp. 227-246.

近藤義郎, 1977,「古墳以前の墳丘墓一 楯築遺跡をめぐって」,『岡山大學法文學部學術紀要』
　　37.

石川岳彦, 2001,「戰國期における燕の墓葬について」,『東京大學考古學研究室研究紀要』
　　pp. 1-58.

石川嶽彦, 2018,「春秋戰國時代の燕國の拡大と東北アジアの変容」,『季刊考古學』144,
　　pp. 97-104.

田中清美, 1998,「弥生時代の木槨と系譜」,『堅田直先生古稀紀念論文集』,

田中清美, 2004,「日本の木槨墓」,『考古學ジャーナル』517.

有馬伸, 2003,「3世紀以前の木槨・石槨」,『古代日韓交流の考古學的研究一葬制の比較検討
　　一』, 平成11年度~平成13年度科學研究費補助金.

Abstract

A Study on the Development Process of Wooden Chamber Burials in Ancient Northeast Asia

Yong-chao Bao

The appearance of wooden chamber burials in East Asia can be traced back to the Dawenkou Culture in the late Neolithic Age. In Northeast Asia, the wooden coffin burials first appeared in the Lower Xiajiadian Culture which belongs to the Early Bronze Age, while the wooden chamber burials began to be used in the Weiyingzi Culture of the Middle Bronze Age. The wooden chamber burials found in Northeast Asia can be divided into two types, coffin and coffin-less. Although the emergence of both types is assumed to be related to the chamber burials of central China, the coffin-type can be regarded as a direct manifestation of the Yan-Qin-Han culture, while the coffin-less type can be regarded as localized adoptions of central China's chamber by the indigenous groups of Northeast Asia. According to the reinforcement materials of the chamber's exterior wall, the wooden chamber burials of Northeast Asia can be classified into three types : stone-piled, shell-stuffed, and no facility. In Northeast Asia, the funerary facilities had been changed steadily from the Early Bronze Age to the Qin-Han Period due to the direct or indirect expansion of central China and the cultural choice of indigenous people.

The development process of wooden chamber tombs in Northeast Asia can be divided into six stages.

Stage I (11C B.C.~8C B.C.) : Coffin-less type wooden chamber tombs began to appear in western Liaoning tombs. The burial objects consisted of central China style bronze vessels or carriages, while the pottery was mostly in the singular.

Stage II (8C B.C.~5C B.C.) : The wooden chamber tombs were still mainly the coffin-less type. The central China style bronze vessels were replaced by Liaoning style short bronze swords, and the pottery was still buried in the singular. During this stage, accumulated stone chamber tombs began to appear. The distribution of chamber tombs spread to eastern Liaoning.

Stage III (5C B.C.~3C B.C.) : The influence of the Yan culture began to appear. The wooden chamber tombs were still mainly coffin-less type, but coffin type tombs started to appear. Regarding burial artifacts, the number of bronze vessels significantly decreased to almost non-existent, while potteries began to be buried in the plural. After the fourth century B.C., the buried pottery included indigenous types of pottery and Yan culture pottery. The number of wooden chamber tombs increased significantly, with their usage expanding from exclusive use by the upper elite groups to the lower class groups of people.

Stage IV (3C B.C.~1C B.C.) : During the Han Period, wooden coffin tombs became the mainstream tombs in Liaoning, and the accumulated shell wooden chamber tombs became popular in the Bohai Sea area. Potteries also began to be commonly buried in large quantities. The wooden chamber tombs began spreading to the indigenous groups around the Liaodong county area. The wooden chamber tombs with a similar structure to those in Liaodong began to appear in the northern part of the Korean Peninsula.

Stage VI (A.D. 3C~A.D. 5C) : Except in the Southern part of the Korean Peninsula, wooden coffin tombs were mostly replaced by brick tombs in other regions. The development of wooden chamber tombs in the southern region of the peninsula can be divided into the middle-west region and the southeastern region, with each region displaying some differences in the tomb structure. In the middle-west region, wooden chamber tombs changed from individual tombs to tombs with a surrounding ditch, and structures with an individual wooden box of potteries appeared at a later stage. In the southeastern region, the wooden chamber tombs developed from the earliest near-square shape to a slender shape and appeared to be set up by an individual wooden box of potteries. In the middle stages, the chamber tombs with accumulated stones appeared.

The spreading pattern of wooden chamber tombs in Northeast Asia was that wooden chamber burials were received by a region and then, developed regionally for a certain period. Then, they were transmitted to another region because of an important historical incident. This pattern was repeated, and eventually, the wooden chamber burials spread throughout Northeast Asia.

In the process of dissemination, the wooden chamber burials in Northeast Asia were characterized by three features : localization of central China system's wooden chamber burials in western Liaoning and South Korea, integration with northern culture in the west of Liaoning, and transplantation of central China system's wooden chamber burials in the east of Liaoning and northwest Korea.

The change of wooden chambers in western Liaoning occurred gradually due to the entry of Yan culture. The change ranged from Yan-style relics to the structure of Yan-style wooden chambers. The transformation of wooden chambers in South Korea, where had no direct involvement with Han culture, was the result of the transformation of wooden coffin tombs after the acceptance of the concept of wooden chamber burial. The concept of wooden chamber burials was accepted to meet the needs of the indigenous elite.

【中文摘要】

古代东北亚木椁墓的展开过程研究

包永超

　　木椁墓是指以使用板材或方材制作的长方形或方形的椁为埋藏设施（葬具）的墓制。与室墓追求埋葬空间的内外开通性不同，木椁墓追求墓葬空间整体的封闭性。东亚地区木椁墓的起源可以追溯到新时期晚期的大汶口文化，同时对周边地区产生一定影响。东北亚地区青铜器时代开始木椁墓开始成为普遍墓制。木椁墓的规模、构造、随葬品的数量和质量随身份变化存在巨大的变化，不同地域间也存在一定的差异性，因此木椁墓是了解当时地域特色、文化系统的重要考察对象。

　　古代东北亚的墓葬系统大体可以分为石筑墓和木筑墓，其中石筑墓一般被认为是土著墓制。木椁墓可以分为木棺墓和木椁墓，木棺墓在青铜器时代初期的夏家店下层文化中出现，但从现在考古资料来看，木椁墓最初开始使用是在青铜器时代中期的魏营子文化。《三国志·东夷传》中记录的'有椁无棺'式木椁墓在这一时期登场。战国晚期燕征东胡，在辽宁地区设立右北平、辽西、辽东等郡。在这一历史契机下，燕式木椁墓在辽西、辽东普及，同时木椁墓以辽西、辽东为中心向周边土著集团扩散。西汉元封三年（公元前108年）汉武帝灭卫满朝鲜，在朝鲜半岛北部地区设立乐浪、临屯、玄菟、真番四郡。随着汉四郡的设立，汉式木椁墓在朝鲜半岛西北部地区开始普及。朝鲜半岛南部地区随着与乐浪郡的文化、贸易交流的深化，公元2世纪后半朝鲜半岛南部地区接受木椁墓的埋葬观念，但在木椁的构造上存在独创性的特征。

　　木椁墓通过这样渐进性的过程在东北亚地区传播。但在对木椁墓的展开过程研究上，一般仅对各区域内木椁墓的展开过程进行说明。因此对东北亚地区木椁墓的展开过程进行系统化的整理是本研究的第一目的。第二、本研究中通过对各地区木椁墓遗址的相对编年为基础，了解随时间变化各地区木椁墓是如何变化以及地区间存在怎样的关系，同时揭示在变迁过程中与其他墓制是如何联动发展。第三、地区间因政治及社会发展程度的不同，对木椁墓的受容方式也存在差异。这样的受容方式差异可以通过各地区出现期木椁墓的构造、随葬品的数量及随着位置的差异，考察木椁墓是通过怎样的模式进行受容发展。第四、通过地区间木椁的构造比较，对各地区木椁墓的相互作用及谱系关系进行说明，同时揭示各地区木椁墓的地域特色。最后，通过对东北亚木椁墓展开模式的宏观视角考察，对东北亚各地区的社会变动以及相互作用进行说明。

此前，在文化变动的阐释中，'移居-传播论（Theorising diffusion and population movements）'作为重要的解释前提被广泛使用。木椁墓作为东北亚地区出现的新文化因素，其登场及传播意味着该要素的空间移动。传播或者移住的基本条件是同一文化要素、遗物复合体或技术等因素两个以上在同一地区发现。东北亚木椁墓的共同要素是'有椁无棺'的结构特征，同时具有与中原木椁墓相同的结构要素，因此其登场及传播可以使用'移居-传播论'加以阐述。

　　具体研究内容如下：

　　首先，不同时期、不同国别的研究者使用了多种木椁墓的概念及用语，本研究中需要对木椁墓的构造概念重新定义。本研究中对《礼记》、《仪礼正义》等古代文献中记录的木椁墓的概念、棺椁制度、送葬礼仪等内容进行了整理，同时对中原地区木椁墓的发展趋势进行了梳理。中原木椁墓在大汶口文化登场之后，到春秋时期木椁墓的发展轨迹以随葬品大量随葬为主要目的，木椁墓的规模不断增大。战国时期以后，木椁墓的发展比起规模的增大，对于生前居住生活模拟的幽室化趋势更为明显。根据这一趋势结合文献记录中体现的木椁的功能，以及通过对现今为止发掘的木椁墓所整理出的椁墓埋葬礼仪特征，对木椁墓的概念进行设定。

　　在从辽宁到朝鲜的半岛的东北亚大陆上，从新石器时代开始到早期铁器时代多种物质文化随地域的不同而展开。对于这一带的物质文化情况，其间通过多为学者的研究得以阐明。本研究中以此为基础，对辽西、辽东、朝鲜半岛西北部、朝鲜半岛南部的物质文化编年体系及东北亚史前时代的主要墓制进行了梳理。新石器时代后期开始，东北亚各地区的主要墓制以石棺、石椁墓为代表的石筑墓为主，但是在夏家店下层文化中木筑墓已经出现。根据辽西夏家店下层文化和内蒙古朱开沟文化中出现的木筑墓的结构特征，东北亚地区之后出现的木椁墓可以分为仿中原系木椁墓和北方系木椁墓。因此东北亚地区出现的木椁墓其系统可以分为中原系、仿中原系、北方系。

　　本研究中对地域木椁墓的研究主要以木椁墓的出现及发展没有进行系统梳理的辽宁地区、朝鲜半岛西南海岸为主，同时对朝鲜半岛西北部地区的木椁墓以中原棺椁制度的视角对其变迁过程进行梳理，对其谱系的变迁也进行了检讨。朝鲜半岛南部地区的木椁墓变迁以先行研究为基础对其变化进行了整理。

　　辽西地区木椁墓同时受到北方草原文化因素和中原文化因素的影响。因此这一地区的木椁墓可以分为'有椁无棺'式和受燕秦汉文化影响而出现的'有椁有棺'式。其变化趋势呈现出由'有椁无棺'向'有椁有棺'发展。在这一变化中收到土著石筑墓的影响，木椁墓中融合了石筑墓的要素，发展出积石木椁墓。进入西汉时期后，辽宁地区木椁墓一方面继承了战国时期燕式木椁墓的特征，同时又与汉代埋葬礼仪的发展趋势相呼应，由单葬向合葬发展，随葬器物也有战国时期的礼仪化向汉代的生活化转变。辽宁地区的木椁墓的接受时期主要分为仿中原系木椁墓受容的商末周初和由北方系向中原系木椁墓转变的战国时期。之后汉式木椁墓以辽宁地区为中心，向周边地区扩散。值得注意的是辽宁周边地区分布的

土著集团在接受木椁墓时主要采用'有椁无棺'式木椁墓。

朝鲜半岛西北部地区的木椁墓因乐浪郡的设立，其构造与中原木椁墓相似。根据木椁墓的棺椁层数的检讨，与汉代中原地区的棺椁制度相对照，同时代入朝鲜半岛西北部地区的木椁墓的编年体系，朝鲜半岛西北部地区的木椁墓的棺椁制度的变迁可分为受容期→发展期→僭越期→混乱期四期。这种变化主要与东北亚政治状况的变动和汉文化的流入状况等有很大的关联性。

关于朝鲜半岛西北部地区的木椁墓的谱系问题，本研究中根据辽宁、北京、山东和江苏等四个地区木椁墓的构造特征为依据，对朝鲜半岛西北部地区的木椁墓的构造进行了再分类。通过以上四个地区木椁墓的比较研究，朝鲜半岛西北部地区的木椁墓的谱系变迁为第一期和第二期受辽宁地区的影响，这与文献中"取吏於辽东"的记录相符，辽宁地区木椁墓的影响一直持续到第三期。山东地区的影响从第二期开始出现，在第三期开始爆发性增长，并一直持续到木椁墓衰退。朝鲜半岛西北部地区的木椁墓虽然与江苏地区木椁墓有一定相似性，但两地距离较远，其对朝鲜半岛西北部地区木椁墓的影响可能是经由山东地区改造后再传入朝鲜半岛西北部地区。

对于分布在朝鲜半岛西海岸的坟丘墓内木椁的研究，通过坟丘的扩张方式与木椁的类型配置加以考察。坟丘墓内木椁根据棺的有无分为I、II型，再根据使用的附属设施进行细分。根据木椁内出土铁矛、铁锹、环首刀、铁斧等铁器的编年，对木椁的类型和持续时期分为三个阶段。木椁的类型变迁大体可以整理为由IA型·IB型向IC型·II型转变。大部分坟丘中木椁以IA型为主，木椁随时期变化在构造上没有大的变化，规模也没有大变化。

坟丘的扩张方式可以分为连接扩张、水平扩张和竖直扩张。坟丘的扩张方式与木椁的类型分布向结合，将坟丘内木椁的配置类型分为가、나、다、라四个类型。가型为独立坟丘中木椁位于坟丘中央部；나型为两个坟丘相互连接，又分为两个亚型，分别为两个坟丘相互连接但相对独立，木椁位于各自坟丘的中央部（a）和两个坟丘相互连接成为一个整体，木椁位于坟丘整体的中央部（b）；다型为坟丘水平扩张的情况，分为两个亚型，分别为单一方向扩张（a）和向四周扩张（b）。木椁配置类型变迁可整理为가型→나a型·다a型→나b型·다b型·라型。在上述变迁顺序中，反映了上位者的墓葬为位于坟丘中央部而在坟丘扩张时有计划的进行扩张。

最后，通过以上各地区木椁墓的变迁结合朝鲜半岛南部地区木椁墓的先行研究对东北亚木椁墓的受容与扩散分阶段进行说明。东北亚木椁墓的扩散可以分为11cB.C.~3c B.C.的辽西中心期、2c B.C.~1c B.C.的辽东中心期、1c B.C.~A.D.2c的朝鲜半岛西北部（乐浪）中心期、A.D. 2c~A.D. 5c的朝鲜半岛南部中心期。东北亚木椁墓的扩散模式可以归纳为：木椁墓在一个地区受容后，经过一段时间的自体发展后，以某一重要历史事件为契机向其他地区传播，如此反复，最终扩散到整个东北亚。

以木椁墓的扩散过程为基础，关注从辽西到朝鲜半岛南部地区出现期木椁墓的

构造差异，对木椁墓受容的地区差异进行考察。朝鲜半岛南部地区的木椁墓受容形态与辽西地区相比，之前阶段墓制的部分特征得以保留是相同点。辽西地区在燕文化渗透以前，土著集团已经开始使用小型木椁墓。在燕文化进入后，土著集团使用的木椁墓在遗物的构成上发生转变或是接受部分燕式木椁墓的构造要素。朝鲜半岛南部地区在出现木椁墓时，朝鲜半岛西北部地区的木椁墓已处于衰退期，从这一点来看，朝鲜半岛南部地区的木椁墓与西北部地区的木椁墓在结构上很难找到共性，只是接受了椁墓的埋葬观念，在初期阶段维持了一部分木棺的结构和埋葬礼仪。朝鲜半岛西北部地区木椁墓的出现时期现在仍是争论的重点，但从现在考古学资料来看，其初期木椁墓为中原系小型木椁墓的移植。

通过对东北亚各地区木椁墓系统的分布以及周边地区木椁墓系统的比较，可以看出当时东北亚各地区直接或间接都有一定的相互交流及相互作用。另外东北亚木椁墓的扩散意味着东北亚各地区送葬礼仪再构建成为椁墓的夸示礼仪和饮食奉献礼仪。

찾아보기